LE SANG DE MON ENNEMI

(Suite en fin de volume)

JAMES PATTERSON
et MICHAEL LEDWIDGE

LE SANG
DE MON ENNEMI

traduit de l'américain
par Sebastian Danchin

l'Archipel

Ce livre a été publié sous le titre
Gone
par Little, Brown and Company, New York, 2013.

Notre catalogue est consultable à l'adresse suivante :
www.editionsarchipel.com

Éditions de l'Archipel,
34, rue des Bourdonnais
75001 Paris.

ISBN 978-2-8098-1616-7

PROLOGUE

PÈRE ET FILS

1

Il était 3 heures du matin lorsque la camionnette blanche s'engagea dans Sweetwater Mesa Road et monta vers les hauteurs de Serra Retreat, un quartier chic de Malibu.

Vida Gomez, installée à côté du conducteur, écarquilla les yeux en distinguant les pics majestueux qui s'élevaient sur sa gauche, face à l'immensité de l'océan sur lequel se reflétait une lune argentée. Pas étonnant qu'autant de stars hollywoodiennes habitent dans le coin, pensa-t-elle.

Mais Vida n'était pas venue admirer le panorama. Elle se pencha sur l'écran de son iPhone, furieuse de s'être laissé distraire en plein boulot. Elle prit une longue respiration, histoire de se ressaisir. Pas question de baisser la garde. Surtout un soir comme celui-là.

Tout en rédigeant son texto, elle nota du coin de l'œil que le conducteur lorgnait peu discrètement l'échancrure de son chemisier. Une fois de plus. Comment pouvait-elle se concentrer dans ces conditions? Elle poussa un soupir. Le petit gros que le cartel lui avait imposé à la dernière minute pour conduire la camionnette, au prétexte de le «former», était l'incompétence incarnée. C'est tout juste si cet abruti était capable de tenir un volant.

Constatant que son voisin laissait à nouveau traîner ses yeux, Vida voulut reprendre la main. Elle saisit le pistolet-mitrailleur MGP-84 posé sur ses genoux et enfonça le silencieux dans le double menton du chauffeur.

— Tu t'imagines peut-être qu'on sort ensemble? Qu'on va au bal de fin d'année? Je serais curieuse de t'entendre roucouler, Roméo. On peut passer tout de suite à l'étape suivante, si tu veux.

— Désolé, s'excusa le type d'une voix terrifiée, le front couvert de sueur. Je recommencerai plus.

— C'est tes parents qui n'auraient pas dû commencer, répliqua Vida. Maintenant, je te donne le choix. A, tu gardes tes yeux bien sagement sur la route ; B, j'explose le dé à coudre qui te sert de cervelle. Qu'est-ce que tu préfères?

— Je choisis la première solution, s'empressa de répondre le chauffeur. Je vous en prie, *señorita*.

— Très bien, approuva Vida en baissant le canon de son arme. Je constate avec satisfaction que tu as compris la leçon.

Dix minutes plus tard, le chauffeur éteignait ses phares en se garant devant la grille du 223 Sweetwater Mesa Road. Vida s'apprêtait à expédier un nouveau texto au technicien de la société de surveillance soudoyé par le cartel lorsqu'elle reçut la réponse qu'elle attendait. Un message aussi lapidaire que limpide.

«Désactivé.»

Elle pivota sur son siège et fit coulisser la vitre qui séparait l'habitacle de l'arrière du véhicule. Les huit soldats du cartel qui s'y trouvaient, le visage cagoulé, étaient chaussés de rangers et portaient des tenues de combat noires.

— *¡Andale!* aboya-t-elle. Qu'est-ce que vous attendez?

La double porte de la camionnette s'ouvrit silencieusement, laissant passer les silhouettes sombres des tueurs qui achevèrent de s'équiper dans l'obscurité en enfilant des combinaisons NBC, un équipement militaire capable de résister aux attaques nucléaires, biologiques et chimiques. Le masque qui complétait leur tenue, composé de nylon renforcé et de caoutchouc, contenait un filtre de feutre saturé de charbon.

Vida rejoignit ses hommes et enfila un masque à son tour avant de s'assurer que sa combinaison n'était ni trouée, ni déchirée, comme on le lui avait enseigné à l'entraînement. Enfin prête, elle contempla l'immense villa de style espagnol qu'elle devinait de l'autre côté de la grille en fer forgé. Elle serra les paupières, les nerfs tendus. Pas question de dégueuler l'armée de papillons qui s'agitait dans son ventre.

C'était chaque fois pareil, et elle s'en voulait. Ce soir, l'incertitude accentuait son trac. Jamais on ne lui avait confié une mission aussi risquée.

Je donnerais n'importe quoi pour ne pas me trouver là, pensa-t-elle pour la centième fois de la soirée.

Comme si elle avait le choix depuis qu'elle avait accepté cette promotion ! Ses options étaient simples : soit elle obéissait aux ordres du cartel, soit elle se faisait sauter la cervelle tout de suite.

Elle observa pendant de longues secondes le pistolet-mitrailleur qu'elle serrait entre ses mains gantées, puis elle se reprit, comme à son habitude, et adressa un signe à Estefan, son lieutenant. Deux souffles étouffés traversèrent la nuit moite, signalant que ce dernier venait de faire sauter les gonds de la grille à l'aide d'un fusil muni d'un silencieux.

— Souvenez-vous de ce que je vous ai dit. On ne tire qu'en cas de nécessité absolue, recommanda Vida à ses hommes grâce au micro intégré à son masque. Vous savez pourquoi nous sommes ici. Il s'agit de délivrer un message.

Les hommes hochèrent la tête. L'un d'eux tendit une petite caméra à la jeune femme. Leur respiration, transformée en chuintement métallique, lui parvenait dans son oreillette. Vida actionna la caméra et pointa l'objectif sur ses hommes au moment où ils franchissaient la grille et convergeaient vers la maison silencieuse.

2

Cinq mille kilomètres plus à l'est, une pluie glacée tombait sans discontinuer sur les côtes du Connecticut, plongées dans l'obscurité. Michael Licata, le tout nouveau parrain du clan mafieux Bonanno, suait en ahanant dans la salle de gym aménagée dans le sous-sol de sa propriété.

Les muscles en feu, il sourit intérieurement en se disant que la nature était mal faite. De toutes les pièces de son immense demeure à neuf millions de dollars qui dominait la superbe baie de Westport, c'était encore ce sous-sol en chantier qu'il préférait, avec ses poutres métalliques apparentes, son sol de béton couvert de taches, ses haltères et son vieux punching-ball. Il repoussait ses limites chaque matin dans cet espace mal chauffé, histoire de ne jamais oublier qu'il était l'enfoiré le plus impitoyable à sortir des bas-fonds du quartier de Sheepshead Bay, à Brooklyn.

Petit et trapu, la cinquantaine, Licata laissa retomber bruyamment sa kettlebell de vingt kilos en entendant grésiller le haut-parleur de l'interphone. Sa pétasse de femme, à coup sûr. Il n'était pas encore 6 h 30 et cette idiote trouvait déjà le moyen de l'emmerder. Elle voulait probablement le prévenir qu'elle filait à la gare prendre Rita. Leur connasse de gouvernante était constamment en retard.

Lui qui croyait être plus efficace en bossant à la maison, au lieu de diriger ses affaires de son QG d'Arthur Avenue, dans le Bronx. Après tout, qu'elle aille se faire foutre, pensa-t-il en ramassant la kettlebell. Le maître de maison est occupé.

Il était allongé par terre, se cassant le dos avec un nouvel exercice, lorsqu'il releva la tête et aperçut sa femme. Debout derrière elle se tenait son garde du corps, Ray Siconolfi, dit le Dingue.

Licata hésita à se pincer. Comment sa conne de femme avait-elle pu laisser Ray pénétrer dans son sanctuaire alors que lui, le parrain, transpirait comme un porc, torse nu, en short de cycliste?

— Tu te fous de ma gueule? aboya-t-il en fusillant sa femme du regard.

— Parce que c'est ma faute, peut-être? glapit Karen d'une voix de sorcière, dans son pyjama de soie. Ça n'arriverait pas si tu décrochais ton putain d'interphone quand on essaye de te joindre.

Le seau d'eau qui faisait déborder le dé à coudre. Licata pivota sur lui-même et lança la kettlebell en direction de sa femme. La boule métallique passa à quelques centimètres de la tête de cette dernière avant de s'enfoncer dans le mur en placo. Sans demander son reste, Karen s'enfuit comme un chat ébouillanté.

Licata en profita pour lancer un regard assassin à son garde du corps d'un mètre quatre-vingt-dix-huit.

— T'as pas intérêt à m'avoir dérangé pour rien, Ray.

Ce dernier, le visage impénétrable comme à son habitude, lui tendit une grande enveloppe de papier kraft.

— On vient de la déposer devant la guérite de l'entrée, expliqua-t-il. J'ai entendu un moteur de camionnette. Le temps que je me précipite, la bagnole avait disparu.

— C'est quoi, ce bordel? Tu as vérifié qu'il n'y avait aucun tic-tac?

— Vous me prenez pour un idiot ou quoi, patron? rétorqua Ray, vexé. Je l'ai passée aux rayons X, comme toujours. On dirait un ordinateur portable. Vous verrez que l'enveloppe vous est adressée, et que l'expéditeur est Michael

Junior. Je ne vous aurais pas dérangé si j'avais pu joindre Mikey pour lui demander ce que c'est, mais il ne répond pas. Ni sur son portable, ni sur le fixe.

— Junior? s'étonna Licata en tournant et retournant l'enveloppe entre ses grosses mains.

Michael, son fils aîné, vivait en Californie où il dirigeait les syndicats de l'industrie du cinéma au nom du clan. Les cameramen, les techniciens, toute la clique. À quoi pouvait bien rimer ce cirque?

Il déchira l'enveloppe et découvrit un iPad allumé. Sur l'écran s'affichait une vidéo prête à démarrer. L'image était figée sur une maison entourée de palmiers, baignant dans une lueur verdâtre, évoquant celle des lunettes de vision nocturne.

Licata reconnut le bâtiment au toit de tuiles romaines. La nouvelle maison de Junior, à Malibu. Qui pouvait bien surveiller la baraque de Mikey? Les fédéraux?

— C'est quoi, cette merde? grommela-t-il en tapotant l'écran d'un doigt.

3

La vidéo s'anima. Les images, tremblantes, avaient été prises à l'aide d'un caméscope. Leur auteur ne s'était pas contenté de filmer la maison de Mikey de l'extérieur, il avait franchi la grille et traversé la pelouse au pas de course. La respiration du cameraman s'échappait du haut-parleur de la tablette. Une respiration étrange, comme celle d'un plongeur, ou encore le souffle de Dark Vador.

Licata poussa un cri. L'objectif pivotait vers la droite et s'arrêtait sur une équipe de ninjas en tenue de combat. On les voyait contourner la piscine à débordement et monter les marches du perron. L'un des enfoirés s'agenouillait devant la serrure. Un éclair de feu, et la lourde porte en bois et fer forgé s'abattait à l'intérieur de la maison.

Licata se couvrit la bouche en remarquant que les intrus étaient armés. En plein cauchemar, il comprit que le commando venait tuer son fils.

— Appelle Mikey ! Tout de suite ! hurla-t-il à son garde du corps.

Il crut défaillir en reportant son attention sur la tablette. La double porte de la chambre de son fils, à l'étage, venait de s'ouvrir. Le cœur au bord des lèvres, Licata vit s'avancer la caméra. Jamais il ne s'était senti aussi vulnérable.

La caméra tangua follement pendant quelques instants avant de s'immobiliser. Les inconnus masqués maintenaient fermement Mikey qui essayait vainement de se débattre, le visage enfoncé dans le matelas. Deux des agresseurs avaient immobilisé Carla, sa femme, enceinte jusqu'aux dents. Elle se mit à hurler en voyant les intrus lui attacher chevilles et poignets aux montants du lit.

Une explosion retentit et un cylindre métallique apparut à l'écran. Une main lança l'étrange objet sur le lit, entre son fils et sa bru, et des volutes de fumée blanche s'en échappèrent.

Une bombe lacrymo? pensa Licata, stupéfait. À quoi jouaient ces salauds? Un cambriolage? Pour un peu, il aurait cru à un mauvais film de série B. Si seulement…

Le premier, Junior montra des signes de convulsion. Les ordures le lâchèrent en le voyant trembler de tous ses membres, comme sous l'effet d'une décharge électrique. Peu après, il vomissait tripes et boyaux avec des hoquets déchirants. Carla ne tarda pas à l'imiter, on la voyait s'agiter comme une tranche de bacon dans une poêle brûlante, des geysers de morve et de vomi jaillissaient de son nez et de sa bouche sous l'œil impitoyable de la caméra qui ne perdait pas une miette du spectacle, la main du cameraman écartant soigneusement draps et couvertures.

Au bout d'une quinzaine de secondes tout au plus, les spasmes terrifiants cessèrent et les deux corps se figèrent.

Licata, pétrifié face à l'écran, était incapable d'articuler un mot, ou même de penser.

Son fils Michael, la prunelle de ses yeux, venait de mourir devant lui.

— Oh putain, patron! Patron, patron! Attention! l'avertit soudain Ray.

Licata releva la tête. De saisissement, il laissa tomber l'iPad dont l'écran explosa sur le sol de béton.

Si on lui avait dit un jour qu'il ouvrirait des yeux aussi grands, il ne l'aurait pas cru. Deux inconnus armés de fusils venaient brusquement de se matérialiser sur le seuil de la salle de gym. Deux Latinos, le premier fin et racé comme un doberman, le second court sur pattes et boutonneux. Tous deux portaient des combinaisons de mécanicien et une casquette des Yankees, le visage dissimulé derrière un bandana.

Sans un avertissement, le tueur au visage grêlé d'acné envoya une décharge de gros plomb dans le ventre de Ray. Au bruit assourdissant de la détonation, Licata ferma instinctivement les yeux et fit un bond en arrière. En écartant les paupières, il vit des traînées de sang traversant toute la pièce, depuis le punching-ball jusqu'aux murs de ciment brut, et même sur son torse nu. Alors que son ventre n'était plus qu'une plaie béante, Ray parvint miraculeusement à se maintenir debout une poignée de secondes, puis il s'approcha du banc de musculation en donnant l'impression de vouloir s'y laisser tomber, tel un sportif épuisé.

Il s'effondra à moins d'un mètre de son objectif en se fracassant le crâne contre l'une des haltères de son patron.

Le regard de Licata quitta la dépouille de son garde du corps pour se poser sur les deux inconnus.

— Pourquoi? demanda-t-il en humectant ses lèvres sèches. Vous avez tué mon fils et Ray. Pourquoi? Qui êtes-vous? Qui vous envoie?

Les hommes, sans réaction, observaient le parrain avec des regards aussi sombres et vides que les gueules des fusils braqués sur lui. Il s'agissait visiblement d'immigrés, originaires du Mexique ou d'Amérique centrale. Licata comprit soudain qu'ils ne parlaient pas anglais.

Au moment où le mafieux s'y attendait le moins, deux bruits successifs résonnèrent à l'étage: un cri aigu de femme, immédiatement suivi par la détonation d'un fusil.

Karen! pensa Licata en hurlant à son tour. Il voulut se précipiter, mais le doberman anticipa la manœuvre. D'un geste souple, il envoya la crosse de son fusil dans le visage de Licata, l'assommant tout en lui faisant exploser les dents de devant.

4

Licata revint à lui une dizaine de minutes plus tard dans le minuscule placard à balais du sous-sol. Le temps de cracher deux incisives, il s'aperçut qu'il était menotté à une conduite d'eau.

Soudain, il entendit un chuintement inquiétant et sentit une odeur rance de soufre.

Il glissa un regard par l'entrebâillement de la porte du placard et remarqua immédiatement le tuyau de caoutchouc sectionné qui pendait du plafond. Mon Dieu, non! Pas le gaz!

Il crut perdre définitivement la raison en apercevant, sur la table basse, une bougie parfumée.

Allumée.

— Monsieur Licata? Vous êtes là? Ouh, ouh! fit une voix teintée d'un fort accent français.

Licata repoussa la porte d'un coup de pied afin de voir qui était son visiteur. À sa grande surprise, il découvrit un énorme écran plasma d'où s'échappait une forêt de câbles. Une caméra vidéo était fixée à la partie supérieure de l'écran. Sur ce dernier s'affichait le visage de Manuel Perrine, le tout-puissant patron d'un cartel de drogue mexicain.

Portant beau, le métis était vêtu d'une chemise de soie blanche et d'un bermuda en toile, une paire de lunettes de soleil Cartier Aviator sur le nez. Il était assis en tailleur sur une chaise longue en rotin et tenait à la main ce qui ressemblait à un mojito. Dans la chaise longue voisine était allongée une silhouette longiligne en bikini blanc, dont Licata ne voyait que le corps bronzé et une mèche blonde léchant une épaule couleur cannelle. Perrine et sa compagne étaient pieds nus, et tout indiquait qu'ils se trouvaient à bord d'un yacht.

Licata lâcha un gémissement. Son esprit embrumé commençait à prendre la mesure de la situation. Il avait fait la connaissance de Perrine un an plus tôt, dans une prison fédérale de Manhattan. En échange de la coquette somme de dix millions de dollars en liquide, le mafieux avait aidé le chef de cartel mexicain à échapper à ses geôliers. Licata ne pensait plus jamais entendre parler de Perrine. Autant rêver. Deux mois après son évasion spectaculaire, ce cinglé l'avait contacté et insisté pour qu'ils travaillent ensemble. Licata avait bien besoin de ça.

Sur l'écran apparut une ravissante fillette de quatre ou cinq ans aux cheveux tressés tout mouillés, son teint foncé troué de deux yeux très clairs. Elle portait un maillot de couleur vive dont les paillettes brillaient au soleil.

— C'est qui le drôle de monsieur, papa? demanda-t-elle en regardant Licata d'un air curieux sur l'écran installé face à Perrine.

— Retourne dans la piscine, Bianca. Cette fois, fais-moi deux longueurs sur le dos, lui demanda ce dernier d'une voix tendre. Papa regarde une émission pour les grandes personnes.

La fillette haussa les épaules et s'éloigna.

— Que pensez-vous de ma petite installation? C'est fou ce que l'image est bonne, vous ne trouvez pas? reprit Perrine en ôtant ses lunettes de soleil, dévoilant deux yeux très clairs. C'est le tout nouveau système Cisco. Ce truc m'a coûté une blinde, mais je n'ai pas résisté à l'envie de vous voir et de parler avec vous une dernière fois.

Licata ouvrit la bouche pour répondre, au lieu de quoi il fondit en sanglots.

— Des larmes, monsieur Licata? Vraiment? Vous êtes pourtant bien placé pour savoir que les habitants de cette planète relèvent de deux catégories : ceux qui sont utiles, et les nuisibles. Vous n'imaginiez vraiment pas qu'il vous arriverait des bricoles si vous refusiez de collaborer avec moi ?

Perrine avala une gorgée de son cocktail et s'essuya délicatement la bouche avec une serviette avant de poursuivre.

— Je vous avais pourtant offert mon amitié. Une alliance nous aurait bénéficié à tous les deux. Dans ce monde en pleine évolution, j'étais sincèrement disposé à aider la mafia américaine à s'adapter au vent du changement.

«Vous vous souvenez de vos dernières paroles, avant de me raccrocher au nez ? Elles ne manquaient pas de sel. Vous m'avez dit que mes amis mexicains et moi-même ferions mieux de vaquer à nos occupations habituelles, à savoir cultiver les haricots et faire la sieste. Vos propres termes.

D'un geste, Perrine chassa une poussière imaginaire de l'épaule de sa chemise immaculée.

— Aujourd'hui, monsieur Licata, vous avez probablement compris que mes gens ne font pas la sieste, et qu'au lieu de récolter des haricots ils coupent des têtes.

— Vous avez raison, répondit Licata en laissant échapper un filet de sang de sa bouche mutilée. J'ai eu tort de vous manquer de respect, Manuel. Je constate que vous n'êtes pas un enfant de chœur. Nous pouvons nous entraider. J'ai les moyens de vous donner toute satisfaction. Il suffit d'en discuter.

Perrine éclata d'un grand rire en remettant ses lunettes de soleil.

— Me donner «satisfaction»? Comme dans la chanson des Rolling Stones? Vous n'avez pas bien écouté les paroles, apparemment. Il n'est pas question de satisfaction, mais d'insatisfaction. C'est tout le problème, mon cher ami. Et puis il est trop tard.

Licata n'eut pas le temps d'ouvrir la bouche. Le gaz qui s'échappait du tuyau explosa brutalement au contact de la bougie allumée, le réduisant en miettes lui, sa salle de gym, ainsi qu'une bonne partie de sa maison de nouveau riche du Connecticut.

LIVRE 1

JE VEUX ÊTRE LIBRE

1

Il était 5 heures du matin et je n'arrivais pas à dormir, miné par le silence et l'inaction. Mon premier café de la journée à la main, j'ai poussé la porte moustiquaire et gagné la galerie.

Je me suis assis à côté d'une herse de tracteur rouillée, le front barré d'un pli et persuadé que ce bon Dr Seuss ne s'était pas trompé en consacrant un livre pour enfants, *Oh, The Places You'll Go!*, aux imprévus de la vie.

La rambarde en bois sur laquelle j'allongeais mes jambes courait le long de la galerie d'une vieille ferme de style victorien située à quelques kilomètres au sud de Susanville. Comme chacun ne le sait pas, Susanville est le chef-lieu du comté de Lassen, dans le nord de l'État de Californie. Un comté baptisé en l'honneur de Peter Lassen, célèbre pionnier et grand pourfendeur d'Indiens, assassiné en 1859 dans des circonstances mystérieuses, à en croire ma fille Jane.

En tant que flic new-yorkais en exil forcé dans ce trou paumé depuis huit mois, j'aurais volontiers rouvert l'enquête du meurtre de Lassen. C'est vous dire que je m'ennuyais ferme.

Comme si on m'avait laissé le choix.

À tout prendre, je préférais d'ailleurs m'ennuyer qu'être mort.

Quand j'étais gamin, dans l'Est, les fauteuils de jardin en bois s'appelaient des Adirondacks, en hommage aux monts du même nom. Dans la mesure où j'apercevais les sommets

23

enneigés des Sierras dans le lointain, il aurait été plus judicieux de donner le nom de Sierra au vieux siège de jardin dans lequel j'avais pris place. Quoi qu'il en soit, le froid m'avait contraint à enfiler une veste Carhartt, un jean usé et des bottes en caoutchouc.

Des bottes vertes, aussi utiles que ridicules, qui m'arrivaient aux genoux. Quand on vit dans un ranch, il n'est pas rare de marcher dans une bouse. On est alors bien content de pouvoir s'en débarrasser d'un coup de jet d'eau.

J'aurais aimé pouvoir me débarrasser aussi aisément des emmerdes qui me collaient aux semelles depuis un moment.

Quelques mois plus tôt, j'étais encore un inspecteur d'origine irlandaise au sein du NYPD, accessoirement père de dix enfants adoptifs, quand j'avais eu la riche idée d'arrêter Manuel Perrine, le chef d'un cartel mexicain. Jusque-là, rien d'anormal. Il se trouve que mettre en cage des assassins est un vieux hobby chez moi.

Sauf que ce salopard s'était évadé et qu'il avait passé un contrat de plusieurs millions de dollars sur ma tête et celle de toute ma famille.

Je vous laisse imaginer le tableau. Le FBI s'était empressé de nous enrôler de force dans son programme de protection des témoins, et j'avais troqué du jour au lendemain ma vie au NYPD contre celle des personnages de *La Petite Maison dans la prairie*. J'ai toujours pensé que la chance supposée des Irlandais était un concept pour le moins galvaudé.

Je mentirais en affirmant que je commençais à m'habituer à mon sort. Notre nouveau cadre de vie ne cessait de me surprendre.

Quand on évoque la Californie, on pense immédiatement aux surfeurs, aux Beach Boys, aux jolies filles. C'est en tout cas ce que l'ensemble du clan Bennett s'était imaginé lorsque les fédéraux nous avaient révélé notre destination.

Au lieu de quoi nous avions découvert la face cachée de cet État. Une région déserte dans laquelle ne subsistent que les cabanons en rondins des pionniers d'antan, perdus au milieu d'un océan de bouses de vaches.

La situation n'était pas aussi dramatique que je le laisse entendre. Le ranch de trois cents hectares dans lequel nous vivions était entouré de montagnes splendides. Quant à notre proprio, Aaron Cody, héritier de cinq générations d'éleveurs, c'était la crème des hommes. Son bétail broutait en toute liberté et les produits de sa ferme étaient bios, qu'il s'agisse des œufs, du lait, des légumes qu'il déposait devant notre porte avec la générosité d'un Père Noël de soixante-quinze ans en tenue de cow-boy. Nous n'avions jamais aussi bien mangé.

Mes enfants étaient partagés. Les aînés étaient déprimés parce que leurs copains leur manquaient, tout comme leurs profils Facebook. À l'inverse, les plus jeunes étaient tombés sous le charme de la vie rurale, de la proximité avec les animaux. Cody possédait, à moins d'un kilomètre de la maison, un véritable zoo composé de chevaux, de chiens, de chèvres, de lamas, de cochons et de poules.

La nounou des enfants, Mary Catherine, n'avait éprouvé aucune difficulté à prendre ses marques, pour avoir elle-même grandi dans une ferme en Irlande. Elle se sentait comme un poisson dans l'eau à Susanville et ne renâclait pas à aider notre propriétaire, en plus de s'occuper des gamins. Cody, veuf, était tombé raide dingue d'elle. Il affirmait n'avoir jamais connu personne d'aussi charmant.

Mais l'essentiel n'était pas là : nous étions en sécurité ici.

Il est extrêmement difficile de s'en prendre par surprise à une famille qui vit en pleine cambrousse, à un kilomètre de la route la plus proche. J'aurais parfois aimé aller à Susanville acheter une pizza ou un bagel, mais la situation présentait certains avantages. S'il nous avait fallu du temps pour nous adapter à ce mode de vie digne du XIXᵉ siècle, au moins serions-nous à l'abri le jour où le dollar s'effondrerait.

Voilà pourquoi je buvais un café sur cette fichue galerie aux premières lueurs de l'aube, prêt à enfourcher ma monture comme un héros de western. À ceci près que je me contentais de lire les dernières nouvelles sur mon iPhone, faute de cheval. Il était réconfortant de constater que le monde continuait de s'agiter hors des frontières de mon sanctuaire.

Je cliquais machinalement d'un titre à l'autre quand l'un d'eux m'a fait sursauter, au point de renverser mon café sur mes bottes :

«UNE NOUVELLE GUERRE DES GANGS? DÉJÀ PLUS DE VINGT VICTIMES! MANUEL PERRINE SOUPÇONNÉ D'AVOIR PROGRAMMÉ CE BAIN DE SANG!»

2

Le temps de dévorer les articles consacrés à l'affaire, je commençais à comprendre de quoi il retournait.

Sur les sept attaques perpétrées la veille, trois avaient eu lieu dans la région de New York, les autres à Providence, Detroit, Philadelphie et Los Angeles. D'après les premiers éléments d'information, les chefs des cinq principales familles de la mafia avaient été massacrés chez eux par des inconnus.

Plusieurs épouses et quelques enfants avaient fait les frais de l'opération. La maison d'un parrain de Westport, dans le Connecticut, avait été littéralement soufflée par une explosion.

«Vingt-trois morts, au moins», annonçait le *Los Angeles Times* sur son site. Vingt-trois victimes? Ce n'était plus une série de meurtres, mais une véritable guerre.

L'ampleur des moyens mis en œuvre était stupéfiante. Les assaillants avaient notamment neutralisé les systèmes d'alarme et retiré les cassettes des caméras de surveillance. L'enquête en était encore à son stade initial, mais il ne semblait pas y avoir de témoins.

Un informateur dont on ne précisait pas l'identité avait signalé à la police que le coupable était probablement Perrine. À l'en croire, ce dernier en voulait à la mafia d'avoir refusé l'offre d'association qu'il leur avait faite quelques mois auparavant. Comme par hasard, le jour du massacre coïncidait avec le quarante-cinquième anniversaire de Perrine.

Apprendre qu'il était impliqué dans cette affaire ne me surprenait pas. Ces attaques cadraient bien avec le fonctionnement des cartels. Dans le langage de la rue, la tactique brutale de ces derniers a été baptisée *plato o plomo*. C'est-à-dire «l'argent ou le plomb». Le fric ou le flingue. Ça passe ou ça casse.

Cela dit, il y a une différence entre tordre le cou d'un propriétaire d'épicerie et décapiter la mafia tout entière!

Combien d'hommes avait-il fallu pour mener à bien une opération d'une telle envergure? Cinquante? Plus sûrement une centaine. Je n'en revenais pas que Perrine, de sa tanière, ait pu coordonner aussi aisément l'action d'une centaine de tueurs surentraînés dans cinq villes différentes. Rien que d'y penser, je me sentais déprimé.

Il s'agissait d'un véritable coup d'État. Depuis combien de décennies la mafia américaine se trouvait-elle à la manœuvre? Depuis l'époque de la Prohibition? Perrine bouleversait la donne en faisant monter en puissance son cartel mexicain. Il parvenait ainsi à prendre pied sur le sol américain.

Savoir que Perrine était de retour n'était pas pour me rassurer. Élevé dans la misère d'un ghetto de la Guyane française, il avait fait ses classes dans l'armée de son pays avant d'intégrer les forces spéciales. Ses anciens frères d'armes dans les commandos de la marine décrivaient un homme d'une intelligence et d'une compétence redoutables, un leader naturel non dénué d'humour, volontiers enclin à se mesurer aux autres.

Fort de son expérience, Perrine avait rejoint le continent sud-américain où il avait proposé ses services de mercenaire et de consultant militaire aux entreprises criminelles d'Amérique latine. En l'espace de deux décennies sanglantes, il s'était hissé à la tête du cartel le plus puissant et le plus violent du Mexique, engrangeant au passage une fortune qui se comptait en milliards.

On aurait pu croire que sa carrière s'arrêterait brutalement lorsque j'avais réussi à le coffrer à New York un an plus tôt.

Il n'en était rien. Perrine avait fait assassiner la juge qui présidait à son procès avant de s'échapper en hélicoptère du palais de justice fédéral de Foley Square. Présent ce jour-là, j'avais vidé le chargeur de mon Glock, en vain, sur l'hélicoptère qui s'enfuyait en emportant à son bord ce dandy de Perrine.

J'avais toutes les raisons de m'inquiéter au vu de ces nouvelles attaques. Les criminels en cavale passent leur temps à se cacher, et non à étendre leur empire. À en croire la rumeur, Perrine avait récemment rapproché son cartel de celui de l'un de ses rivaux. Le nom donné à cette nouvelle entité, Los Salvajes, en disait long sur ses intentions.

Les Sauvages.

Perrine commençait même à prendre des allures de héros populaire, ce qui me laissait perplexe. Loin de voler les riches au profit des pauvres, ce Robin des Bois des Temps modernes importait de la drogue par tonnes quand il n'était pas occupé à décapiter ses ennemis.

Je me trouvais dans un tel état d'énervement que j'ai éteint mon téléphone d'un geste rageur.

Je me fichais bien de la disparition des cinq parrains de la mafia. Si l'on veut oublier les fresques à la Francis Ford Coppola et autres fictions romantiques proposées par la chaîne HBO, les mafieux sont des monstres brutaux qui ne se contentent pas de dépouiller leur prochain. Ces gens-là prennent un malin plaisir à détruire et humilier les gens.

Pour ne prendre qu'un exemple, l'un des chers disparus du jour, le regretté Michael Licata, avait plongé dans le coma d'un coup de crosse un serveur d'un restaurant de Bronxville qui avait eu l'impudence de ne pas lui servir assez vite ses moules marinières. La nouvelle que Licata avait péri dans l'explosion de sa maison la veille ne m'empêcherait pas de dormir.

En revanche, savoir que le coupable était Perrine me rendait dingue. Apprendre qu'il était libre, et plus dangereux que jamais, était insoutenable. La police américaine, par son impuissance, se ridiculisait aux yeux de tous. J'étais curieux de savoir qui dirigeait l'enquête.

Pas moi, en tout cas. On m'avait mis sur la touche après l'évasion de Perrine, avant de me confier au FBI le jour où il avait fait placer un camion bourré d'explosifs devant mon immeuble de West End Avenue. Depuis, je végétais au fond de mon placard.

Je n'ai pas de mots assez forts pour décrire l'état de frustration dans lequel me plongeait mon impuissance.

Ce n'était pas à moi de me cacher, mais à Perrine. Pour un peu, j'aurais cassé le premier truc qui me passait sous le poing.

3

Je me suis empressé de fourrer mon portable au fond de ma poche quand j'ai entendu grincer la porte moustiquaire derrière moi.

Mary Catherine, habillée d'un vieux jean, d'un sweat à capuche de l'université Columbia et d'une paire de bottes en caoutchouc, m'a rejoint, une cafetière à la main. Avec ses cheveux blonds attachés en queue de cheval, ma nounou de luxe était plus belle que jamais.

Autant je détestais cet endroit, autant Mary Catherine s'y sentait heureuse. J'avais cru qu'elle s'effondrerait en apprenant qu'elle allait devoir partager notre sort dans ce trou. C'était tout l'inverse. Rien n'aurait pu entamer le moral de ma jeune et jolie Irlandaise, pas même les menaces de mort d'un cartel.

— Salut, cow-boy, m'a-t-elle lancé avec son charmant accent en remplissant mon mug.

— Salut, jeune fille.

— Vous êtes bien matinal.

Je lui ai répondu de ma voix la plus virile, en plissant les paupières à la façon de Clint Eastwood dans les westerns-spaghettis.

— J'ai cru apercevoir des voleurs de bétail dans le coin. En fait, il s'agissait de poulets de grand chemin. Comme ils refusaient de se calmer, j'ai arraché les ailes du chef de la bande. Je n'en ai fait qu'une bouchée, arrosée de sauce piquante.

Mary Catherine a éclaté de rire.

— Évitez d'en parler à Chrissy. Vous savez combien elle adore nos amis à plumes.

J'ai ri à mon tour.

— Ne m'en parlez pas.

Chrissy, le bébé de ma nombreuse famille, s'était entichée de l'une des poules de notre propriétaire. Ne me demandez pas pourquoi, elle avait baptisé sa nouvelle conquête Homère. Elle avait même renoncé définitivement aux beignets de poulet depuis que l'un de ses frères, toujours prêts à mettre de l'huile dans les rouages, lui avait expliqué qu'elle trempait sans doute un lointain cousin d'Homère dans sa sauce aigre-douce chaque fois qu'elle mangeait un nugget.

— Quel est votre programme aujourd'hui? m'a demandé Mary Catherine.

— Eh bien, on pourrait descendre acheter le journal et des bagels chez Murray's avant d'aller en métro au MoMA visiter l'expo du moment. Ensuite, on ira déjeuner chez John's, sur Bleecker Street. Je commanderais volontiers une pizza géante complète, avec de la glace en dessert. Non, attendez. On pourrait acheter au Carnegie Deli des sandwichs au pastrami géants. Ils fondent dans la bouche.

Mary Catherine a secoué la tête d'un air désolé.

— Le MoMA? Vraiment?

— Pourquoi pas? Vous n'êtes pas la seule à vous cultiver dans la famille.

— Sauf que vous n'avez jamais mis les pieds au MoMA. Vous m'avez même avoué que vous n'aimiez pas l'art contemporain. Quant à prendre deux fois le métro? Bien sûr! Quel plaisir de prendre le métro avec les enfants! Écoutez, Mike. Vous savez que j'adore la Grosse Pomme et qu'elle me manque, mais vous ne trouvez pas que vous en faites un peu beaucoup? Pourquoi passer votre temps à vous miner?

J'ai embrassé d'un geste le paysage qui s'étendait à l'infini.

— Je pensais que vous auriez compris. Je n'ai rien d'autre à me mettre sous la dent.

Elle a hoché la tête.

— J'ai la solution. Moins vous gambergez, plus vous êtes efficace, comme le dit si bien M. Cody. Vous nous accompagnez ce matin. Pas de discussion.

J'ai tout de suite compris où elle voulait en venir.

— Sans façon. J'ai du pain sur la planche. Je suis censé réviser mes cours.

Étant donné les circonstances, nous avions décidé de faire la classe aux enfants à la maison. J'enseignais l'anglais et l'histoire, Mary se chargeait des maths, et mon grand-père Seamus leur faisait le catéchisme. Normal, puisqu'il est curé. Je n'avais jamais donné de cours de ma vie, mais j'y prenais plaisir. Avec un peu d'entraînement, j'aurais bientôt atteint le niveau d'un élève de CM2.

— N'importe quoi, Mike. Je sais très bien que vous avez au moins quinze jours d'avance dans la préparation de vos cours. Essayez donc de lâcher du lest. Je suis consciente que la vie ici vous pèse, mais vous n'avez pas le choix. Vous ne faites pas beaucoup d'efforts. À la guerre comme à la guerre, comme disaient les Romains.

— Si seulement on était à Rome. On pourrait au moins déguster des pizzas.

— Je ne veux rien savoir. Je vous laisse le choix : vous occuper d'aller démarrer les voitures, ou bien réveiller les enfants.

— Je préfère encore m'occuper des voitures.

— Je compte sur vous, a décrété ma nounou au moral d'acier en regagnant la maison.

4

Vingt minutes plus tard, nous remontions le petit chemin conduisant à la ferme de notre hôte.

Seamus, Brian, Eddie et les jumeaux étaient montés dans la Jeep tandis que Mary Catherine et moi fourrions le reste de notre marmaille dans le vieux break que Cody avait tenu à nous prêter. Une Pontiac Tempest vintage qui me rappelait les années 1970 de mon enfance, à l'époque où les ceintures de sécurité étaient en option, où l'allume-cigare était l'allié fidèle des fumeurs de Marlboro rouges, où les constructeurs de voitures fabriquaient encore des breaks dignes de ce nom.

Mary ne cessait de me surprendre. Ne me demandez pas comment elle s'y était prise pour faire lever les ados à une heure aussi matinale. Loin de se disputer, les gamins bavardaient et plaisantaient tranquillement. Un exploit, sachant que personne n'avait pris le temps d'avaler son petit-déjeuner.

Je me suis tourné vers Mary Catherine, profitant du kilomètre de route en terre qui nous séparait de la ferme de Cody.

— Qu'ont-ils tous, ce matin? Ils ont l'air tout excités, et Seamus ne m'a pas insulté une seule fois depuis qu'il est debout. Que se passe-t-il?

— Ils n'ont pas l'air excités, ils sont excités. Vous verrez, Mike. Vous aussi, vous allez adorer.

Cody nous attendait de pied ferme devant une étable dernier cri. Une remorque au sol jonché de paille était attachée à son vieux tracteur Ford vert. À peine la voiture garée, les gamins s'y sont précipités.

— Salut, Mike. Heureux que vous soyez des nôtres ce matin, m'a accueilli un Cody souriant en me serrant la main.

J'ai beaucoup d'affection pour lui. Son fils dirige l'antenne du FBI à Chicago, de sorte qu'il mesurait la menace que Perrine faisait peser sur les miens. Il avait déjà prêté à plusieurs reprises son ranch perdu au programme de protection des témoins. On ne pouvait rêver mieux pour nous protéger que cet ancien sergent des Marines, décoré au Viêtnam.

— Un apprenti vacher, ça ne se refuse pas. Pas vrai, les enfants? a enchaîné Cody en redressant sa casquette des Colorado Rockies. En revanche, je ne garantis pas de le garder. On verra d'abord comment il se débrouille.

Les enfants n'ont pas raté une si belle occasion de rire de leur père.

— Je n'en demande pas plus, Aaron. J'espère ne pas vous décevoir.

— Assez perdu de temps avec ce pied tendre, Cody, est intervenu Seamus en tapant du poing sur le capot du tracteur. Il est l'heure de monter en selle et de s'y mettre.

Nous nous sommes tous entassés dans la remorque en compagnie des trois border collies blanc et noir de Cody. C'était touchant de voir la façon dont mes gamins s'entendaient avec ces chiens adorables. Mary avait raison. Les enfants n'auraient pu être plus heureux.

Dix minutes plus tard, nous découvrions un canal d'irrigation le long duquel pâturaient une soixantaine de têtes de bétail.

— T'as vu, papa? Là-bas, c'est des vaches, m'a expliqué Trent, mon fils de sept ans, pendant que Cody ouvrait la barrière. Ce sont des filles. Elles sont grosses, mais assez gentilles. C'est facile de les diriger. Et t'as vu le fil de fer à l'autre bout du champ? Il est électrifié, papa. Surtout, ne le touche pas. C'est pour empêcher les vaches de s'en aller.

L'enthousiasme contagieux de Trent m'a fait sourire. À la même heure, à New York, ils auraient été enfermés dans une salle de classe. Ici, ils vivaient dans une école en plein air.

Cody a poursuivi sa route et Trent m'a désigné un enclos dans lequel étaient enfermés deux énormes bovins blanc et roux. De véritables tanks à fourrure.

— Ceux-là, papa, c'est des taureaux. Des garçons, quoi. Ils sont… euh… comme vous avez dit, déjà, monsieur Cody?

— Entêtés, a répondu l'éleveur depuis le tracteur.

— Exactement. Les taureaux sont très entêtés. Et méchants. Vaut mieux pas trop les approcher. On peut même pas entrer dans le champ où ils sont. Dès qu'ils te voient approcher de la clôture, t'as intérêt à reculer vite fait, sinon ils se ruent sur toi pour te renverser!

— Je me trompe, Trent, ou bien tu parles d'expérience?

— C'est surtout Eddie qui fait ça, papa, m'a-t-il chuchoté sur le ton de la confidence. Ricky aussi. Moi, j'ai essayé une seule fois. Juré craché.

La remorque s'est immobilisée et Cody a sauté de son siège. Les border collies, Flopsy, Mopsy et Désiré, ont bondi par-dessus la rambarde en entendant leur maître les siffler.

— Viens voir, papa, m'a invité mon aîné, Brian, en passant un bras autour de mes épaules.

— Ouais, a insisté Jane alors que les chiens couraient en direction des bêtes. Regarde bien ce qui va se passer, c'est trop super.

Les enfants n'exagéraient pas. Les vaches ont tourné la tête en voyant les trois chiens courir le long de la clôture. Avant qu'elles aient compris ce qui leur arrivait, les collies avaient atteint l'extrémité du champ et les repoussaient en aboyant, parfois d'un coup de dents aux sabots.

Cody s'est approché du troupeau en sifflant ses ordres aux chiens qui couraient entre les vaches agacées. En quelques minutes, les bêtes franchissaient la barrière en direction de la salle de traite.

J'ai ouvert de grands yeux en direction de Cody qui rejoignait son tracteur.

— Comment diable les avez-vous dressés?

— Ce n'est pas moi, s'est défendu l'éleveur en caressant ses chiens. Ils suivent leur instinct. Les border collies sont les meilleurs chiens de troupeau au monde, Mike. Ils courent en permanence autour des bêtes sans jamais les quitter des yeux pour bien leur montrer qui commande.

Je n'étais pas au bout de mes surprises. Mary Catherine m'a littéralement soufflé, dans la salle de traite, en guidant le troupeau dans un tonnerre de meuglements. On aurait dit un flic de la circulation, version campagne. Elle a enfilé une combinaison et des gants, puis sauté d'un bond dans la tranchée qui longe les stalles afin de poser les gobelets des machines à traire sur les pis des vaches. Elle se débrouillait comme une vraie pro avec ces tentacules partant dans tous les sens. Je n'en revenais pas.

— Alors, Mike? m'a-t-elle apostrophé, un seau à la main. Une petite soif?

J'ai fait un bond en arrière. Au lieu du liquide blanc qu'on trouve en brique dans les rayons des supermarchés, je découvrais un fluide épais et jaunâtre dont s'échappaient des filets de vapeur.

— Allez, Mike. Je sais que vous avez soif, a plaisanté Mary en percevant mon dégoût.

Elle m'a fourré le seau sous le nez.

— Vous le préférez pur ou avec des glaçons?

J'ai reculé précipitamment.

— J'aimerais autant du lait pasteurisé et homogénéisé.

— LE POULET, C'EST MAUVAIS POUR LA SANTÉ! a hurlé Chrissy au même instant en voyant un volatile se poser sur la fenêtre de la salle de traite.

Je me suis empressé de détourner son slogan.

— Le lait aussi, c'est mauvais pour la santé.

5

La traite achevée et les vaches de retour dans leur pré, les aînées ont accompagné Shawna et Chrissy jusqu'au poulailler pour la collecte des œufs.

À peine les filles revenues, Cody insistait pour que tout le monde vienne prendre le petit-déjeuner chez lui.

— Pour être heureux, un ouvrier agricole doit avoir le ventre plein, nous a-t-il expliqué.

Je peux vous assurer que nos ventres se sont remplis très vite. Le temps de passer nos bottes au jet, nous étions accueillis à la ferme par Rosa, la petite bonne femme adorable et solidement charpentée qui s'occupe de l'intérieur de Cody. Elle nous a servi un véritable festin : des steaks, des petits pains et des *tortillas* aux œufs brouillés servis avec des louches de *salsa* maison, avant de nous préparer des *churros*. J'ai même versé dans mon café une goutte du lait archi-bio que Mary avait rapporté de la salle de traite.

J'ai adressé un clin d'œil à ma nounou de luxe.

— Qui oserait prétendre qu'on s'ennuie à la campagne ? Je suis en train de m'adapter à la vitesse de la lumière.

Nous avons passé une matinée formidable. C'était un vrai plaisir de voir mes gamins, rassemblés autour des deux tables installées par Rosa à leur intention, dévorer leur repas en riant et en discutant. On nous avait peut-être volé notre vie à New York, mais si l'équipe des Bennett avait perdu la première manche, elle était sur le point de se relever.

Pendant que les enfants sortaient jouer au foot avec les chiens, j'en ai profité pour avaler une autre tasse de café avec Cody et Seamus.

— Vous vivez comme un coq en pâte, Aaron. Le paysage est magnifique, vous faites pousser vos propres légumes, vous buvez de l'eau fraîche et pure. En fin de compte, qu'achetez-vous? Un peu d'électricité? Vous pourriez probablement vous en passer.

— Ça m'est arrivé.

— Je suis persuadé que cette vie vous rend heureux. Je me trompe?

Le visage buriné de notre hôte s'est fait grave.

— Je n'irais pas forcément jusque-là. Je ne suis pas très heureux quand le troupeau va se fourrer dans un fossé à 3 heures du matin, ou bien quand le prix du grain explose. En tout cas, c'est une vie, Mike. Une vie simple. Elle ne plairait pas à tout le monde. Il faut aimer la solitude.

J'ai levé ma tasse.

— La simplicité me convient très bien.

— Normal, a grommelé Seamus. Tu es simple d'esprit.

6

Creel, Mexique.

C'était le plus beau jour de la vie de Teodoro Salinas.

Sa fille Magdalena était née prématurée. Il s'en souvenait comme si c'était hier : ses mains minuscules, accrochées à son doigt comme si son sort en dépendait, au milieu de tout le fatras des appareils de l'unité de soins intensifs. Et puis voilà qu'en l'espace d'un instant il tenait la main toute fraîche de sa fille dans sa grosse patte moite, au son des cuivres et des guitares, sous les applaudissements de tous ceux qui les regardaient ouvrir le bal des quinze ans de Magdalena.

Il vivait un rêve, depuis la grand-messe organisée ce matin-là jusqu'à cette danse, en passant par leur retour triomphal dans ce ranch, à la tête de tous les invités. Sa femme lui avait dit qu'il était fou d'organiser la cérémonie dans leur résidence secondaire. Elle prétendait que c'était trop loin, mais Salinas n'avait rien voulu entendre. Rien n'étant trop beau pour la *quinceañera* de sa fille, il avait acheté des billets d'avion pour tout le monde sans regarder à la dépense.

Il lâcha à regret la main de sa fille alors que s'achevait la valse. Magdalena pleurait, sa femme pleurait, lui-même pleurait, il avait bien fait de ne pas céder.

Salinas serra sa fille dans ses bras en veillant à ne pas froisser le délicat tulle rose pâle de sa robe. Les regards des invités étaient braqués sur eux, tout le monde était ému, chacun enviait leur bonheur. Grand, toujours élégant, Salinas portait encore beau à cinquante-cinq ans, mais il n'arrivait pas à la cheville de Magdalena, une beauté statuesque aussi élancée qu'un mannequin.

— Je t'aime, papa, lui glissa son ange dans le creux de l'oreille.

Il serra d'une main reconnaissante son épaule nue.

— Assez traîné avec ton vieux père. Va rejoindre tes amis, lui conseilla-t-il. Amuse-toi. Tu es une jeune femme, maintenant. La soirée t'appartient.

Il la regarda s'éloigner et rejoignit le gérant de son ranch qui se tenait debout à l'écart de la piste de danse. À l'instar de tout le personnel du ranch, Tomas était un Indien Tarahumara. Et comme tous les employés de Salinas ce soir-là, des agents de sécurité aux serveurs en passant par les musiciens des trois groupes de mariachis, Tomas avait revêtu l'un des superbes uniformes de lin d'un blanc éclatant achetés pour l'occasion. Salinas avait vraiment mis les petits plats dans les grands.

— Tomas, va dire à mes associés de me rejoindre dans la salle de billard. Dis-leur de venir seuls, sans gardes du corps. Je veux que cette réunion soit aussi rapide et discrète que possible, je ne veux pas gâcher la fête de ma fille.

Tomas hocha la tête en affichant un sourire de dents blanches mal plantées sur son visage basané.

— À vos ordres, monsieur, acquiesça-t-il avec sa loyauté coutumière. Puis-je vous apporter un verre en attendant?

— Non merci. Avec tous ces événements, ça fait plus d'une heure que j'ai envie de pisser. En revanche, fais porter des rafraîchissements dans la salle de billard.

— C'est déjà fait, monsieur, répondit Tomas avec un hochement de tête.

Salinas lui tapota affectueusement le dos.

— Te connaissant, j'aurais dû m'en douter, mon bon Tomas.

Salinas soupira en entrant dans la maison climatisée. Un coup d'œil sur sa droite lui rappela ce qui l'avait poussé à dépenser une fortune pour la construction de ce ranch perdu au milieu de nulle part.

La vue du Copper Canyon, de l'autre côté de l'interminable baie vitrée, était l'une des plus belles du Mexique, peut-être même du monde. Salinas aimait tout particulièrement contempler la mince colonne argentée de la chute de trois cents mètres qui s'écoulait le long de la paroi à pic du canyon. Il adorait cette vue, cette maison. Elle lui donnait l'impression d'habiter un avion.

Il se glissa dans les toilettes voisines de la salle de billard afin de se soulager. Un sourire aux lèvres, il s'adressa un clin d'œil dans le miroir en descendant sa fermeture éclair. Quelle journée!

Il s'apprêtait à uriner lorsqu'il reconnut le claquement caractéristique d'une boule de billard. Surpris, il referma précipitamment sa braguette, sortit des toilettes et passa la tête par l'entrebâillement de la porte de la salle de jeu.

Il n'en crut pas ses yeux en découvrant un inconnu en costume blanc, donc un employé, penché au-dessus de la table, une queue de billard à la main. L'écran muet de la télé allumée diffusait un match de foot.

— Hé, toi! Espèce de trou du cul! aboya Salinas.

L'homme, loin de se retourner, visait tranquillement l'une des boules. Il fallait qu'il soit sourd!

— Je ne te dérange pas, au moins? Pour qui tu te prends? Retourne à ton poste avant que je te casse une jambe avec ta canne de billard.

D'un geste d'une insolence inouïe, l'homme envoya rouler sa boule dans un claquement sec, puis se retourna lentement. Salinas écarquilla les yeux, c'est tout juste s'il réussit à contenir sa vessie.

L'inconnu n'était pas un employé.

C'était Manuel Perrine.

— Mais enfin, Teodoro, je suis à mon poste, déclara ce dernier en appliquant de la craie sur l'extrémité de sa queue de billard. Pas vrai, Tomas?

Salinas sentit un objet dur se poser sur sa nuque. Le canon d'un fusil. Il se liquéfia intérieurement.

— Parfaitement, monsieur, répondit la voix de Tomas, qui poussa Salinas dans la pièce avant d'en verrouiller la porte.

7

Les groupes de mariachis s'accordaient une pause tandis qu'un DJ prenait le relais lorsqu'un bruit sourd se fit entendre sur scène. La musique se tut et un larsen traversa le chapiteau.

Les convives, intrigués, levèrent la tête de leur assiette et découvrirent un spectacle ahurissant : tous les Indiens du ranch, aisément reconnaissables à leurs tenues immaculées, les menaçaient avec des fusils d'assaut. Les Tarahumaras s'avancèrent en bousculant les tables sans ménagement pour leurs occupants.

En un tournemain, les assaillants désarmèrent et menottèrent les gardes du corps de la nuée de trafiquants de drogue venus participer à la fête. Puis les Indiens repoussèrent les tables et alignèrent les chaises face à la scène en forçant les gens à s'asseoir, menaçant de mort quiconque aurait la mauvaise idée de remuer le petit doigt.

Manuel Perrine grimpa sur l'estrade, un micro à la main.

— Bonsoir, mes amis, déclara-t-il dans son espagnol racé, un large sourire aux lèvres. Je ne saurais dire à quel point je suis ravi de revoir ceux que j'ai déjà croisés. Quant aux autres, disons que c'est l'occasion rêvée de les rencontrer.

Il mit une main en pavillon à l'oreille en dévisageant son auditoire affolé.

— Comment? Vous ne m'applaudissez pas?

Des crépitements timides lui répondirent.

— Allons! Je croyais que vous étiez là pour vous amuser? Encore un petit effort!

Les applaudissements redoublèrent.

— À la bonne heure! Vous voyez bien que je vous ai manqué. J'en suis tout ému. À présent, au risque de provoquer une petite entorse au déroulement de cette *quinceañera*, je souhaite vous parler d'un autre événement majeur. L'avènement de Manuel Perrine et de Los Salvajes.

Un murmure de terreur parcourut la foule tandis que Teodoro Salinas et les deux autres dirigeants de son cartel traversaient le chapiteau, sous bonne garde. Salinas avait l'œil tuméfié. Comme ses deux associés, il avait les poignets liés dans le dos.

L'un des Indiens installa sur le devant de l'estrade des chaises sur lesquelles prirent place les trois prisonniers, dos aux convives.

— Sans plus attendre, le moment que vous attendez tous, claironna Perrine en s'emparant de l'objet long et fin que lui tendait un Tarahumara.

Il présenta à la foule une machette recourbée, aiguisée comme un rasoir: le couteau à canne à sucre hérité de son père. La vieille lame était parfaitement équilibrée au niveau du manche, à la façon d'un club de golf. Le cachet du fabricant était encore gravé dans le métal: Collins Axe Company, Connecticut, USA.

Perrine soupesa l'arme amoureusement, puis s'approcha de l'adjoint de Salinas, qui avait réussi à se libérer de ses entraves. Le malheureux voulut se protéger le visage des mains en voyant Perrine prendre son élan. En vain. La lame acérée lui sectionna l'avant-bras avant de s'enfoncer profondément dans sa clavicule.

L'homme poussa un grand cri et plusieurs femmes s'évanouirent en voyant jaillir du moignon une gerbe écarlate. Perrine, après deux tentatives infructueuses, parvint à libérer la lame. Il recula d'un pas et frappa à nouveau.

Ah! Enfin, pensa-t-il en voyant la tête de sa victime s'arracher de ses épaules et rouler au pied de l'estrade.

Le second adjoint de Salinas, un chef de clan qui avait cru bon de piétiner les plates-bandes de Perrine à Rio Bravo, se dégagea d'un grand mouvement de jambes. Il avait traversé la moitié de la piste de danse lorsque Perrine fit signe à Tomas. Une demi-douzaine d'armes automatiques retentirent de concert, fauchant l'homme qui glissa sur la piste avec ses chaussures Bally dans une mare de sang.

Perrine ne cherchait pas à dissimuler son admiration pour Teodoro Salinas. Ce dernier n'avait pas cillé en assistant au massacre de ses associés. Droit comme un *i*, on aurait pu croire qu'il attendait sagement le bus alors que son bourreau s'approchait de lui. Perrine adressa un hochement de tête respectueux à sa victime et le décapita d'un moulinet.

Il se tourna vers la foule des invités. Son visage était couvert de sang, tout comme son uniforme blanc et la lame de sa machette. Les femmes qui n'avaient pas perdu connaissance hurlaient comme des possédées.

Il ramassa le micro posé à ses pieds.

— Je vous en prie, mesdames et messieurs. J'ai bien conscience que cette scène a été brutale, mais il n'est plus temps de tergiverser, déclara-t-il en soulignant ses propos de moulinets de machette. Ces hommes ont cru que j'étais fini. Ils se sont imaginé que je n'étais plus dans la course, au prétexte que j'avais disparu de la circulation. Ils ont pensé qu'ils pouvaient s'approprier mes biens.

Il se retourna en souriant vers les cadavres qui gisaient derrière lui.

— Il faut croire qu'ils avaient tort. Je suis loin d'être fini. Celui qui me barrera la route n'est pas encore né. Mais réjouissez-vous, car vous n'avez rien à craindre si vous ne vous montrez pas aussi obstinés que ces tristes individus. Réjouissez-vous, car nous sommes à nouveau unis, à présent que mes détracteurs ont été éliminés.

Perrine afficha un large sourire.

— Oui, vous m'avez bien compris : nous travaillons tous désormais pour Los Salvajes. Nos ambitions débordent de beaucoup les frontières du Mexique. Vous aurez tout le loisir de vous en apercevoir au cours des prochaines semaines. L'instant n'est pas aux réjouissances, c'est vrai. Vous estimez que ce qui vient de se passer n'était qu'une boucherie. Vous ne tarderez pas à changer d'avis en comprenant la chance que je vous offre. En comprenant qu'il ne s'agit pas de la fin, mais du début.

Perrine consulta sa Rolex.

— Des questions? Des commentaires?

Il balaya l'auditoire des yeux. Sans grande surprise, la seule main tendue était celle qui gisait à ses pieds, dans une mare de sang.

— Très bien. Je prendrai contact avec vous dans les prochains jours afin de vous transmettre mes instructions. Je vous souhaite une excellente soirée.

8

Le lundi suivant, la traite des vaches terminée, nous retournions à la ferme quand j'ai aperçu un nuage de poussière sur le petit chemin. Une voiture de couleur bleu clair se dirigeait vers nous.

Mon cœur a instantanément cessé de battre. Malgré le cadre bucolique qui m'entourait, je n'avais nullement oublié dans quelle situation nous nous trouvions. À part le facteur, personne ne nous rendait jamais visite.

— Les enfants, rentrez immédiatement. Seamus, Mary, aidez-les.

— Vraiment? a réagi Seamus en se tournant vers moi.

— Vraiment. Je ne plaisante pas. Donne un coup de main à Mary.

Les gamins se sont précipités à l'intérieur de la maison. Quelques instants plus tard, Seamus et Mary me rejoignaient devant le ranch. Seamus avait pris un fusil et Mary en avait passé deux en bandoulière. La porte s'est ouverte, Juliana et Brian sont sortis à leur tour, également armés.

Je ne me sentais pas très à l'aise de voir mes aînés avec des fusils, mais je n'avais guère le choix, sachant à quel point Perrine me haïssait. Il est vrai que je lui avais cassé le nez le jour de son arrestation; et surtout, j'avais tué sa femme lors de l'attaque de son repaire.

Le jour où cette brute sanguinaire saurait où nous nous cachions, il ne se contenterait pas de m'abattre. Mes enfants devaient être capables de se défendre.

Mary a descendu les quelques marches et m'a tendu un fusil de chasse à gros calibre.

Je l'ai passé en bandoulière avant d'observer la voiture à travers la lunette télescopique. Il s'agissait d'une Ford Taurus au volant de laquelle j'ai cru distinguer une silhouette féminine.

L'auto a brièvement disparu dans un repli de terrain. Lorsqu'elle est réapparue dans mon viseur, elle était suffisamment près pour que je reconnaisse la conductrice.

J'ai baissé mon arme.

— Que se passe-t-il, Mike? m'a interrogé Seamus.

— Tout va bien. Vous pouvez ranger l'artillerie. Il n'y a pas de danger.

— Qui est-ce? a insisté Mary alors que la Ford s'arrêtait.

Avant que je puisse lui répondre, la portière s'est ouverte et une femme en est descendue. Mon excellente collègue et amie, l'agent Émilie Parker du FBI, a ôté ses lunettes de soleil avec un sourire en apercevant le comité d'accueil.

— Salut, Mike. Bonjour, Mary. Bonjour, Seamus, a-t-elle déclaré. Ça faisait longtemps. Alors, c'est ici que vous vous cachez?

9

Mary Catherine regagna le ranch et se rendit dans la cuisine après avoir rangé les fusils dans le râtelier de l'entrée. Elle entreprit de nettoyer le filtre de la cafetière puis y versa quelques cuillères de café Folgers. Elle mettait des scones à réchauffer au four lorsqu'un tumulte se fit entendre dans le salon.

Elle accourut et découvrit la fratrie en train de crier et de rire en voyant Ricky et Fiona se battre pour la télécommande de la télévision. La voix de Bob l'Éponge fluctua dangereusement dans le haut-parleur au milieu de la bagarre. Mary se précipita et éteignit le poste.

— Dehors! ordonna-t-elle en pointant la porte de derrière avec la télécommande qu'elle avait récupérée de haute lutte. Dehors tout le monde! Plus de télé, plus de jeux vidéo, je ne veux plus vous voir pendant au moins une heure. Quand je pense que je dois me coltiner une bande de singes hurleurs alors que votre père a de la visite. Allez, oust!

Les enfants partis, elle remit de l'ordre dans le salon et se rendit dans l'entrée, surprise de constater que Mike n'arrivait toujours pas. Debout derrière la porte moustiquaire, les bras croisés, elle constata qu'il discutait avec Émilie Parker à côté de la Ford.

Mary avait eu l'occasion de rencontrer la jeune femme à New York, à l'époque où Mike avait collaboré avec elle dans plusieurs enquêtes. Les cheveux auburn d'Émilie, caressés par le vent, étaient plus soyeux que jamais. Mary l'étudia de la tête aux pieds et la trouva particulièrement décalée dans cette cour de ferme californienne, avec ses hauts talons et son tailleur impeccable. D'un coup d'œil, elle établit la comparaison avec son vieux jean et son sweat à capuche.

— Le café est prêt, annonça-t-elle à travers la moustiquaire.

Quelques instants plus tard, Mike entrait dans la cuisine tandis que Parker se rafraîchissait dans la salle de bains.

— Ça sent bon, s'exclama-t-il.

— J'ai préparé des scones, dit Mary en découpant l'une des pâtisseries en deux avec un couteau de cuisine. Ils sortent du four. Que raconte votre copine du FBI ? Il y a du nouveau ?

— Je ne sais pas. Elle m'a simplement précisé que nous allions devoir parler de l'enquête, répondit-il en avalant un scone.

— Pourquoi ? Le téléphone est en panne ?

Mike haussa les épaules entre deux bouchées d'un air perplexe. Mary le connaissait suffisamment pour savoir qu'il mentait mal. Jouer les imbéciles n'était pas son fort. Il y avait forcément du nouveau. Et pas du beau. Comme s'ils avaient besoin de ça. Comme s'ils n'avaient pas suffisamment souffert de la tempête.

— Je vous ai préparé deux tasses de café, dit-elle au moment de quitter la pièce. Les enfants jouent dehors, vous aurez la maison pour vous tout seuls.

— Ah. Merci pour tout, Mary, dit Mike. C'est parfait. Merci beaucoup.

— De rien, répondit-elle à mi-voix avant de sortir en faisant grincer la porte donnant sur l'arrière de la maison.

10

Émilie m'a aidé à transporter les tasses et les scones dans le salon.

Du coin de l'œil, je l'ai vue fouiller dans son sac. Elle était toujours aussi séduisante. À trente-cinq ans bien sonnés, en plus d'être intelligente, elle possédait le don d'attirer les regards masculins. On percevait instantanément le courage chez elle, derrière sa féminité.

Je ne l'avais même jamais trouvée aussi belle, alors que la lumière accrochait des reflets roux dans sa chevelure. J'ai d'abord pensé qu'elle avait perdu du poids, avant de comprendre que le changement chez elle était dû au fait qu'elle en avait pris, au contraire. À bien y réfléchir, elle était un peu trop maigre à l'époque où nous avions travaillé ensemble. Sa silhouette n'en était que plus voluptueuse.

Elle avait également gagné en élégance. Sa coupe de cheveux, mise en valeur par un chemisier de soie beige, lui allait à ravir. J'ai humé discrètement son parfum citronné et fleuri. Un parfum chic et choc.

Elle a tiré de son sac un ordinateur portable et l'a posé sur la table.

— J'imagine que tu es là à cause de Perrine. La situation doit être grave, sinon tu ne serais pas venue en personne. Laisse-moi deviner : il a tué quelqu'un que je connais. Un voisin. Ou alors le concierge de mon immeuble ?

Elle a secoué la tête.

— Non, Mike. C'est presque pire, a-t-elle répondu en chaussant une paire de lunettes à monture rouge. Il est en train de nous tailler des croupières. L'armée de flics et d'agents fédéraux mise sur pied pour sa capture est en pleine débandade à cause du massacre de tous ces parrains de la mafia. Chaque opération a été exécutée par des mercenaires surentraînés avec une précision chirurgicale. Nous n'avons pas le moindre indice, pas la moindre piste. La situation est telle que le Bureau m'a demandé de venir te trouver. Je suis censée te «consulter», pour reprendre l'expression de mes chefs.

— Me consulter? Alors ça ira vite. Depuis combien de temps travailles-tu sur l'enquête?

— À peu près deux jours. Je bossais tranquillement dans mon petit box de Quantico, dans l'Unité des sciences du comportement, quand une bonne âme a eu l'idée d'expliquer au directeur du Bureau que nous avions collaboré sur plusieurs enquêtes par le passé. Alors me voici.

J'ai ouvert de grands yeux.

— Le patron du FBI t'a demandé de venir me voir?

— Il craignait sans doute que tu refuses de collaborer. J'ai cru comprendre qu'on t'avait viré de l'enquête assez brutalement à la suite de l'évasion de Perrine. Je fais office de lettre d'excuse du ministère de la Justice, en quelque sorte.

— Je dois dire que ton directeur choisit bien son papier à lettres, mais de là à vouloir me consulter? S'ils n'ont rien trouvé d'autre, c'est que la situation est désespérée.

Parker a glissé ses lunettes sur le bout de son joli petit nez en trompette.

— Tu crois vraiment? Tu es le type le plus pugnace avec qui il m'a été donné de travailler. Point barre. Tu es également le seul à avoir arrêté Perrine, Mike.

— Soit, mais je l'ai aussi laissé échapper.

Une lueur s'est allumée dans les yeux noisette de Parker.

— Faux. Tu ne l'as pas laissé échapper, tout simplement parce que ce n'est pas toi qui en avais la charge quand il s'est évadé. Tu sais aussi bien que moi qu'il a soudoyé tout un tas de gens pour réussir à s'enfuir du palais de justice. Ce n'est pas toi qui as reçu du fric pour fermer les yeux.

— Si tu le dis.

— Je le dis. Puisque je suis ici, acceptes-tu de jeter un œil sur les éléments dont nous disposons?

J'ai levé les yeux au plafond d'un air hésitant, le menton dans la main.

— Désolé, je ne peux pas.

Émilie en est restée bouche bée.

— Je plaisante. Tu ne savais pas que les flics pugnaces avaient aussi le sens de l'humour? Allez, agent Parker, voyons un peu ce que vous avez dans votre besace.

11

En quelques clics de souris, elle a fait apparaître sur l'écran la fenêtre d'une vidéo qu'elle a lancée. Les images en noir et blanc montraient une colonne de voitures et de camions remontant une route désertique.

— Ce film a été tourné il y a tout juste une semaine par un drone survolant Creel, au Mexique. Une petite ville touristique près du Copper Canyon, dans l'État de Chihuahua.

— Le FBI fait voler des drones en territoire étranger, maintenant?

— Non, c'est l'armée de l'air, m'a expliqué Émilie. Ça te surprend vraiment que l'armée s'en mêle, Mike? Je te rappelle que cette affaire est la priorité numéro un de la Sécurité intérieure. Tout le monde est concerné.

J'ai accueilli la nouvelle d'un hochement de tête.

— À qui sont ces voitures?

— Nous avons reçu un tuyau selon lequel une réunion de cartel devait se tenir dans le coin, alors nous avons fait suivre un *plaza boss* de Rio Bravo.

— Un *plaza boss*?

— C'est le surnom qu'on donne aux gangsters qui contrôlent les villes frontalières où se réunissent les trafiquants et les passeurs. Une fois la drogue transportée depuis le sud, ces *plazas* servent de plaques tournantes pour la préparation et la distribution des produits avant leur infiltration sur le territoire des États-Unis.

Le convoi de véhicules s'immobilisait à l'intérieur d'une propriété lourdement protégée. Des tentes avaient apparemment été dressées sur l'arrière du bâtiment principal, près desquelles étaient garées une cinquantaine de voitures.

— On dirait un mariage.

— Tu n'es pas loin, m'a répondu Émilie. Il s'agit de la *quinceañera* de la fille d'un chef de cartel, Teodoro Salinas.

Le nom m'était familier, pour l'avoir lu sur les sites d'information de la Toile. Salinas dirigeait le seul cartel qui continuait de résister à Perrine.

Parker a cliqué sur le pictogramme d'avance rapide.

— Regarde bien la suite, m'a-t-elle recommandé.

Elle a relancé la vidéo au moment où plusieurs dizaines de personnes s'échappaient du bâtiment, pour beaucoup en courant. Les véhicules ont démarré dans le plus grand désordre sur le parking improvisé, provoquant un embouteillage.

— Un exercice d'alerte incendie, version mexicaine?

— Nous ne savons pas exactement ce qui s'est passé, a précisé Émilie. On sait simplement que Salinas n'a jamais regagné sa voiture. Les deux autres véhicules qui sont restés sur place appartenaient à des rivaux de Los Salvajes, l'organisation de Perrine. Personne n'a plus entendu parler de Salinas depuis.

— C'est pour le moins mystérieux. Tu crois que Perrine est mêlé à cette histoire? Tu crois qu'il se trouvait sur place?

— Difficile à dire.

Je regardais fixement l'écran.

— Réfléchissons une minute. Trois sacs à merde pénètrent dans ce bâtiment, mais aucun d'eux n'en ressort alors qu'on voit une flopée de gens paniqués s'enfuir à toutes jambes. Du Manuel Perrine tout craché, tel que je l'aime.

12

— Combien de temps tu crois qu'on va devoir rester dehors? demanda Ricky en voyant passer au-dessus de sa tête le vieux ballon ovale que venait de lui lancer Brian.

— Tu vois bien que la bagnole est toujours là, gros bêta, répondit ce dernier en faisant signe à son frère de lui renvoyer le ballon. Tu peux être sûr qu'on sera coincés ici au moins jusqu'à ce que cette flic s'en aille.

Ricky se mit en quête du ballon au milieu des herbes folles. Cela faisait plus d'une heure qu'ils jouaient dans la cour. Façon de parler. Un champ immense de la taille de Central Park. Au début, c'était plutôt cool, mais ça finissait par devenir pénible, comme la vie dans ce trou perdu.

— Tu crois qu'ils parlent de quoi? reprit Ricky.

— Ils ont probablement décidé qu'on n'était pas assez bien cachés, qu'il fallait nous envoyer dans un coin encore plus paumé.

— Fait chier, grommela Ricky qui venait enfin de retrouver son ballon. Même avec toute cette histoire, tu vas voir que Mary Catherine voudra quand même nous faire classe. Moi qui comptais regarder *Matlock*. Ce sera fini quand on aura terminé les cours.

— Non, le contredit Brian. Ce qui fait vraiment chier, c'est que tu pleurniches à cause d'une vieille série pourrie des années 1980.

Jane, adossée à l'abri réservé aux voitures, referma son livre, bondit sur ses pieds et intercepta la passe de Ricky avant que Brian ait pu esquisser un geste.

— Ça pourrait être pire, décréta-t-elle.

— Passe-moi le ballon, râla Brian.

— Je vois pas comment ça pourrait être pire, intervint Ricky. Je suis d'accord que New York est pas toujours top, mais au moins on avait nos potes. Et des activités cool. J'ai l'impression de m'être transformé en cul-terreux. On va même plus en classe pour de vrai ! Il nous manque plus qu'une planche à laver et une cruche pour monter un groupe.

— Passe-moi le ballon, insista Brian.

Jane obtempéra.

— Tu sais, Jane, il a pas tort. La semaine dernière, j'ai surpris papa en train d'écouter de la country. J'en arrive à me demander si ce fameux trafiquant est si dangereux que ça. Si ça se trouve, papa a juste pété les plombs et décidé de nous changer en péquenauds.

— Mais je croyais que tu aimais les animaux de la ferme, Ricky, s'étonna Jane.

— Ça va cinq minutes. Je te rappelle que je vais avoir treize ans. Le vieux MacDonald et sa ferme, coin coin coin, c'était bien en chanson quand on était gamins.

— Exactement, approuva Brian en débordant Ricky d'une bonne vingtaine de mètres. C'est déjà assez emmerdant de jouer les gosses de riche de la mort dans leur école privée sans avoir à se farcir la ferme. D'ailleurs, je propose qu'on arrête tout de suite. Si les nabots ont envie de suivre M. Cody comme des toutous, grand bien leur fasse. J'en ai ras le cake de me lever à l'aube pour bosser à l'œil.

— Tu l'as dit, bouffi, acquiesça Ricky en renvoyant le ballon à son frère. Je savais pas que le travail des enfants était légal en Californie. En attendant, je me demande comment on fera pour y échapper.

— Il a raison, Brian, fit Jane en interceptant à nouveau le ballon. Mary Catherine voudra jamais. Elle adore M. Cody.

Les trois adolescents se retournèrent en entendant la Ford démarrer. La femme du FBI leur adressa un signe de la main avant de s'éloigner. Plantés au milieu du champ, ils lui rendirent son salut et regardèrent la voiture disparaître dans le lointain.

— Non! Revenez! Emmenez-nous! implora Ricky de façon comique.

— T'inquiète, petit frère. J'ai un plan, le rassura Brian en envoyant le ballon vers le ciel. Je m'occupe de tout.

13

Debout sur la galerie de la maison, j'ai attendu que la voiture d'Émilie Parker s'efface à l'horizon pour rapporter les assiettes dans la cuisine.

J'ai remarqué que Mary Catherine avait remis du café à chauffer, en dépit de sa mauvaise humeur provoquée par l'intrusion de ma collègue des fédéraux. En jetant un coup d'œil par la fenêtre sur l'arrière de la maison, j'ai vu qu'elle montrait une chose verte et duveteuse à Shawna et Fiona, assises sur la clôture. La super nounou du clan Bennett avait visiblement trouvé le moyen d'enrichir les connaissances des filles en sciences naturelles.

Mary venait de déposer la chenille dans la main de Shawna quand elle m'a aperçu en relevant la tête. Elle m'a tiré la langue, puis a souri en agitant la main dans ma direction. J'ai souri à mon tour en lui rendant son bonjour.

J'étais rassuré de voir que nous étions de nouveau amis. Dieu sait que j'avais besoin d'amis.

Décidé à aider Mary du mieux que je le pouvais, j'ai lavé les assiettes dans l'énorme évier de porcelaine blanche. Il m'était arrivé de faire la plonge dans les restaurants où je travaillais quand j'étais étudiant, mais j'aurais été infichu de dire depuis quand je n'avais pas fait une vraie vaisselle à la main. En y réfléchissant bien, ça remontait à l'époque où ma mère avait repris son travail, quand j'étais gamin.

Elle était femme de ménage dans un immeuble de bureaux en ville, de sorte que mon père et moi étions censés nous débrouiller seuls. Papa, qui n'avait rien d'un cordon-bleu, se contentait de carboniser des côtelettes de porc dans une poêle et de faire bouillir quelques patates, me laissant le soin de tout nettoyer dans son sillage. Ce n'était pas rigolo tous les jours, mais je me souviens que ma mère était très fière de la façon méticuleuse dont j'accomplissais ma tâche.

— Souviens-toi, Michael Sean, me répétait-elle à l'envi. Ce n'est pas le boulot qui compte, mais la manière dont on le fait.

J'aime à croire que j'ai pris cette recommandation à cœur depuis bientôt quarante ans que je suis sur cette planète. J'ai toujours bossé dur. Comme flic, et comme père.

Et voyez à quelle extrémité j'en étais réduit. J'étais contraint de me cacher avec ma famille dans un coin perdu du nord de la Californie afin d'échapper à un baron de la drogue hyper-violent. J'avais bossé si dur que j'en avais quasiment perdu mon travail.

Après avoir rangé les assiettes et les tasses que je venais d'essuyer, je me suis versé un grand verre d'eau fraîche. J'ai bu une longue gorgée, ouvert le robinet et fait couler de l'eau dans mes mains pour me rafraîchir le visage.

C'est seulement à ce moment-là que j'ai pris la mesure des informations que m'avait données Émilie.

Je me croyais cynique en pensant que la police n'avait aucune information. Je ne m'étais malheureusement pas trompé. Les enquêteurs ne savaient rien des attaques perpétrées contre la mafia. Pas de témoins, pas d'ADN, aucune piste.

Ce n'était pas le pire. Émilie m'avait fourni des détails pour le moins perturbants dont la presse ne s'était pas fait l'écho.

Dans toutes les villes frontalières mexicaines où étaient implantés les cartels, Ciudad Juárez, Tijuana, Puerto Palomas, Reynosa, Nogales et Nuevo Laredo, les indics des Stups américains et de la police fédérale du Mexique étaient éliminés les uns après les autres.

Il s'agissait d'une véritable purge. Trois ou quatre camionnettes arrivaient en pleine nuit, qui déversaient leurs lots de combattants en tenue de combat noire avant de tirer les gens de leur lit. On retrouvait les corps décapités des indics quelques jours plus tard devant les commissariats locaux, les mots ESTO SUCEDE A RATAS peints à la bombe sur la poitrine.

« Voilà ce qui arrive aux rats. »

Une barbarie sans précédent. On murmurait que Perrine disposait d'informateurs parmi les agents fédéraux américains. De toute évidence, il s'agissait de taupes haut placées au FBI et chez les Stups, puisque les noms des indics assassinés étaient classés top secret.

De façon à peine croyable, la situation ne faisait qu'empirer. En seulement quelques années, les cartels avaient fait près de cinquante mille victimes. On comptait en outre cinq mille disparus. Depuis les massacres perpétrés contre la mafia, on nageait en plein cauchemar. Les cartels élargissaient leur rayon d'action au-delà des frontières du Mexique. Ils tuaient des citoyens américains en toute impunité, aussi sûrement que des terroristes ou des soldats d'une armée ennemie.

Émilie m'avait rapporté les détails des tracasseries politiques qui minaient notre propre gouvernement. À l'approche de l'élection présidentielle, le président avait assoupli les mesures d'immigration de façon à s'assurer le vote des Latinos. Le ministère de la Justice mettait même la pression sur les États de l'Arizona et du Texas pour les inciter à revenir sur des lois d'immigration jugées « agressives », pour reprendre le terme officiel.

C'était *Alice au pays des merveilles*, version déjantée. Rien d'étonnant, alors, à ce que Perrine s'engouffre dans la brèche.

Émilie m'avait communiqué des informations plus effrayantes encore. On avait apparemment retrouvé une substance blanche hautement toxique sur le lieu de l'un des meurtres, celui de Malibu.

Elle m'avait montré des photos terrifiantes du chef mafieux et de sa femme. Sous l'effet de ce nouveau produit, leurs cadavres étaient devenus violacés. Je n'avais jamais rien vu de pareil.

Perdu dans mes pensées, je tentais d'oublier ces images atroces quand un des enfants a fait ricocher une balle sur le rebord de la fenêtre. Ils jouaient paisiblement dehors sans se douter de ce qui se tramait.

Installée sur une chaise longue, Jane était plongée dans l'*Encyclopédie des Pokémons*. De leur côté, Ricky et Eddie faisaient mine de se tirer dessus en brandissant des morceaux de bois en forme de pistolet. Brian jouait au base-ball avec les plus petits. Sous mes yeux, Chrissy a frappé la balle de sa batte et s'est mise à courir, stoppée en chemin par Fiona.

J'ai ouvert la porte donnant sur l'arrière de la maison et récupéré la balle suivante avant que Shawna ait pu la rattraper. J'en ai profité pour récupérer ma Shawna qui s'est mise à hurler de plaisir.

Je me suis forcé à sourire.

— Allez, mon joli papillon. La partie est terminée. Il est temps de jouer avec papa.

14

Le lendemain matin à l'aube, Mary Catherine débarqua dans la cuisine en sortant de la douche, les cheveux encore mouillés.

Un sourire aux lèvres, elle alluma le four pour réchauffer les scones de la veille. L'idée de remplacer les raisins secs par des myrtilles et de saupoudrer le tout de sucre glace émanait de Juliana. Mary Catherine était particulièrement fière de Juliana. À bientôt dix-sept ans, loin de jouer les stars, l'aînée du clan Bennett aidait systématiquement de son mieux sans jamais songer à se plaindre.

Elle ne tarderait pas à quitter le nid. Elle avait avoué à Mary son intention d'intégrer les gardes-côtes. Elle adorait la mer et jugeait que c'était encore la meilleure façon de servir son pays tout en apprenant un métier. Ce serait également l'occasion d'économiser en prévision de ses études, sachant que l'argent était compté dans cette famille nombreuse. Mary n'avait jamais vu des gamins aussi formidables.

La jeune femme avait craint un temps qu'ils peinent à s'adapter à leur exil forcé, mais tout semblait rentrer dans l'ordre. Au début, elle avait dû se battre pour qu'ils ne restent pas collés devant la télé, et voilà qu'ils passaient leur temps dehors. Ils ne seraient même jamais rentrés à la maison si elle leur avait laissé la bride sur le cou, à profiter des alentours et explorer le petit bois, de l'autre côté du ruisseau.

La fratrie Bennett n'était décidément pas ordinaire. Chacun avait son caractère, certes, mais ils étaient tous joyeux, obéissants et très bien élevés pour leur âge. Il leur arrivait de faire des bêtises, naturellement, tout en ayant un sens de la solidarité exacerbé.

Difficile de savoir si ce trait de caractère leur venait de Mike, ou bien de leur mère disparue, Maeve. En tout cas, ils ne déméritaient en rien, quelles que soient les circonstances. De toute son existence, jamais Mary n'avait croisé une famille aussi soudée et terre à terre.

Elle balaya la pièce du regard, un sourire aux lèvres. Elle adorait cette vieille cuisine, avec ses placards faits maison, son immense table en pin qui servait de plan de travail, les casseroles et les poêles accrochées au-dessus de la cuisinière Kenmore toute neuve.

La maison disposait même d'une buanderie où ranger bottes et cirés. La pièce, équipée d'un timbre d'office, n'était pas sans évoquer à Mary la ferme dans laquelle elle avait grandi en Irlande. Tôt le matin, lorsqu'elle préparait le petit-déjeuner dans la cuisine, c'était tout juste si elle ne sentait pas l'odeur âcre de la tourbe brûlée, si elle n'entendait pas siffler la vieille bouilloire de sa jeunesse.

En dépit des circonstances, Mary était heureuse dans ce cadre paisible et cosy. Elle s'y sentait chez elle.

15

En l'espace de cinq minutes, Mary Catherine avait posé sur la table quatre sortes de pain différentes, de la mayonnaise, du beurre de cacahuète et des tranches de viande froide.

Elle n'avait pas eu l'occasion de préparer des paniers-repas pour les enfants depuis New York, au point d'en oublier à quel point la tâche était rude. S'il avait uniquement fallu leur préparer des sandwichs avec de la charcuterie, sa mission aurait été simple. Sauf que chacun avait ses exigences. Shawna réclamait de la confiture de fraise avec son beurre de cacahuète alors que Chrissy ne supportait que la gelée de raisin. Certains préféraient la dinde, d'autres le jambon. Le repas de Ricky relevait systématiquement du pensum car il mangeait uniquement du gouda (jamais de gruyère, merci) sur du pain grillé tartiné de moutarde.

Mary Catherine avait déjà préparé la veille de la salade de pommes de terre ainsi que plusieurs pains à la banane, en prévision du pique-nique surprise prévu ce jour-là. Une fois la traite des vaches terminée, Cody voulait emmener toute la troupe dans un coin reculé du ranch, au cœur d'un secteur vallonné. En montant son cheval, Marlowe, la veille, le fermier avait repéré un troupeau d'antilopes sauvages d'une bonne centaine de têtes qu'il aurait aimé montrer aux enfants.

D'un coup d'œil à travers la fenêtre, Mary constata que le soleil venait d'apparaître au-dessus des Sierras. Quel endroit merveilleux! Chaque nouvelle journée était un enchantement digne des documentaires de la chaîne Discovery.

Le temps d'inscrire le nom de chacun au feutre sur les emballages alu des sandwichs, elle se rendit dans la chambre de Jane afin de la réveiller. L'adolescente dormait dans le compartiment inférieur de l'un des deux lits superposés. Un sourire illumina le visage de Mary lorsqu'elle remarqua le dernier roman de Rick Riordan posé par terre, à côté de la lampe de poche dont Jane se servait pour lire la nuit, en contravention des ordres paternels.

Mary lui secoua doucement l'épaule.

— Debout, le soleil t'attend, ma belle.

Jane ouvrit les yeux et posa un regard étrange sur la nounou avant de laisser échapper un gémissement.

— Je me sens pas bien, Mary, geignit-elle.

— Que se passe-t-il? Qu'est-ce que tu as? Tu as de la fièvre? s'inquiéta Mary en posant une main sur le front de l'adolescente.

— Non, j'ai mal au ventre. J'ai peut-être mangé un truc pas bon.

Ce n'est probablement rien, pensa Mary en fronçant les sourcils. Elle aura mangé trop de pop-corn en regardant la télé avec les filles hier soir.

— Ne bouge pas, je vais te chercher de la ginger ale.

Elle passa la tête dans la chambre des garçons et secoua le premier pied qui passait à sa portée.

— C'est l'heure de se lever, Eddie. Il est tard. Réveille les autres, s'il te plaît.

Un gémissement répondit à la jeune femme.

— Mary, j'ai trop mal au ventre, se plaignit Eddie. Je suis malade. Je crois bien que je vais vomir.

— Moi aussi, enchaîna Brian.

— On est trois, Mary Catherine. Je suis à la limite de dégueuler, s'éleva la voix de Ricky.

Mary fut prise de panique. Ils avaient tous mangé de la dinde la veille, pouvait-il s'agir d'un empoisonnement?

La salmonelle, peut-être? Il ne manquait plus que ça, surtout qu'elle n'avait pas encore trouvé de pédiatre dans le coin.

— Ne me faites pas ça, les garçons. Jane aussi est malade. Vous aurez attrapé un microbe quelconque. Je file réveiller votre père, il va falloir vous trouver un médecin au plus vite.

— Inutile de te compliquer l'existence, Mary, la rassura Brian en se mettant en position assise dans son lit.

— Qu'est-ce que tu veux dire? répliqua la jeune femme, surprise.

— On n'est pas si malades que ça, poursuivit Brian.

Mary posa sur lui un regard perplexe.

— Vous êtes malades comment, alors?

Brian s'adossa contre la tête de son lit et croisa les bras.

— On est malades d'avoir à supporter toutes ces corvées à la ferme. Jusqu'à preuve du contraire, personne ne nous a demandé si on était d'accord pour devenir des ouvriers agricoles corvéables à merci. Ras le bol de traire les vaches. Ras le bol de se lever avec les poules et toutes ces conneries. On fait la grève.

16

Le lendemain matin, je n'ai pas été tiré de mon sommeil par le chant du coq, mais par l'agitation intense qui régnait dans la maison. J'ai entendu des cris, rapidement suivis par un brouhaha qui m'a tiré du lit à la vitesse de l'éclair. Une cacophonie assourdissante qui s'échappait du rez-de-chaussée, aussi stridente que la sonnerie à incendie des écoles autrefois, ou la cloche à la fin d'un match de boxe.

J'ai repoussé mes draps comme un zombie, trouvé ma robe de chambre à tâtons, et descendu les marches quatre à quatre. Que se passait-il encore ? J'ai ouvert de grands yeux en constatant que la responsable de tout ce raffut n'était autre que Mary Catherine. Elle hurlait des ordres d'une voix de sergent instructeur en frappant deux casseroles l'une contre l'autre.

— Ça suffit ! Debout, bande de paresseux ! Hors du lit ! J'ai dit debout ! Si vous croyez pouvoir vous offrir une grasse matinée, vous vous fourrez le doigt dans l'œil ! Debout et que ça saute, tout le monde !

Elle s'est débarrassée des casseroles en les déposant dans un coin et, le front en sueur, les poings serrés, a attendu les réactions. Je m'apprêtais à lui poser une question, mais j'ai préféré fermer ma grande bouche à la vue du regard noir qu'elle m'adressait.

Je me suis approché discrètement de Brian.

— Qu'est-ce que vous avez fait ?

Il a avalé sa salive, les yeux écarquillés comme tout le monde. Je n'avais jamais vu Mary dans un tel état.

— Trent! a hurlé cette dernière.

— Oui, Mary Catherine? a répondu Trent d'une petite voix digne d'un nouveau le jour de la rentrée.

— Va me chercher les filles! Tout de suite! Je sais très bien qu'elles sont dans le coup.

— Oui, Mary Catherine.

Les filles sont entrées dans la pièce quelques minutes plus tard, l'air penaud, suivies par un Seamus ensommeillé.

— Maintenant, j'exige de savoir qui a monté cette histoire. Qui a organisé cette petite grève?

Les enfants se sont regardés d'un air gêné.

— Ben, nous tous, a fini par répondre Brian.

— Ah, vraiment? J'admire votre esprit créatif. Formidable. Après tout ce que je fais pour vous, vous trouvez le moyen de comploter dans mon dos? Jolie façon de me remercier du repas que je me suis échinée à préparer pour vous hier soir. À ce sujet, j'ai une petite question à vous poser. D'où venait la nourriture que vous avez ingurgitée au dîner, à votre avis?

— De chez M. Cody, a répondu Eddie en levant la main.

— Mauvaise réponse, s'est écriée Mary Catherine. Autre question: vous avez tous passé une bonne nuit bien confortable dans vos lits douillets, à l'abri sous un toit. À votre avis, à quoi devez-vous cette maison?

— Euh… c'est celle de M. Cody, a tenté à nouveau Eddie.

— Mauvaise réponse, encore une fois, petit malin. La nourriture, les maisons, tout ce qui est utile dans ce bas monde est le résultat du travail. Des hommes et des femmes ont travaillé pour que vous ayez à manger. Des hommes et des femmes ont travaillé pour que vous viviez dans une maison confortable. À présent, j'ai une dernière question: où seriez-vous si les hommes et les femmes en question décidaient de se prélasser dans leur lit au prétexte qu'ils sont malades?

— Dans la mouise, a suggéré Eddie avec un haussement d'épaules.

— Enfin une réponse intelligente, Eddie. Si personne ne travaillait, nous serions tous à nager dans la mouise sans même une pagaie pour avancer.

Mary a fait le tour de l'assemblée en dévisageant chacun des enfants au passage.

— Je pense que vous me connaissez suffisamment pour savoir que je m'efforce d'aider tout le monde. Il m'arrive même de laisser passer certains de vos caprices.

Elle s'est immobilisée au beau milieu du salon.

— En revanche, Dieu m'en est témoin, je refuse catégoriquement de rester les bras croisés en vous voyant devenir une bande de fainéants bons à rien. Tant que je serai en vie, vous aurez trois priorités : le travail, l'aide et la solidarité. C'est à prendre ou à laisser si vous ne souhaitez pas que je m'en aille pour ne plus jamais revenir. Compris ? Plus de travail, plus de nourriture, plus de maison, plus de nounou. Je me suis bien fait comprendre ?

— Oui, Mary, ont balbutié plusieurs voix.

— Comment ? Je n'ai pas bien entendu, a crié Mary.

— Oui, Mary Catherine, a répondu un concert de voix sonores auquel Seamus et moi mêlions les nôtres.

J'ai reculé prudemment d'un pas en voyant ma jeune nounou blonde quitter la pièce en trombe. Ses yeux bleus lançaient des éclairs, j'en avais la chair de poule.

Hou là là… tu parles d'un réveil au clairon !

À peine Mary partie, je me suis tourné vers les enfants.

— Elle a raison, et je ne vous conseille pas d'oublier un jour ce qu'elle vient de vous dire !

17

Je me suis réveillé en sursaut le lendemain matin en entendant grincer la porte de la chambre. J'ai constaté qu'il était très tôt en voyant d'un œil endormi qu'un jour gris foncé peinait à traverser les carreaux de ma fenêtre. Une silhouette s'encadrait sur le seuil de la pièce.

Un problème. Un de plus. Comment aurait-il pu en être autrement?

— Qui est là?

Je m'étais exprimé d'une voix pâteuse, la tête fourrée dans l'oreiller.

— Si c'est vous, Mary Catherine, évitez de taper sur des casseroles, pour une fois. Je me lève tout de suite, promis juré.

— Bonjour, Michael. Tu dors? m'a répondu Seamus dans un murmure.

Je me suis assis dans mon lit.

— Si je dormais, je ne dors plus, en tout cas. Que se passe-t-il? Laisse-moi deviner. Les enfants occupent la grange?

— Non, a répondu Seamus en refermant la porte derrière lui avant de s'approcher de mon lit. Comment te sens-tu ce matin? a-t-il ajouté d'une voix timide. Bien dormi?

Il avait déjà pris sa douche et enfilé sa tenue de prêtre, avec le col romain.

— Comme un loir, mon père. J'en ai encore la nostalgie. Que se passe-t-il? Tu es venu m'administrer l'extrême-onction? Quoi de neuf dans le Grand Ouest?

Il a hésité.

— Eh bien… Je voulais te dire… enfin, disons que j'ai une confession à te faire.

— Une confession? Tu inverses les rôles, à présent. J'en arrive à me demander si finalement je ne suis pas content que tu viennes me réveiller en pleine nuit. Allons, mon fils, confessez-vous. Libérez votre âme du fardeau qu'elle porte.

— Euh… tu sais à quel point tu insistes pour qu'on se montre le plus discret possible? a murmuré Seamus, très gêné.

J'ai sondé d'un air grave les yeux bleus pas vraiment innocents de mon grand-père.

— Oui. Je crois me souvenir que nous étions tous présents quand nous avons eu cette petite conversation avec les gens du FBI.

— Il se trouve que j'ai fait une légère entorse à la règle. Un jour où je discutais avec Rosa, elle m'a parlé du curé local. Elle m'a tellement vanté ses qualités que j'ai fini par l'appeler. Elle avait raison, le père Walter est un type charmant. À vrai dire, on se téléphone régulièrement depuis quelques semaines.

Il fallait que nous nous trouvions dans une situation vraiment ahurissante pour que Seamus se sente coupable de discuter avec un autre prêtre.

— D'accord, tu parles boutique avec le curé du cru. Tu lui as dit qui nous étions?

— Bien sûr que non, s'est défendu Seamus.

— J'ai comme l'impression que tu ne m'as pas tout avoué et que le pire reste à venir.

— C'est-à-dire qu'en tant que seul curé de la paroisse il est débordé. J'ai dû lui laisser entendre que je serais éventuellement disponible, en cas de besoin. Le cas en question vient de se présenter. Son père a eu une crise cardiaque et il m'a demandé de dire la première messe à sa place.

— Jésus Marie Joseph! Comment as-tu pu lui proposer un truc pareil?

— Je l'avoue. J'avais envie de dire la messe. Ce n'est tout de même pas un péché, non ? Je n'ai pas dit la messe depuis une éternité et ça me démangeait.

— Tu dis la messe pour nous tous les dimanches à la maison.

— Ce n'est pas pareil que de dire la messe dans une église dotée d'un autel, inspecteur Bennett. Ça me manque vraiment. Je me sens complètement inutile ici, au milieu de nulle part.

J'ai posé sur lui un regard compréhensif.

— Écoute-moi, mon père. Moi aussi, je me sens inutile, mais le type qui nous poursuit ne rigole pas du tout. Tu peux être certain qu'il dépense une fortune pour essayer de nous retrouver. On n'a pas le droit de prendre le moindre risque.

— Je sais. Tu as raison, a concédé Seamus. Je dirai au père Walter que je ne suis pas disponible. Après tout, à quoi bon vouloir sauver des âmes humaines ?

J'ai poussé un soupir.

— Où se trouve cette église ?

— Il s'agit de Notre-Dame-de-la-Pitié, à Westwood.

— À quelle heure a lieu cette messe ?

Seamus a consulté sa montre.

— Elle commence dans une heure.

Je suis sorti du lit.

— OK, père la Misère. Va mettre du café à chauffer pendant que je saute sous la douche. J'ai horreur d'être en retard à la messe.

18

Située à une quinzaine de kilomètres au nord-ouest de Susanville, Westwood est une petite bourgade de montagne calme et sans prétention. On y trouve une poste, un petit marché et quelques rues bordées de maisons proprettes devant les galeries desquelles sont garés des pick-up, à côté du barbecue traditionnel.

— Regarde, papa, s'est écriée ma fille aînée, Juliana, de la banquette arrière. Il y a une pizzeria un peu plus loin.

Juliana, après avoir entendu notre conversation avec Seamus dans la cuisine, avait tenu à nous accompagner afin de servir d'enfant de chœur à mon grand-père. Elle avait beau prétendre qu'elle ne cherchait aucunement à échapper aux cours, j'entretenais quelques doutes à ce sujet.

— Je te rappelle qu'on se cache, Juliana. Pas question d'acheter des pizzas en ville. Si je ne me trouvais pas en présence d'un cas d'extrême urgence pour la sainte foi catholique, je peux même te dire qu'on ne se trouverait pas ici à l'heure qu'il est.

Plusieurs vieilles camionnettes de chantier stationnaient sur le parking de Notre-Dame-de-la-Pitié. Seamus m'avait expliqué que la paroisse accueillait essentiellement des ouvriers agricoles, pour beaucoup sans emploi depuis que les élus verts californiens avaient décidé de limiter les quotas d'eau accordés aux zones rurales. Faute de pouvoir irriguer leurs terres, les agriculteurs les avaient laissées en jachère, avec pour conséquence une forte baisse de la demande de main-d'œuvre.

Bravo à l'État, ai-je pensé en garant le vieux break d'Aaron Cody dans un coin du parking. Une fois de plus, bien joué.

Notre-Dame-de-la-Pitié portait bien son nom, à en juger par l'appel aux dons en nourriture sur le panneau d'affichage cloué sur la façade.

L'intérieur, très quelconque, n'avait pas la majesté de la cathédrale Saint-Patrick à New York, mais il en émanait une atmosphère de sérénité très agréable. De l'antique piano qui tenait lieu d'orgue s'échappait une jolie mélodie interprétée par une femme mince d'âge moyen et aux cheveux roux.

— Il s'agit d'Abigail, la secrétaire de la paroisse, m'a expliqué Seamus. Elle est censée me faire faire le tour du propriétaire. Je me dépêche d'y aller avec Juliana.

J'ai balayé du regard l'assistance, essentiellement composée de vieilles dames aux cheveux bleus.

— Je ne pense pas qu'on coure le moindre risque. Aucun gangster en vue.

— Mais enfin, papa, a rétorqué Juliana en levant les yeux au ciel. Chacun sait que les gangsters vont uniquement à la messe le dimanche.

Je me suis assis sur un banc au fond de l'église tandis qu'ils s'éloignaient. Cela faisait une éternité que je n'avais pas assisté à une messe en semaine.

Cela m'était souvent arrivé à l'époque où l'on avait diagnostiqué le cancer des ovaires de Maeve, ma femme. Avant de partir travailler ou le soir en rentrant, je me rendais à l'église du Saint-Nom, à quelques rues de chez nous, chaque fois que j'en avais la possibilité. De loin le plus jeune membre de l'assistance, je m'installais au premier rang et je priais de toutes mes forces pour la guérison de ma femme, j'implorais Dieu de m'accorder un miracle.

Quand certaines personnes affirment que leur conjoint est la meilleure moitié d'eux-mêmes, j'aurais pu dire de Maeve qu'elle était mes meilleurs trois quarts, ou même mes meilleurs neuf dixièmes. Maeve était une sainte femme, c'est à elle que je dois mon étrange et formidable famille nombreuse. «Mike, on devrait en adopter un autre.» Il suffisait que je sonde son regard habité pour me transformer en petit garçon et lui donner ma bénédiction.

Mais j'ai eu beau prier tout ce que je pouvais, Dieu n'a rien voulu savoir. Maeve est morte six mois jour pour jour après avoir été informée de sa maladie par les médecins. Plusieurs années s'étaient écoulées depuis, mais sa mémoire restait plus présente que jamais et elle continuait de me donner du courage.

J'ai levé les yeux au plafond.

— Bonjour, ma chérie. Que me conseilles-tu?

Je ne m'étais pas attendu à ce que l'église soit aussi pleine. Outre les vieillards chenus de rigueur, on trouvait parmi les fidèles de jeunes gens au visage tanné par le travail en plein air des Latinos comme des Anglos. J'imagine qu'ils venaient prier Dieu de leur donner du boulot, de leur apporter un peu d'espoir. J'avais mal au cœur pour eux. J'ai tiré un billet de vingt de mon portefeuille. Il me suffirait de le glisser dans le tronc en sortant.

Peu avant la lecture de l'Évangile, un type bizarre avec une queue de cheval grise et une barbe blanche mal peignée est entré dans l'église, juste derrière moi.

— C'est donc vrai, a-t-il chuchoté en prenant place à côté de moi. Il suffit de pousser la porte et il y a des gens.

Je l'ai regardé de la tête aux pieds. Avec son anorak de chasse vert camouflage, son jean crasseux et ses yeux vitreux soupçonneux, on aurait dit un vieux hippie reconverti en SDF. Ou alors Nick Nolte, façon photo d'identité judiciaire.

J'ai levé les yeux au ciel en pensant aux paroles de la chanson «Hotel California».

Mon radar de flic me soufflait que Nick Nolte risquait fort de s'endormir sous l'effet de l'alcool, ou bien de provoquer un scandale. Je m'étais trompé. La messe se poursuivait et je le voyais s'agenouiller aux bons moments en prononçant les formules rituelles. Mêmes celles que le Vatican venait de nous sortir de son chapeau du jour au lendemain de façon ridicule.

En me levant, au moment de la communion, j'ai remarqué qu'il avait un pistolet coincé au niveau des reins dans la ceinture de son jean. Un Smith & Wesson semi-automatique.

Un 9 mm dans une église? Mon instinct de flic m'a fait passer en alerte rouge.

19

Je me tenais prêt à immobiliser le type en cas de besoin, mais il n'a pas moufté. J'ai poussé un ouf de soulagement en le voyant s'éclipser juste après la communion.

Je n'en avais toutefois pas terminé avec lui. Nick Nolte feignait de lire les notices placardées à l'entrée de l'église quand je suis ressorti en compagnie de Seamus et Juliana dix minutes après la fin de l'office.

Les sens en alerte, j'ai instinctivement dirigé ma main vers le bas de ma colonne vertébrale, où était dissimulée mon arme. Nous n'allions tout de même pas assister à un duel du Far West à la sortie de la messe? Je n'avais pas besoin de ça.

— Hello, les étrangers, nous a salués le vieux hippie avec un sourire.

Je n'avais pas remarqué jusque-là à quel point il était musclé. Il avait une carrure imposante et des mains énormes. J'ai fait un rempart de mon corps à Juliana.

— Sympa, cette messe, a poursuivi l'inconnu. Vous êtes nouveaux dans la paroisse?

Je n'ai pas laissé à Seamus le temps de répondre.

— Non. On est juste de passage dans le coin.

— De passage dans le coin? a répété le hippie. Avec le break d'Aaron Cody?

— Vous posez beaucoup de questions. J'en ai une pour vous, moi aussi: ça vous arrive souvent de venir tout équipé à l'église?

— Tout équipé? s'est-il étonné en plissant les paupières. Ah! Vous voulez sans doute parler de mon pistolet, a-t-il ricané en tapotant la crosse. La réponse est oui. Nous autres cow-boys, on tient beaucoup aux dispositions du Deuxième Amendement. Et vous? Vous venez toujours à l'église tout équipé?

J'ai fait signe à Juliana et Seamus de s'éloigner en m'avançant de quelques pas.

— Allez m'attendre dans la voiture.

Le type ricanait toujours. Malgré ma peur initiale et le flingue de l'inconnu, il ne faisait guère de doute que j'avais affaire à un drôle de coco.

Je l'ai regardé droit dans ses yeux injectés de sang, un grand sourire aux lèvres.

— Ravi de cette petite discussion, chef, mais vous devriez retourner voir votre émission de télé-réalité préférée avec un paquet de chips.

Il a éclaté de rire.

— Vous êtes un rigolo, vous. Vous me plaisez bien. Et puis vous êtes pas du genre bavard, a-t-il ajouté en tirant de la poche de son anorak un gros joint qu'il a allumé à l'aide d'un Zippo, en toute innocence, avant de m'envoyer à la figure un nuage de fumée rance. On se mêle pas trop des histoires des autres dans le coin, j'essayais juste de me montrer amical. L'accent du vieux curé me rappelle celui de mon grand-père. Je suis d'origine irlandaise, moi aussi. Je m'appelle McMurphy. Y a un petit bar un peu plus loin, le Buffalo Gil's. Venez m'y rejoindre, je vous offre une Guinness.

Je me demandais bien pourquoi il fallait toujours que je tombe sur des zozos dans son genre. Ce n'est pas que je m'ennuyais en compagnie de mon copain fumeur de pétards, mais il me restait quelques vaches à traire.

J'ai fait mine de me diriger vers la voiture.

— C'est sympa de votre part, McMurphy, mais j'ai une meilleure idée.

— Ah ouais? Laquelle?

— Pour gagner du temps, on n'a qu'à sauter notre petit rendez-vous, mais on dira à tout le monde qu'on a pris un verre ensemble.

Sur ces mots, je suis monté dans le break.

D'un coup d'œil dans le rétroviseur, j'ai vu le vieux cinglé partir d'un grand rire dans le parking désert et se frapper la cuisse du poing en laissant tomber son joint par terre.

20

Vida Gomez s'éloignait de Los Angeles en direction de l'est sur la San Bernardino Expressway, le compteur bloqué à cent. La Cadillac Escalade volée approchait de la sortie d'El Monte lorsqu'une bande de motards déboula en trombe dans son sillage. Surprise, Vida jura à voix haute en voyant une douzaine de types en combinaison de cuir noir, juchés sur d'énormes japonaises, doubler le 4 x 4 des deux côtés comme une pluie de missiles qui auraient raté leur cible.

Espèces de connards, maugréa-t-elle intérieurement en voyant l'un des motards se dresser brièvement sur sa roue arrière. Elle l'aurait volontiers déquillé. Elle les aurait tous déquillés avec plaisir, en fait. S'il y avait bien un truc que Vida détestait, c'était qu'on la prenne en traître.

Elle tenta de se calmer en regardant dans son rétroviseur la demi-douzaine de types au crâne rasé qu'elle transportait. Elle se demanda un instant s'ils avaient remarqué sa nervosité passagère. Elle se rassura en constatant que la plupart d'entre eux dormaient.

Certes, les soldats triés sur le volet par Perrine lui avaient obéi jusqu'alors, mais elle n'oubliait pas qu'ils venaient d'un endroit où les assassins sont légion. Le moindre signe de peur ou de faiblesse pouvait lui être fatal.

Vida se demanda pourquoi elle se montrait aussi nerveuse. Ce n'était pas son genre, pourtant. Pourquoi diable s'était-elle levée ce matin avec un mauvais pressentiment?

Cette sensation oppressante refusait de la quitter, comme s'il allait lui arriver malheur.

Le trac, peut-être? Une crise de parano? Allez savoir. Ce dont elle était sûre, en revanche, c'est que le moment le plus pénible était toujours celui qui séparait la mise au point d'un plan de son exécution.

La nouvelle mission confiée à son unité d'élite consistait à neutraliser les Triumph Dragons. Un petit gang vietnamien d'El Monte qui n'en contrôlait pas moins l'un des docks les plus actifs du port de Los Angeles, à Long Beach. Perrine avait passé un deal avec eux au sujet d'une importante livraison. À la dernière seconde, les Dragons étaient revenus sur leur engagement et les gardes-côtes américains avaient saisi un conteneur plein à craquer d'héroïne colombienne de première qualité.

Manuel n'avait pas caché son mécontentement. La veille, le patron du cartel avait envoyé à Vida des instructions très simples dans un texto encrypté.

«Tue les Dragons. Tous.»

Elle sillonna les rues d'El Monte jusqu'à ce qu'elle repère l'endroit qu'elle cherchait, un parking désert à l'arrière d'un supermarché abandonné de Cogswell Road.

Le jeune type enfoncé dans le siège passager aspira bruyamment les dernières gouttes de son milk-shake au chocolat en constatant que l'Escalade s'immobilisait.

— Alors, Jorge? Tu y vas? Pas d'états d'âme, j'espère, lui recommanda-t-elle en espagnol.

— Je t'en prie, répliqua ce dernier en tournant vers elle deux yeux bruns très doux qui éclairaient un visage plus doux encore.

En dépit de sa jeunesse, Jorge était l'une des figures montantes de la Mara Salvatrucha, le dernier allié en date du cartel, un gang latino d'une extrême brutalité connu sous le surnom de MS 13.

Jorge, parce qu'il avait déjà travaillé avec les Dragons par le passé, s'était vu confier la tâche de leur proposer cinq kilos de coke au prix imbattable de douze mille dollars le kilo. Il n'en avait pas le premier gramme en sa possession, évidemment, et l'adjectif imbattable serait réservé aux troupes d'élite de Perrine chargées de massacrer les membres du gang vietnamien.

Vida profita de l'attente pour observer les alentours : des pavillons de plain-pied, des palmiers, des clôtures grillagées. La Californie dans tout ce qu'elle avait de médiocre, le luxe en moins. Au-dessus de l'Escalade, des nuages obscurcissaient progressivement le ciel doré.

Vida n'en pouvait plus d'attendre, elle se sentait telle une bulle au bord de l'explosion.

Elle sursauta en entendant vibrer le portable de Jorge.

— Ce sont eux ? demanda-t-elle d'une voix pleine d'espoir.

— Oui, acquiesça Jorge avec un hochement de tête. Ils viennent de quitter l'autoroute.

21

À peine Jorge confirmait-il l'arrivée des Dragons que résonna dans l'habitacle du 4 x 4 le cliquetis des armes soigneusement huilées que l'on charge et déverrouille.

Vida voulut se rassurer en se disant qu'elle ne connaissait pas musique plus douce.

Elle se passa la main sur le front. La climatisation de l'Escalade avait beau être à fond, elle transpirait abondamment sous l'effet d'une nervosité parfaitement inhabituelle. Elle devait absolument se reprendre, se concentrer sur sa mission. Elle compta jusqu'à dix en s'essuyant lentement les mains et le visage avec une serviette McDonald's.

Enfin prête, elle tendit le bras et saisit d'une main sûre le précieux MGP-84 que gardait à son intention le soldat assis derrière elle.

— Revoyons les instructions une dernière fois, décréta-t-elle en notant que Jorge jouait nerveusement avec la poignée de sa portière.

Le jeune homme poussa un soupir.

— Je m'approche, copain-copain, et je m'assure que tous les membres du gang sont là, récita-t-il mécaniquement. Ensuite, je vous siffle comme si je vous demandais d'apporter la came, d'accord?

— Et après, tu te planques, Jorge, ajouta Vida en lui montrant son pistolet-mitrailleur péruvien et en passant un bras maternel au-dessus des épaules de son jeune voisin.

Les durs installés à l'arrière ricanèrent en caressant le canon de leurs armes, soigneusement arrimées par leur bandoulière autour de leurs avant-bras musclés.

— Je te conseille pas d'oublier ce dernier petit détail, mon pote, déclara l'un des mercenaires d'une voix grave en voyant Jorge ouvrir sa portière.

Le jeune Mexicain s'était installé sur le quai de chargement en béton du supermarché abandonné quand une Audi A4 flambant neuve aux vitres teintées s'aventura sur le parking. Elle s'immobilisa à la hauteur de Jorge et trois Asiatiques en descendirent, laissant un comparse derrière le volant.

Vida observa les nouveaux arrivants à l'aide de ses jumelles. Tous jeunes et couverts de tatouages, les Vietnamiens étaient probablement armés, mais rien de grave. Sinon pour eux, bien sûr.

Elle s'intéressa plus particulièrement au plus élancé des trois gangsters. Elle compara rapidement son visage aux photos qui s'affichaient sur l'écran de son portable. Tiens, tiens. Décidément, la chance lui souriait. La quarantaine élégante avec son beau visage aux traits marqués, le Viet ressemblait étrangement à Giang Truong, le chef des Triumph Dragons qui avait personnellement conseillé à Perrine d'aller se faire foutre au lendemain de l'opération ratée du port. Perrine avait promis à son équipe une prime de cinquante mille à se partager s'ils abattaient Truong.

Vida s'était inquiétée pour rien. Tout ça à cause de ses superstitions idiotes. Tout marchait comme sur des roulettes.

Jorge en était encore aux saluts rituels quand une détonation assourdissante s'échappa de l'une des maisons qui dressaient leurs façades miteuses de l'autre côté de la rue. Au même instant, un groupe de types baraqués en blousons coupe-vent bleus se précipita dans leur direction au pas de course tandis que deux voitures de patrouille et deux véhicules banalisés contournaient le supermarché sur les chapeaux de roues.

— Tous à plat ventre! ordonna une voix amplifiée par un mégaphone. Police du comté de Los Angeles. Éteignez les moteurs et descendez des véhicules! Vous êtes cernés!

22

— Merde, merde, et merde! grinça Vida en voyant son monde s'écrouler avec l'arrivée intempestive des flics.

Elle tourna la tête juste à temps pour voir les Triumph Dragons remonter à la hâte dans l'Audi. Celle-ci s'éloigna en direction de l'est après avoir frôlé l'Escalade.

Les Viets avaient décidé de mettre les bouts, et elle n'allait pas leur donner tort. Jorge avait encore un pied dehors quand elle enfonça la pédale d'accélérateur.

Elle évita de justesse la première voiture de flic en sortant du parking par l'entrée opposée. Elle vit dans son rétroviseur que l'une des voitures banalisées la prenait en chasse, gyrophare allumé. Son poursuivant disposait visiblement d'une voiture au moteur débridé car il gagnait du terrain sur elle.

Pas question de me laisser rattraper, pensa Vida en tournant brutalement à gauche entre les maisons.

Le 4x4 pencha dangereusement, mordit sur une pelouse mitée et dérapa latéralement. Ses énormes roues crissèrent sur le gravier de l'allée et la calandre enfonça le grillage d'une clôture tandis que les airbags se gonflaient soudainement dans un bruit mat.

Le lourd véhicule poursuivit sa dérive dans un jardin en bousculant au passage des jeux d'enfants avant de traverser une palissade en bois. Vida tourna le volant et longea un autre pavillon crépi, traversa une allée, franchit le trottoir et retomba pesamment sur la chaussée de la rue parallèle.

Vida lança un coup d'œil dans le rétroviseur. La voiture banalisée avait disparu. Provisoirement, tout du moins. Elle tourna à droite au carrefour suivant dans un nuage de gomme en faisant rugir les quatre cents chevaux de son moteur et prit la direction de l'autoroute.

Moins d'une minute plus tard, elle touchait au but. Le temps d'un nouveau virage sur les chapeaux de roues, la bretelle d'accès à la San Bernardino Expressway l'attendait. En moins d'une minute, ils seraient loin.

Au lieu d'accélérer, Vida freina brutalement sous le viaduc de l'autoroute, à l'entrée de la bretelle, et coupa le moteur du 4x4.

— Qu'est-ce que tu fous? s'énerva Jorge en tapant du poing sur le tableau de bord. T'es complètement cinglée? Les flics sont à nos trousses. Je veux pas me retrouver en taule. Vite! On se barre!

Elle lui répondit non de la tête, son portable à la main.

— Calme-toi tout de suite. Je ne te le dirai pas deux fois. Laisse-moi m'occuper des flics, on peut encore réussir la mission.

23

À l'exception de Vida, tous les occupants de l'Escalade se retournèrent et virent la voiture de leurs poursuivants passer en trombe dans leur dos sur la rue perpendiculaire. Le conducteur du véhicule freina brutalement en apercevant le 4 x 4 et vira d'un coup de volant brusque.

— Ils nous ont vus! s'écria Jorge. Vas-y, je te dis.

Vida secoua la tête et se tourna vers ses hommes.

— Descendez et tirez-leur dessus, ordonna-t-elle d'une voix calme.

— Leur tirer dessus? s'étrangla Jorge.

Vida posa le canon de son pistolet-mitrailleur sur sa tempe.

— L'ordre vaut aussi pour toi, Jorge. C'est le moment de nous montrer que t'es plus un gamin. Descends tout de suite de ce 4 x 4!

Au beau milieu d'une rue passante, alors que la nuit n'était pas encore complètement tombée, l'unité d'assaut du cartel jaillit du véhicule et ouvrit le feu sur la Crown Victoria banalisée. En ricochant sur les parois de béton armé du viaduc, l'écho de la demi-douzaine d'AR-15 et d'AK-47 automatiques produisit un crépitement à glacer le sang. La voiture de flic dérapa et s'arrêta en travers de la chaussée, son pare-brise réduit en charpie. Des jets de vapeur s'échappèrent de son capot transformé en passoire.

Les tueurs du cartel continuèrent de tirer avec la rigueur de soldats parfaitement entraînés, jambes écartées, la crosse calée contre l'épaule.

Sans se soucier de la scène de guerre qui se déroulait autour d'elle, Vida plissa les yeux et embraya. Une poignée de secondes s'écoulèrent avant que l'Audi A4 des Dragons apparaisse au carrefour suivant. La voiture, venant de l'est, tentait de gagner la bretelle de l'autoroute, comme elle l'avait deviné. Elle écrasa la pédale d'accélérateur.

Le timing était parfait car l'avant de l'Escalade s'enfonça dans le flanc de l'Audi dans un fracas de tôles tordues. L'auto des gangsters tournoya sur elle-même dans un nuage de gomme et s'écrasa contre deux autres véhicules arrêtés au feu rouge.

Vida descendit de l'Escalade au milieu du crépitement des armes automatiques de ses hommes et des hurlements des passants, son pistolet-mitrailleur à la main. Les Dragons, restés coincés dans la carcasse de l'Audi, gémissaient sourdement. La jeune femme s'approcha en foulant un océan de verre pilé, vida un premier chargeur à l'intérieur de l'habitacle, prit le temps de recharger et tira une balle dans la tête de chacun des quatre occupants de la voiture, par acquit de conscience.

Elle laissa tomber son pistolet-mitrailleur et saisit son téléphone. Les passagers des voitures coincés au feu abandonnaient leurs véhicules et s'enfuyaient en courant. Entre deux rafales, Vida entendit monter vers elle un hululement de sirènes. Son correspondant décrocha enfin.

— Où es-tu ? lui demanda-t-elle. On est à El Monte, à hauteur de la bretelle de Peck Road. On a besoin de toi, et fissa.

— Donne-moi trente secondes, répondit une voix.

Un rugissement lui parvint presque aussitôt et la douzaine de motards qui avaient doublé l'Escalade sur l'autoroute une heure plus tôt déferlèrent par la voie d'accès à l'autoroute dans le grondement sauvage des moteurs de leurs énormes Ninja et Hayabusa.

L'équipe de secours, exclusivement composée de potes de Jorge, tous membres de la MS 13 comme lui, prévue en renfort au cas où ça merderait. Et Dieu sait que l'opération avait merdé.

Les hommes de Vida se débarrassèrent prestement de leurs armes sous le viaduc et sautèrent en croupe des motards qui les attendaient. Vida compta ses troupes et attendit que Jorge et les autres soient tous en selle pour se jucher à son tour derrière l'un des motards.

L'instant suivant, la meute prenait son élan et partait à l'assaut de la bretelle d'autoroute en laissant derrière elle des carcasses de voitures, les dépouilles criblées de balles des Dragons, et le cri lancinant des sirènes.

Et voilà le travail, pensa Vida en sentant la vitesse caresser ses cheveux courts. Il faut toujours savoir s'adapter. Vite fait, bien fait. Manuel ne s'y serait pas pris autrement.

La jeune femme esquissa un sourire en se collant contre le motard qui l'emportait à cent soixante kilomètres à l'heure dans le brouillard des lumières de Los Angeles.

24

Six heures plus tard, aux alentours de 2 heures du matin, Vida Gomez se trouvait à Hollywood. Installée au volant d'un nouveau 4x4 volé, un Toyota Land Rover cette fois, elle s'était garée à quelques centaines de mètres des célèbres lettres blanches qui identifient le lieu.

Il n'y a pas de repos pour les braves, sourit-elle intérieurement, bercée par le grondement des basses qui s'échappaient d'une maison de verre perchée au milieu des collines.

Sans quitter des yeux la propriété où se déroulait une fête hollywoodienne à tout casser, elle trempa les lèvres dans le gobelet métallique qu'elle avait apporté. Au lieu de café, elle avait préféré se munir de *tejate*, une boisson énergisante traditionnelle de la région d'Oaxaca, dont elle était originaire. Composé de maïs, de fèves de cacao, de graines de sapote et de fleurs, le breuvage était autrement plus efficace que tout ce qu'on pouvait vous servir dans un Starbucks.

Au rythme où elle vivait, elle avait besoin d'alimenter la chaudière. C'est tout juste si elle avait pris le temps d'une douche et d'un repas sur le pouce dans sa planque de La Brea, et voilà qu'elle remettait ça.

La dernière mission de la soirée était encore plus audacieuse que la précédente, si c'était possible. La maison de verre était celle du célèbre rappeur et producteur Alan « King Killa » Leonard.

Contrairement à tous ces rois du hip-hop qui se la jouent, King Killa était un vrai gangster. Bien que connu dans le monde entier pour sa musique, il était surtout le chef du gang des Bloods, qui assurait l'essentiel du trafic local de cocaïne. On murmurait qu'il avait réussi à soudoyer plusieurs membres du CRASH, la tristement célèbre unité de lutte contre les gangs au sein du LAPD.

À l'instar de la majorité des chefs de gangs de la ville, King Killa avait récemment reçu une offre du cartel de Manuel qu'il s'était empressé de décliner en termes vifs. Killa avait eu la mauvaise idée de brutaliser l'émissaire de Manuel avant de le menacer en lui fourrant le canon de son arme dans la bouche.

Grave erreur. D'où la présence de Vida et de ses hommes ce soir. On n'humilie pas Manuel impunément, ses ordres étaient très clairs. King Killa avait été frappé d'un arrêt de mort.

Vida avait profité de son passage dans la planque de La Brea pour appeler Manuel avec son téléphone sécurisé. Elle entendait s'assurer que cette seconde mission restait d'actualité alors que la bataille rangée avec la police à El Monte faisait la une de tous les journaux télévisés.

«D'actualité? avait aussitôt réagi Perrine par texto. Plus que jamais, oui!!! Es-tu à Hollywood, au moins? Plus on fera de vagues, mieux on s'en portera!!! Les vrais gagnants ne s'arrêtent jamais! Haut les cœurs, ma belle Vida. Haut les cœurs, à jamais.»

Vida fit apparaître le message à l'écran en fronçant les sourcils. C'était la réponse qu'elle redoutait. La chance leur avait souri une fois ce soir, et il ne faut jamais tenter le destin.

Mais son opinion ne comptait pas aux yeux de Perrine, et Vida était assez maligne pour éviter de discuter ses ordres, aussi impitoyables soient-ils.

25

Une dizaine de minutes venaient de s'écouler lorsque la musique se tut. Les premières voitures garées tant bien que mal devant la façade de verre tape-à-l'œil firent demi-tour et redescendirent la colline.

Vida et ses hommes patientèrent une demi-heure, le temps que les limousines, les Jaguar, les Mercedes et autres Porsche de collection soient toutes reparties, puis ils se glissèrent hors de la Toyota et se fondirent dans la nuit.

Elle avait choisi cette fois une équipe réduite. En plus d'elle-même et du conducteur, elle avait sélectionné son mercenaire le plus sûr, Estefan, ainsi qu'un chimiste à la silhouette épaisse, Eduardo.

L'opération d'infiltration proprement dite dura une demi-heure. Ils auraient été nettement plus rapides s'ils n'avaient pas été contraints de cisailler dans le noir, en toute discrétion, l'épais grillage qui protégeait l'arrière de la propriété. Une fois franchi l'obstacle, le quartette se dirigea vers la porte d'accès au sous-sol dont Vida crocheta la serrure en un tournemain.

L'instant d'après, ils pénétraient à l'intérieur de la célèbre tanière hollywoodienne de King Killa, qui avait fait l'objet d'un épisode de l'émission de télé-réalité «Ma maison de star». Vida l'avait visionnée à plusieurs reprises afin de se familiariser avec les lieux.

La chaufferie se trouvait à côté de la pièce abritant la pompe de la piscine. La centrale de chauffage et de climatisation ronronnait, faisant circuler de l'air frais dans toute la maison.

Eduardo s'agenouilla près de l'appareil en leur faisant signe que tout allait bien.

Vida et les trois hommes enfilèrent rapidement les combinaisons étanches qu'ils avaient pris la précaution d'apporter, puis Eduardo coupa la centrale de climatisation et souleva le couvercle de la boîte étanche contenant son matériel.

Au lieu de stocker le gaz mortel dans des flacons, comme il l'avait fait lors de leur visite au mafieux de Malibu, Eduardo avait choisi cette fois de l'utiliser sous forme d'une fine poudre. Il commença par retirer le filtre à air de la centrale sur lequel il déposa une épaisse couche de poison, puis il replaça le filtre, remit la centrale en route et régla le débit d'air au maximum.

Vida regarda sa montre et ils attendirent que le produit agisse, assis dans le noir. Au bout de dix minutes, Eduardo répéta l'opération en saturant à nouveau le filtre de poudre. Vingt minutes s'écoulèrent cette fois avant que Vida donne le signal du départ en se dirigeant vers l'escalier qui conduisait au rez-de-chaussée.

Une surprise de taille les attendait dans la première chambre qu'ils visitèrent.

Que son occupante soit morte n'était pas étonnant en soi. La dose de poison utilisée aurait suffi à terrasser une centaine de personnes. Non, la surprise venait du fait que la femme gisant en position fœtale dans une mare de morve et de sang, à même la moquette, était Alexia Gia.

Était-elle la maîtresse de King Killa? Vida l'ignorait, mais elle savait en revanche que cette créature magnifique, connue du grand public comme la Madonna latina, avait enchaîné onze hits de dance dans les années 1980 et 1990. Vida se souvenait même de s'être trémoussée sur l'un de ses tubes lors de sa *quinceañera*. Le monde est petit.

Manuel ne serait pas déçu, lui qui voulait provoquer des vagues. La mort de la chanteuse serait un événement planétaire.

Vida filma le visage de la star en gros plan avec sa caméra avant de quitter la pièce. Prendre des images du massacre faisait partie du stratagème, même si elle n'avait pas vraiment idée de la façon dont Manuel comptait utiliser ces horribles vidéos. Elle s'était abstenue de poser la question.

Le produit chimique s'était révélé presque plus efficace que la fois précédente. Vida tâta du bout du pied la joue de King Killa, affalé sur le carrelage de sa salle de bains. Le géant de cent cinquante kilos n'avait pas eu la force d'atteindre la cuvette des toilettes avant de se vider de son sang par tous les orifices de son corps, comme un porc à l'abattoir.

— C'est bon, toutes les autres chambres sont vides, lui signala Eduardo en lui tapotant l'épaule. On peut y aller.

— Attends une seconde, le tempéra Vida.

Elle contourna prudemment la mare de sang dans laquelle baignait le rappeur, posa un genou à terre et retira de son lobe d'oreille le diamant de vingt et un carats qui avait fait sa fierté.

Ce petit détail ne faisait pas partie du plan, mais elle ne manquerait pas de glisser le bijou dans une enveloppe FedEx le lendemain matin afin de l'envoyer à Manuel.

Ça va lui plaire, sourit-elle intérieurement. Manuel n'aimait rien tant que les petites attentions et les surprises.

26

Le lendemain, à la première heure comme de juste, nous nous trouvions dans la salle de traite de la ferme lorsque Cody m'a fait signe de le rejoindre à l'écart, avec les autres hommes du clan Bennett.

— Messieurs, a-t-il commencé en nous regardant, j'ai reçu un appel très tôt ce matin, je me demandais si vous accepteriez de m'assister dans une mission un peu particulière.

Une mission bétaillère, peut-être? Oui, mais laquelle? J'avais comme l'impression que l'aventure serait bio, mais pas forcément ragoûtante.

— Une mission de quel ordre? s'est enquis Brian, le plus sceptique de mes fils.

— But, a répondu Cody sur un ton solennel.

— But? a répété Trent en écarquillant les yeux. Oh, non! C'est trop dangereux!

J'ai froncé les sourcils.

— Dangereux? De quel but parle-t-on?

— C'est le nom du taureau, papa. Le gros entêté que je t'ai montré l'autre jour.

— Exactement, a approuvé Cody. Que ça nous plaise ou non, je suis obligé de conduire But quelque part aujourd'hui et je comptais sur vous pour m'aider à le sortir de son enclos et l'installer dans la remorque.

Nous avons commencé par aider Cody à attacher la remorque en question à l'arrière de son pick-up, puis les garçons ont grimpé dedans et nous avons roulé jusqu'à l'enclos réservé aux taureaux.

Cody s'est garé en marche arrière devant la barrière avant de rabattre le hayon et d'installer une rampe de chargement.

— Trent?

Cody a fait signe à mon fils de s'approcher en sortant de la remorque une sorte de poteau métallique.

— Oui, monsieur Cody?

— Tu remarqueras que But est occupé à brouter à l'autre bout du champ. J'aimerais que tu sautes par-dessus la clôture et que tu essaies d'attirer son attention.

— Waouh! Vous êtes sûr? Je peux, vraiment? Papa, t'es d'accord?

— Je suppose, mais je te conseille d'être prêt à franchir la barrière dans l'autre sens en catastrophe dès qu'il t'aura vu.

— Ça va être trop bien! s'est exclamé Eddie en se perchant sur la barrière tandis que Trent s'aventurait dans l'enclos.

— Youhou! But! a crié Trent en sautillant sur place.

Comme le mastodonte continuait de brouter imperturbablement, Cody a émis un cri proche du ioule. Au bruit, les mâchoires de But se sont figées et il a relevé la tête dans notre direction, à la façon d'un chien que son maître appelle.

J'ai compris que Cody n'avait nul besoin de Trent pour l'aider à sortir son taureau de l'enclos. Il avait uniquement voulu impliquer dans l'opération mon fils de sept ans. Plus j'apprenais à le connaître, plus je l'appréciais.

— Hé, But! Tu ne me fais pas peur, tu sais, a crié Trent en agitant les bras. Je suis là, gros bêta! Trouillard, va!

Trent n'avait pas achevé sa phrase que Cody ioulait de plus belle. L'animal s'est mis en branle. Tout le monde a ri en voyant Trent franchir précipitamment la clôture. Un écureuil ne se serait pas montré plus agile.

En voyant But approcher, j'ai su ce qui pousse les amateurs de corridas à crier si fort. Ils ont peur, et il était aisé de comprendre pourquoi en voyant cette tonne de muscles trotter vers nous en reniflant d'un air mauvais.

J'ai reculé instinctivement. Cody s'est avancé, il a passé un bras par-dessus la clôture et attrapé l'énorme anneau accroché dans les naseaux géants de la bête, puis il l'a fixé à l'extrémité du tube métallique.

Je m'attendais à ce que le taureau manifeste sa fureur et arrache le bras de Cody d'un mouvement de tête, au lieu de quoi il s'est contenté de meugler doucement en observant son maître d'un air placide.

— Bonjour, ma beauté, a déclaré Cody d'une voix calme, sous les regards effarés de la famille Bennett. Mike, ça vous ennuierait d'ouvrir la barrière, que je puisse conduire sa majesté But jusqu'à sa remorque?

Je me suis exécuté aussitôt. Se servant de la tige métallique comme d'une laisse, Cody a tiré le taureau jusqu'à la barrière. Voyant que l'animal s'immobilisait sur la rampe de chargement, il a lancé un *yee-hah* digne d'un cow-boy et le taureau, en bon toutou, a franchi la porte de la remorque. Celle-ci a ployé sous son poids. Le septuagénaire a sagement attendu d'avoir refermé la porte et engagé la goupille de sécurité pour détacher sa laisse métallique en passant la main à travers les lattes de bois de la remorque.

— C'est bon, tout le monde, a fait Cody. Vous avez tous vos doigts?

Nous avons acquiescé.

— Bien joué, les garçons. Vous avez fait du bon boulot. Pousser un taureau dans une remorque est sans doute l'opération la plus délicate pour un éleveur. Merci de votre aide.

— Je m'en suis bien tiré, monsieur Cody? a demandé Trent.

Un large sourire a illuminé le visage buriné du vieil homme. Il a passé une main calleuse sur la tête de mon fils.

— Tu t'en es tiré comme un chef. Je ne désespère pas de faire de vous des fermiers dignes de ce nom.

— Dites, monsieur Cody, où vous allez avec But? a voulu savoir Trent.

Cody m'a lancé un regard en coin avant de retirer sa casquette et de se gratter la tête.

— Euh... à vrai dire, il a rendez-vous avec une fille, en quelque sorte.

— Un rendez-vous amoureux? a pouffé Eddie. Vous voulez dire que But a une petite copine?

— Absolument, a approuvé Cody. Dans l'une des fermes voisines. But est attendu impatiemment par la plus jolie petite vache du monde.

— Comment ça va se passer? a insisté Trent, plié de rire. Ils vont aller jouer au bowling en se tenant par le sabot?

Nous avancions en terrain miné. Il était un peu trop tôt pour parler vaches et taureaux, encore moins tourtereaux. J'ai pris la décision d'intervenir avant que Cody se lance dans des explications un peu trop détaillées.

— Oui, c'est à peu près ça, Trent. Eh, les enfants, vous avez vu l'heure? Le dernier qui remonte dans la voiture est une poule mouillée!

27

Nous retournions cahin-caha à la ferme de Cody en tirant derrière nous le célibataire du mois quand j'ai vu qu'on avait essayé de me joindre à plusieurs reprises sur mon portable.

J'ai scruté l'écran en fronçant les sourcils. On m'appelait rarement depuis quelque temps, mais le fait que le numéro affiché était celui de ma collègue Émilie Parker, du FBI, ne me disait rien de bon.

J'aurais aimé pouvoir la rappeler sans attendre, mais j'étais entouré d'une nuée de Bennett munis de grandes oreilles. Je ne tenais pas à provoquer des vagues s'il s'agissait d'une mauvaise nouvelle.

Le temps de rejoindre Seamus et les filles qui finissaient de traire les vaches, j'ai annoncé à Mary Catherine mon intention de rentrer à la maison à pied.

— À quoi doit-on ce brusque retour à la nature? m'a immédiatement demandé ma nounou, à qui on ne la fait pas.

— Un peu d'exercice me fera du bien.

— Vraiment? a répliqué Mary Catherine dont le détecteur de mensonges s'était automatiquement enclenché. Comme vous voulez, Mike.

Elle a démarré dans un nuage de gravier en emportant ma petite troupe avec elle. À peine le break avait-il disparu de l'autre côté de la colline que je sortais mon téléphone.

Émilie a décroché à la seconde sonnerie.

— Mike, je suppose que tu es au courant?

— Tu ferais mieux de supposer que je vis au milieu des vaches. Avec la meilleure volonté du monde, je ne pourrais pas être moins au fait de l'actualité. Que se passe-t-il?

Elle m'a fait le récit détaillé des événements de la veille à Los Angeles. Une demi-douzaine d'hommes équipés d'armes automatiques avaient ouvert le feu dans les quartiers est. Deux inspecteurs du service des Stups du LAPD avaient été assassinés en pleine rue, en même temps que quatre membres d'un gang vietnamien tristement connu.

Je digérais encore l'information quand elle m'a annoncé que le rappeur King Killa et la chanteuse Alexia Gia avaient été assassinés dans la maison de la star de hip-hop.

— Je suis sur place, Mike. Ils ont procédé de la même façon qu'avec le mafieux de Malibu. Les victimes ont été empoisonnées à l'aide d'une substance inconnue, introduite dans le système de climatisation. J'ai vu pas mal de scènes de crime dans ma carrière, mais c'est la première fois que je suis obligée d'enfiler une combinaison d'astronaute prêtée par le Centre pour le contrôle et la prévention des maladies.

— Il s'agit donc de Perrine.

— Aucun doute là-dessus. Les Vietnamiens et le rappeur étaient mêlés au trafic de cocaïne local. Perrine a recruté une unité d'élite paramilitaire qui se charge de transformer la région de Los Angeles en zone de guerre.

— J'en ai bien l'impression, mais quel rapport avec moi?

— Arrête de jouer les idiots, Mike. Mon téléphone n'arrête pas de sonner. Le patron du Bureau en personne demande à ce que tu te joignes à l'enquête. On a besoin de toi. Il faut impérativement arrêter Perrine, et tout de suite. Demain sera trop tard.

J'ai soupiré tout en continuant d'avancer sur la petite route en terre, perdue au milieu d'hectares et d'hectares de terre brune, dans le décor rougeoyant des Sierras. En dépit de toutes mes récriminations, nous étions en sécurité dans ce no man's land.

— Mike? Allô? Tu es toujours là?

— Et mes enfants, Émilie? Tu sais comme moi que Perrine a mis leur tête à prix. Si je suis en train de courir par monts et par vaux à la recherche de ce salopard, qui veillera sur les miens? Je refuse qu'ils courent le moindre risque sans moi. Pas question.

— Je t'en prie, Mike. Perrine est plus fort et plus rapide que nous. Rien à foutre du Bureau. J'ai besoin de ton aide. Accepte au moins de venir discuter ici avec nos gens, histoire de nous remonter le moral. Je t'envoie un avion, on parle de l'enquête, et je te renvoie dans ta cambrousse. Tu en as pour deux jours. Parole de scout.

Je l'ai laissée mariner quelques instants.

— Je réfléchis et je te rappelle.

Et j'ai raccroché.

28

De retour à la ferme, j'ai ameuté toute ma petite famille.

— Attention, tout le monde ! Réunion de famille ! Écoutez-moi bien, j'ai besoin de vous parler.

J'ai passé une tête dans la cuisine et constaté que tous mes gosses, installés à table, m'observaient d'un air grave. Pour un peu, j'aurais pu croire qu'ils avaient organisé une fête surprise pour mon anniversaire, à ceci près que la date ne correspondait pas.

— Qu'est-ce que vous fabriquez tous là ? Vous n'avez pas assez mangé au petit-déjeuner ?

— Non, m'a répondu Seamus. On attend juste que tu veuilles bien nous expliquer ce qui nous attend, monsieur l'inspecteur. Tu t'imagines peut-être qu'on ne t'a pas vu venir ? Je ne serais pas surpris que tu veuilles partager avec nous ce que tu as appris pendant ta petite balade bucolique.

— Oui, papa, est intervenue Juliana. On va devoir s'installer en Alaska, c'est ça ?

— Je pencherais plutôt pour le Kazakhstan, a renchéri Jane.

— Dis-nous, papa, a enchaîné Eddie. Il faut qu'on commence à réviser notre grammaire mongole ?

— Une minute, bande de petits malins. Où se trouve Mary Catherine ?

— Je suis là, a-t-elle répondu en nous rejoignant dans la cuisine. Allez, Mike, dites-nous quelles nouvelles vous avez reçues sur votre téléphone miracle. Allez-y, on est assez grands pour encaisser.

— Exactement, a approuvé Ricky. Ça fait déjà des mois qu'on vit à Trou-du-culville, on peut tout entendre.

J'ai poussé un long soupir. Tout le monde était contre moi. J'aurais encore préféré un coup de sabot de But.

— Rien de grave. On a besoin de mon opinion sur une enquête. Rien de plus. Tout va bien, il n'y a pas de quoi s'inquiéter, on peut continuer à vivre normalement. À propos, Chrissy, comment va Homère? Ta copine a pondu, aujourd'hui?

— Ton opinion sur une enquête, mon postérieur, a maugréé Seamus. Allez, vide ton sac.

— Le FBI me réclame. Ils ont besoin de moi dans l'affaire Perrine. Un certain nombre d'incidents graves se sont produits à travers le pays et ils pensent que je peux leur être utile. Ne me demande pas pourquoi. Je leur ai répondu que ma première responsabilité, c'était vous. Donc je ne vais nulle part.

— Attends une seconde, papa, a déclaré Juliana, mon aînée. Qu'est-ce que tu veux dire? Je me trompe, ou bien c'est à cause de ce Perrine qu'on a été contraints de venir trouver refuge ici? Tu le coinces et on rentre à la maison, c'est aussi simple que ça.

— Elle a raison, papa, a approuvé Brian. Perrine a décidé de nous abattre. C'est lui qui nous oblige à nous cacher. Puisqu'ils sont incapables de le trouver, tu vas devoir t'y coller. C'est une excellente idée. On pourra enfin retrouver notre vie d'avant quand tu l'auras arrêté.

— Et toute cette histoire n'aura été qu'un mauvais rêve, a renchéri Eddie.

— Si seulement c'était aussi simple, mes enfants.

— Je ne vois pas ce qu'il y a de compliqué, est intervenu Seamus. Écoute, Michael, sans vouloir te vexer, tu nous es aussi utile ici que… qu'un…

— Qu'un inspecteur du NYPD au milieu d'un élevage? a suggéré Ricky.

— Tu m'ôtes les mots de la bouche, mon garçon. Ton père nous est aussi utile que la vieille herse qui rouille devant la maison. Depuis notre arrivée ici, tu tournes en rond en parlant dans ta barbe. Je ne voudrais pas me montrer désagréable, mais tu nous déprimes tous. On t'aime, Mike, mais fiche le camp d'ici. De grâce.

Comment aurais-je pu leur donner tort? Émilie m'avait expliqué la première que l'enquête se trouvait au point mort. Peut-être parviendrais-je à la remettre sur les rails. Le fait que Perrine avait mis à prix ma tête et celle des miens était une raison supplémentaire d'agir. Tout comme la perspective de reprendre le cours d'une existence normale le jour où il serait hors d'état de nuire.

Je les ai longuement dévisagés.

— J'avoue que je ne m'attendais pas à trouver autant d'enthousiasme à l'idée que je m'en aille. Merci quand même.

— Parlons sérieusement, Mike, s'est interposée Mary Catherine. Nous n'avons aucune envie de vous voir partir, vous le savez bien, mais nous savons aussi que vous avez besoin d'agir, de coffrer ce monstre. Il est grand temps de vous en occuper.

J'ai secoué la tête. On aurait pu croire qu'ils s'adressaient à un toxico. Restait à savoir quelle était ma drogue. Mon boulot de flic? À bien y réfléchir, peut-être n'avaient-ils pas entièrement tort.

— Dans ce cas, je pense pouvoir me laisser convaincre de reprendre mon boulot, à contrecœur. Si c'est vraiment ce que vous voulez. Sachez pourtant que je suis parfaitement heureux dans cette ferme, à vivre des largesses de cette terre.

Il n'en fallait pas plus pour déclencher une tempête de hourras, ponctuée par des yeux levés au ciel. Il faut croire que ma petite troupe me connaît bien.

Mieux que je ne me connais moi-même, en tout cas.

29

Je faisais mes bagages quand Mary Catherine est entrée dans ma chambre, une pile de linge repassé entre les mains.

— Laissez-moi deviner, Mary. Les enfants m'ont déjà appelé un taxi.

Elle a posé mes caleçons sur le lit, à côté de mon sac de voyage.

— Je vous en prie, Mike. Ces enfants vous aiment comme la prunelle de leurs yeux, vous le savez très bien. Ils sont épuisés, c'est tout. Les enfants ont besoin de stabilité avant tout, et leur vie est actuellement aussi stable qu'un château de cartes en plein courant d'air. En plus, ils savent que vous êtes un flic hors pair. Il ne fait pas un pli à leurs yeux que vous parviendrez à retrouver Perrine.

J'ai coincé mon rasoir dans une poche à fermeture éclair.

— Ben voyons. Attendez-moi pour le dîner, tant que vous y êtes. N'oubliez pas d'allumer la lumière dehors.

— En attendant, je vous ai réservé une surprise avant votre départ, a répliqué Mary Catherine en glissant la main dans la poche arrière de son jean.

Elle a écarté les doigts et j'ai découvert ce qui ressemblait à un petit caillou blanc dans le creux de sa main. Mon visage s'est illuminé. Une dent de lait.

— La canine de Shawna !

Je l'ai brandie à la lumière, comme l'aurait fait un joaillier avec une pierre précieuse.

— Elle est enfin tombée?

— Avec beaucoup d'aide de Shawna, a souri Mary à son tour.

J'ai ouvert la porte du placard.

— Vite, la boîte de la petite souris!

J'ai pris un petit coffret sur l'étagère du haut. Une vieille boîte à bijoux en plastique de chez Macy's que ma femme, Maeve, avait peinte en blanc et or avant d'y ajouter une copieuse couche de paillettes. Sur le couvercle était dessinée une fée à tête de souris, dotée d'ailes de papillon. Je n'ai pu m'empêcher de sourire. Maeve avait un joli coup de pinceau, en plus de tout le reste.

Mary a soulevé le couvercle et j'ai déposé la minuscule canine de ma fille sur le petit coussin de soie blanche.

— Veillez bien à ce qu'elle n'oublie pas de glisser la boîte sous son oreiller ce soir. Et attendez minuit avant de procéder à l'échange. Vous savez à quel point cette enfant est sceptique!

— À vos ordres, inspecteur Souris, a ri Mary Catherine en me dévisageant.

Nos regards se sont croisés. Nous nous étions rapprochés peu à peu depuis qu'elle avait trouvé sa place au sein de la famille, au lendemain de la mort de Maeve. Ce qui ne nous avait pas empêchés de nous disputer âprement juste avant notre exil forcé. Nos rapports restaient tendus. Mary s'en tenait à une relation strictement professionnelle depuis notre installation en Californie.

L'espace d'un instant, unis autour de cette boîte à bijoux, nous nous retrouvions enfin et j'en étais heureux. Plus qu'heureux, même. Je venais de retrouver quelqu'un que je croyais avoir perdu à jamais.

— Vous savez, Mary. Ce n'est pas une obligation pour moi de partir. Je vous assure.

— Oh, que si, Michael Bennett! a-t-elle rétorqué en refermant bruyamment le couvercle du coffret avant de quitter la pièce.

LIVRE 2

EN SELLE

30

Deux marshals fédéraux se présentaient à la porte du ranch moins de deux heures après que j'avais donné mon accord à Émilie par téléphone.

J'avais eu l'occasion de croiser plusieurs de leurs collègues, les marshals étant responsables du programme de protection des témoins, mais je ne connaissais pas ces deux-là. Un binôme homme-femme de jeunes agents, Leo Piccini et Martha McCarthy. Ils avaient très certainement reçu l'ordre de ne pas traîner en chemin. À peine Martha avait-elle déposé mon sac de voyage et ma serviette dans le coffre de la Crown Vic que Leo enfonçait la pédale d'accélérateur.

La meilleure nouvelle de la soirée a été d'apprendre qu'après m'avoir déposé à l'aéroport, mes deux anges gardiens retourneraient directement au ranch afin d'assurer la protection de ma famille. Il avait été décidé en haut lieu que mes gamins bénéficieraient d'une protection renforcée, vingt-quatre heures sur vingt-quatre, pendant mon absence. Leur sécurité restait ma priorité. Coincer Perrine me démangeait, c'est vrai, mais mes enfants passaient avant tout. Je ne savais pas comment j'aurais réagi s'il leur était arrivé quelque chose.

Leo m'a informé que nous devions nous rendre à la base aérienne d'Amedee à une heure de la ferme de Cody, près de la frontière qui sépare la Californie du Nevada. Tout en me laissant bercer par la route, je me suis demandé si Amedee était un synonyme amérindien de «bout du monde». Le coin était de loin la région la plus désolée qu'il m'ait été donné de voir. Un désert cerné de montagnes s'étendait à perte de vue des deux côtés de la route, sous un ciel d'un bleu si étincelant qu'il me donnait mal au crâne.

— C'est ici qu'ils ont testé la première bombe atomique, ou quoi?

— Non, monsieur. Je crois me souvenir que c'était au Nouveau-Mexique, m'a répondu Leo, impénétrable derrière ses lunettes noires d'aviateur, en bifurquant sur une route en terre.

— Je me disais bien qu'on n'aurait jamais dû tourner à droite à la sortie d'Albuquerque.

Ma plaisanterie est restée sans réponse et nous avons continué pendant quelques minutes à vitesse réduite avant de nous arrêter. J'avais beau regarder tout autour de moi, à la recherche d'une base aérienne, je ne voyais rien. Ni avions, ni tour de contrôle, ni hangars. Rien que le désert à perte de vue.

— Euh… je croyais que j'étais censé prendre l'avion…

Les deux agents se sont regardés, un sourire aux lèvres.

— C'est le cas, m'a répondu McCarthy en ouvrant ma portière.

— Dans ce cas, où se trouvent les bâtiments, les portiques de sécurité et tout le tremblement?

C'est uniquement en descendant de voiture que j'ai remarqué une piste d'atterrissage devant nous.

La marshal a consulté sa montre.

— Ceci est un aérodrome.

J'ai feint de comprendre.

— Ah bon. Très bien.

J'allais demander des explications à Leo quand il a tendu un doigt en direction du ciel.

— Et voici votre destrier.

Venu de nulle part, un avion a entamé sa descente à l'horizon en émettant un long sifflement. De couleur gris sombre, dépourvu de toute identification, on aurait dit un jet privé.

L'appareil a pris un long virage sur l'aile avant d'atterrir. Pour un peu, j'aurais cru qu'il allait m'asperger d'insecticide comme Cary Grant dans *La Mort aux trousses*.

Le jet s'est approché dans le vrombissement de ses réacteurs. En tendant le bras, j'aurais pu caresser l'extrémité acérée de son aile. Le vacarme des moteurs était si fort que je ne m'entendais même pas quand j'ai remercié les marshals au moment où ils me tendaient mes bagages.

En guise d'hôtesse, je me suis retrouvé face à un militaire à béret. Ce dernier m'a aidé à monter à bord avant de refermer la porte de l'appareil. Toute ressemblance avec un jet privé disparaissait dès lors que l'on découvrait un intérieur digne d'un avion-cargo, avec des filets sur les côtés, des sièges de fortune collés aux parois, le tout baignant dans une forte odeur de kérosène. La femme pilote qui se trouvait aux commandes m'a adressé un sourire en levant le pouce depuis le cockpit.

— Puis-je vous apporter quelque chose, monsieur ? m'a demandé le soldat après m'avoir accroché au filet d'une main experte, avec mes bagages.

Sous l'effet de la surprise, je me suis contenté de lui répondre non de la tête. L'appareil s'est ébranlé dans le rugissement de ses réacteurs et le désert s'est mis à défiler à toute vitesse de l'autre côté des hublots.

À défaut de cacahuètes ou d'une paire d'écouteurs, il m'a tendu un grand sachet de papier kraft au moment du décollage.

— Au cas où, a-t-il laissé tomber.

31

Tandis que l'appareil mettait le cap au sud, mon steward en uniforme m'a précisé son nom, Larry, en m'expliquant que nous avions pris place à bord d'un Metroliner C-26.

Il a oublié de me dire pour quelle raison l'armée m'avait pris en charge, mais j'avais dans l'idée que je ne tarderais pas à le savoir.

Moins d'une heure plus tard, nous retrouvions la terre ferme. Pas mal, si l'on se rappelle que le ranch de mon ami Cody se trouve à mille kilomètres de Los Angeles. Décidément, l'idée d'emprunter un vol privé n'était pas pour me déplaire, même dans un avion militaire. Voilà qui évitait le désagrément d'une fouille en règle à l'aéroport au moment de franchir la sécurité.

En me tournant vers le hublot, j'ai remarqué la présence de deux gros hélicoptères Chinook à proximité. Pas un avion de ligne en vue, pas de manutentionnaires conduisant les petits trains réservés aux bagages, mais plusieurs rangées de bâtiments à un étage ressemblant à des dortoirs, de l'autre côté d'une enceinte grillagée. Nous avions visiblement atterri sur une base militaire.

Je me suis tourné vers Larry.

— Je ne reconnais pas l'aéroport de Los Angeles.

— Et pour cause, monsieur. Nous sommes à SCLA, l'aéroport logistique du sud de la Californie.

Émilie Parker m'attendait au pied de la passerelle, au volant d'un Gator SUV, une voiturette de golf gonflée aux stéroïdes. Elle lisait ses textos sur son portable d'un air faussement nonchalant, comme si elle avait passé sa vie à attendre des passagers voyageant en jet privé.

Je m'approchais, après avoir remercié Larry et l'équipage, quand j'ai vu un sourire éclairer le visage d'Émilie. L'instant d'après, elle pouffait de rire. Dieu sait que l'agent Parker est capable de présenter au monde un visage plus austère que l'automatique de calibre 45 qui ne la quitte jamais, mais il suffisait qu'elle sourie de la sorte pour ressembler à la copine de classe qu'on n'ose pas inviter au bal de fin d'année. J'avais oublié à quel point son sourire était lumineux. Presque oublié.

— Alors, qu'en penses-tu? Plutôt cool, non? m'a-t-elle accueilli en me donnant un coup de coude amical tandis que je m'asseyais à côté d'elle après avoir déposé mon sac à l'arrière de la voiturette. Je t'avais bien dit qu'ils te voulaient absolument sur cette enquête. Quel effet ça fait, d'être traité comme une huile du gouvernement?

— J'ai évité de remplir le sac en papier qu'ils m'avaient fourni pour le vol, c'est déjà ça.

Elle a démarré et le factionnaire armé qui gardait l'entrée de la piste s'est mis au garde-à-vous en nous voyant passer. Une gymnastique tenant de l'exploit, compte tenu du fait qu'il lorgnait simultanément l'entrebâillement du chemisier d'Émilie. Le grillage franchi, nous avons remonté la route longeant les dortoirs aperçus à mon arrivée.

— Allez, Parker, vide ton sac. À quoi rime tout ce cirque? J'ignorais que je m'étais engagé dans l'armée. Où va-t-on? Dans le hangar où sont parqués les extraterrestres? Sérieusement, on se croirait perdu au cœur de la Zone 51. D'abord, où sommes-nous? Sur une base de l'Air Force?

— Tu brûles. Cet endroit abritait autrefois la base aérienne de George, jusqu'à ce qu'elle soit fermée en 1992. Une partie de la base a été transformée en aéroport municipal,

117

le Southern Cal Logistics Airport, tandis que les casernes et les alentours étaient concédés à l'armée, qui s'en sert essentiellement comme camp d'entraînement.

— D'accord, mais pourquoi m'avoir conduit ici?

— Je t'expliquerai quand tu seras installé, a répondu Émilie en se garant sur une place de parking.

Elle a poussé la porte de l'un des bâtiments et m'a emmené à l'étage. Au milieu du couloir s'ouvrait une petite pièce meublée d'un châlit sur lequel j'ai posé mon sac. Nous sommes ressortis, Émilie a verrouillé la porte et m'a tendu la clé.

— Tu t'es reconvertie en concierge? À qui dois-je m'adresser pour les tickets de cantine? Ou alors tu as prévu que je fasse mes classes d'abord?

— Notre QG se trouve un peu plus loin à gauche, m'a-t-elle répondu, brusquement sérieuse. Nous avons une réunion dans une heure. En attendant, allons manger un morceau, je te mettrai au courant de l'avancement de l'enquête.

32

Nous sommes retournés au rez-de-chaussée où nous avons acheté des Coca et des sandwichs à la dinde enveloppés dans de la cellophane. Nous allions nous installer à une table à pique-nique, près du parking, quand un homme tout sec en tenue camouflage est sorti à son tour du bâtiment. En dépit de sa petite taille, il se déplaçait avec la grâce des joueurs de base-ball d'antan.

— Bonjour, Émilie, a-t-il souri en nous rejoignant. Je me disais bien que je vous avais entendus arriver. Michael Bennett, je suppose?

— Je te présente le colonel D'Ambrose, Mike. Il est en charge de ce…

— De ce cirque? De ce fiasco? Je ne suis pas certain d'avoir trouvé le terme adéquat pour le qualifier, l'a interrompue D'Ambrose en me serrant la main. Vous avez mis Mike au courant, Émilie?

— Je m'apprêtais à tout lui expliquer en grignotant un sandwich.

— Parfait, a dit D'Ambrose. Le temps de chercher de quoi me sustenter et je me joins à vous.

Quelques minutes plus tard, le petit colonel s'asseyait à notre table.

— Je ne devrais sans doute rien vous révéler tant que vous n'aurez pas signé la paperasserie de rigueur, a-t-il déclaré en piochant dans sa salade de pommes de terre avec une fourchette en plastique. Cette histoire prend beaucoup d'ampleur, Mike. Il y a tout juste quarante-huit heures, le président en personne a signé une directive accusant directement Perrine de menacer la sécurité des États-Unis. Désormais, sa capture ne concerne plus uniquement les polices locale et fédérale, j'ai pris le train en marche avec mes petits soldats.

«Depuis 7 heures ce matin, le ministère de la Justice travaille main dans la main avec mes agents infiltrés, la Delta Force, le renseignement aérien de l'agence Grey Fox, la CIA et la NSA.

J'en suis resté comme deux ronds de flan. Ce n'était pas la première fois que je voyais une enquête mobiliser du monde, mais je n'avais encore jamais eu l'occasion de travailler avec l'armée.

— L'ordre présidentiel met-il en suspens le principe du Posse Comitatus, cette loi fédérale qui interdit à l'armée d'intervenir sur le sol des États-Unis?

— Ils ont peut-être enfin décidé de sortir la Californie de l'Union, a plaisanté D'Ambrose, à qui on ne la contait visiblement pas.

— En fait, m'a expliqué Émilie, le colonel et ses hommes n'agissent pas directement sur le territoire américain. Nous sommes persuadés que Perrine se cache quelque part au Mexique. À cause de la corruption intense qui règne au sein de la police mexicaine, et même de l'armée, leur président a fini par accepter que nous participions sur place à la traque contre Perrine, en qualité de conseillers spéciaux.

— Les élections approchant, vous imaginez bien que le président mexicain n'est pas allé le crier sur les toits. Par souci de discrétion, tous les vols de surveillance au-dessus du Mexique partent d'ici.

J'ai acquiescé.

— Je commence à comprendre. Je vous écoute.

— Ce boulot ne représente qu'une partie de notre action. Étant donné que les hommes de Perrine sont implantés à Los

Angeles, nous travaillons aussi en collaboration avec le FBI local, les Stups, ainsi que le LAPD.

— Sans oublier les autorités mexicaines, a ajouté Émilie. Leur police fédérale, et même le CISEN.

— Le CISEN?

— Le renseignement mexicain, l'équivalent de la CIA, m'a précisé D'Ambrose.

— Exactement, a confirmé Émilie. On met le paquet en faisant appel aussi bien aux flics de base qu'aux agents fédéraux, aux services de renseignement qu'à l'armée.

J'ai secoué la tête.

— Dans deux pays différents?

— Oui, a approuvé D'Ambrose. Je vois que vous commencez à comprendre pourquoi je suis sur des charbons ardents. Vous ne parlez pas espagnol, par hasard?

J'ai levé le nez en l'air en voyant un Chinook raser les toits des casernements, emportant dans son tourbillon la moitié des serviettes en papier posées sur la table.

— Quel bazar!

— Que racontes-tu? s'est étonnée Émilie. Je pensais au contraire que tu serais aux anges en voyant que nous prenons enfin la mesure de la situation. Perrine est considéré comme un terroriste d'envergure internationale, ce qui est le cas. Tu n'es pas content de constater que la chasse à l'homme a vraiment commencé?

— On n'aurait jamais dû en arriver là, Émilie. Depuis combien de temps laisse-t-on les trafiquants opérer le long de la frontière? Pourquoi n'a-t-on rien fait au sujet des cartels? On a laissé pourrir la situation, et elle a tellement dégénéré qu'on est obligés d'appeler l'armée à la rescousse. C'est honteux. On dirait que tous les responsables se sont endormis sur leurs lauriers.

— Pas tous, Mike, m'a contredit Émilie. Le colonel D'Ambrose travaille d'arrache-pied sur ce dossier depuis trois mois. Auparavant, au sein de la Direction des opérations spéciales, lui et ses équipes ont contribué à redéfinir les tactiques de lutte contre le terrorisme en Irak. Ils ont fait appel à la CIA et à la NSA pour analyser les traces électroniques retrouvées sur le terrain par les forces spéciales. Personne n'est plus à même qu'eux de mener cette mission à bien.

Le colonel a souri en s'essuyant la bouche.

— Merci de cette plaidoirie, Émilie, mais l'inspecteur Bennett a malheureusement tapé dans le mille. Moi aussi, je suis dégoûté, inspecteur. À force de rester les bras croisés, la maison est infestée par la vermine. Je suis d'accord avec vous, nous devrions avoir honte d'appeler les services de désinfection pour nettoyer nos écuries.

33

Le repas terminé, D'Ambrose nous a quittés, appelé par une réunion. Émilie en a profité pour me conduire jusqu'au bâtiment 14, où avait été aménagé le quartier général de la Direction des opérations spéciales de D'Ambrose dans une vaste pièce du rez-de-chaussée.

Des dizaines de bureaux étaient disséminés à travers la salle, dans une débauche d'écrans plats et de panneaux lumineux. Une estrade avait été installée à l'une des extrémités du QG. Les membres de l'unité avaient dû partir déjeuner, et seuls quelques soldats étaient restés sur place, occupés à installer des câbles dans le faux plafond.

Nous avons récupéré des gobelets de café sur une table de rafraîchissements, puis j'ai suivi Émilie jusqu'à son bureau.

— Nous avons découvert ces images il y a deux jours lors d'un raid avec des *federales* mexicains à Durango, m'a expliqué Émilie en réveillant son ordinateur portable. Il s'agit d'un dîner réunissant Perrine et ses principaux associés. Nos équipes l'ont sous-titré, il faut absolument que tu voies ça.

J'ai retenu mon souffle en voyant le visage de Perrine apparaître sur l'écran. Vêtu d'un smoking fait sur mesure, il tenait la vedette sur une estrade dans ce qui ressemblait à un dancing.

La dernière fois que je l'avais vu, il s'évadait du palais de justice fédéral de Manhattan dans la nacelle d'une grue de chantier, en combinaison de détenu. Mon sang n'a fait qu'un tour en constatant qu'il avait renouvelé sa garde-robe.

J'ai également remarqué qu'on lui avait refait le nez. Dommage. J'avais pourtant pris le plus grand plaisir à le lui casser en me battant avec lui le jour où je l'avais arrêté. J'avais dans l'idée que nous aurions l'occasion de nous bagarrer à nouveau avant que tout ce cirque soit terminé. Restait à savoir si je devais m'en réjouir.

Cet assassin psychopathe affichait un large sourire sur l'écran. Il a réglé le micro à sa hauteur et s'est éclairci la gorge.

— Je me considère comme un personnage de dimension historique, a-t-il entamé son discours avec le plus grand sérieux. Au même titre que Pancho Villa, Che Guevara ou encore le grand Simón Bolívar, j'ai reçu pour mission de poursuivre la tradition de rébellion qui marque l'histoire du continent latino-américain. À ceci près que je suis plus honnête et direct en ne cherchant pas à dissimuler mes ambitions sous le manteau ridicule de l'escroquerie qu'est l'idéal socialiste.

«Je n'éprouve nul besoin de justifier mes actes. En particulier vis-à-vis des Américains. Ils se plaignent que nous ne respections pas leurs lois et leurs frontières. Je leur réponds que la seule frontière est celle de l'offre et de la demande. Ils s'évertuent à me mettre des bâtons dans les roues alors que mes meilleurs clients sont leurs propres enfants, frappés par la décadence.

«Il est grand temps d'arrêter de prendre des gants. J'ai eu tout le loisir de m'en apercevoir lors de mon séjour au cœur de la grande Amérique. Un court séjour.

Le public, hilare, applaudissait bruyamment la saillie de l'orateur.

Pour un peu, j'aurais fait taire la vidéo d'un coup de poing dans l'écran.

— Je vois enfin l'Amérique telle qu'elle est, poursuivait Perrine. Un adversaire de plus, un gêneur de plus, soucieux de freiner nos ambitions. Face aux faiblesses des Américains, nous devons montrer notre force. Nous poursuivrons la lutte jusqu'à l'abolition pure et simple de cette frontière.

Nous ferons naître le chaos partout, jusqu'à ce que le gouvernement américain révèle une impuissance comparable à celle des Mexicains. Alors, et seulement alors, s'ouvrira notre liberté.

«N'allez pas croire que je fasse référence au vieux Mexique quand je dis "nous". Je ne m'intéresse guère aux oubliés du rêve, aux bienheureux pauvres. Non, mes amis. Que la masse des miséreux et des inutiles aille au diable, avec son cortège de récriminations.

«Quand je dis "nous", je veux parler de vous et de moi, de tous ceux qui ont la chance de se trouver dans cette salle aujourd'hui, tout simplement parce qu'ils n'ont pas froid aux yeux. Le monde nous appartient, mes amis! La planète est prête à adopter de nouvelles frontières et de nouvelles lois. Écrivons-les avec le sang de nos ennemis américains. Qui me suivra dans cette croisade dont nous sortirons tous milliardaires?

34

L'image a viré au noir sous un tonnerre d'applaudissements et Émilie a refermé l'écran de son ordinateur.

— J'avoue que je suis impressionné. C'est le discours de Gettysburg des narcoterroristes, rien de moins.

Émilie a hoché la tête.

— L'un de nos informateurs, présent lors de ce dîner, nous a expliqué qu'après son allocution Perrine a fait une présentation PowerPoint d'un plan de soulèvement de tout le sud-ouest des États-Unis.

Je n'ai pu m'empêcher de rire.

— Quoi ?!!

Elle a acquiescé d'un air sombre.

— Je ne plaisante pas. En parfait chef d'état-major, il a détaillé les forces et les équipements dont disposait son cartel tout en évoquant de nouvelles opérations de recrutement. Le nom d'Hô Chi Minh revenait fréquemment dans sa bouche, sur le ton de l'admiration.

— Hô Chi Minh ? Je t'en prie, Émilie. Je sais bien que Perrine est dangereux, mais il a visiblement l'esprit embrumé par la cocaïne. Ou alors il cherche à galvaniser ses troupes. Jamais il ne parviendra à opérer sur le sol américain avec la même facilité qu'au Mexique. Il doit bien savoir que ce serait suicidaire. Crois-moi, Émilie. Ce type est extrêmement intelligent. Tu l'as vu avec ses mains manucurées et son costume de soie. Il a hérité du bon goût français. C'est un gourmet et un jouisseur. Ce type-là n'a aucune envie de mourir.

— C'est vrai, Mike, mais ça ne l'empêche pas d'afficher une audace sans pareille, a-t-elle objecté. Les deux flics tués à El Monte ont été réduits en charpie par des mercenaires surentraînés. Ce genre de détail devient inquiétant quand nos analystes affirment que les cartels emploient jusqu'à cinquante ou soixante mille hommes. Et puis tu as entendu son discours. Ce n'est plus le trafic de drogue qui compte à ses yeux. Il est ivre de pouvoir. Il a troqué sa défroque de trafiquant égocentré contre l'habit d'un conquérant mégalomane. Ce type-là est bien français. Il se prend pour Napoléon.

— Tu n'as pas tout à fait tort.

— Heureusement pour nous, ce n'est pas la première fois que l'armée américaine se lance dans un rodéo avec ces cinglés de narcotrafiquants, a repris Émilie en faisant tourner son stylo entre ses doigts. Dans la Colombie des années 1980, Pablo Escobar s'était lancé dans une guerre sans merci contre le gouvernement de son pays. Il a fait sauter plusieurs bâtiments publics ainsi qu'un avion de ligne avant que les Colombiens nous appellent à l'aide. George Bush père a envoyé sur place notre Delta Force et ce sont nos gens qui ont traqué ce cinglé d'Escobar jusqu'à ce que l'armée colombienne finisse par l'abattre.

— Tu as raison, j'avais oublié. Je vois que vous connaissez vos classiques, agent Parker. Aurais-tu participé à l'opération, par hasard?

Elle a fait mine de me planter son stylo dans le bras.

— Aïe!

— Je t'emmerde, Bennett, s'est-elle écriée sur un ton outré. Je te signale que je suis plus jeune que toi. Au début des années 1990, je dansais sur Depeche Mode avec mes copains de lycée.

Je me suis massé l'avant-bras.

— Je plaisantais, Parker.

— Avec mon âge, en plus.

— Au temps pour moi. Et si on trinquait?

J'ai levé mon café.

— Dans l'espoir que l'histoire se répète.

— Dieu t'entende. Au cadavre de Perrine, a-t-elle ajouté en cognant son gobelet contre le mien.

35

Le lendemain du départ de son père, Brian Bennett fut réveillé par un bruit de pas discrets dans le couloir. La porte de sa chambre s'ouvrit lentement et le visage de grand-père Seamus s'encadra dans l'entrebâillement.

Et merde, encore une corvée, pensa le jeune garçon en refermant précipitamment les yeux et en feignant de ronfler.

— Tu es réveillé, Brian? Tant mieux, chuchota Seamus en tirant l'ado par le lobe de l'oreille, habille-toi et rejoins-moi dans la cuisine avec Ricky et Jane, d'accord? J'ai besoin d'avoir une petite discussion avec vous.

— Il y a un problème? murmura Brian en retour. Je me suis excusé plus de mille fois auprès de Mary Catherine pour cette grève.

— Non, non. Aucun rapport. J'ai besoin de vous parler, c'est tout. Je vous donne cinq minutes, remuez-vous les fesses.

Seamus avait passé un tablier par-dessus sa tenue de prêtre, et des tortillas aux œufs brouillés attendaient les enfants lorsqu'ils entrèrent dans la cuisine quelques minutes plus tard. Brian hésita un instant sur le seuil de la pièce en sentant l'odeur du bacon. C'était mauvais signe. Pour que grand-père Seamus ait décidé de les acheter avec du bacon, il devait y avoir anguille sous roche. C'était forcément pire que ce à quoi il s'attendait.

— Ah! Te voilà! Bien le bonjour. Entre, Brian. Tu n'as aucune raison d'avoir peur.

— Qu'est-ce qui se passe, grand-père? s'enquit l'adolescent en prenant un siège à contrecœur.

— C'est curieux que tu me poses la question, Brian, répondit Seamus en levant la fourchette avec laquelle il remuait le bacon. Figure-toi que je viens de recevoir un appel d'un ami prêtre qui officie dans la région. Le père Walter a besoin d'aide pour accomplir une œuvre de miséricorde corporelle ce matin, et je pense avoir trouvé les personnes idéales pour cette tâche.

Je le savais, pensa Brian en frottant ses yeux encore tout ensommeillés. Le train des corvées était sur le point de démarrer. Si la notion d'œuvre de miséricorde corporelle restait obscure à ses yeux, il connaissait en revanche la signification du mot «tâche». Surtout depuis que le clan Bennett s'était exilé à la cambrousse.

— Très bien, poursuivit Seamus sur un ton joyeux. Qui peut me dire ce qu'est une œuvre de miséricorde corporelle?

— Rendre visite à des gens en prison, comme nous ici, maugréa Brian.

— Visiter des prisonniers. Très bien, Brian. Une autre réponse?

— Habiller les plus démunis? suggéra Ricky qui peinait à garder un visage grave, avec la piété de rigueur.

— Oui, Ricky. Habiller ceux qui n'ont rien. Je me doutais que tu y penserais. Quoi d'autre?

— Nourrir ceux qui ont faim, proposa Jane en louchant sur la poêle dans laquelle grillait le bacon.

— Bingo, Jane. Nourrir ceux qui ont faim. C'est précisément la raison pour laquelle le père Walter a besoin de votre aide. Il vient de recevoir une provision de conserves, il cherche des assistants pour les distribuer. Il m'a demandé de venir au presbytère récupérer son stock et de le transporter jusqu'à la banque alimentaire d'un secteur défavorisé du comté où il nous faudra en assurer la distribution. J'ai pensé que vous seriez contents tous les trois; vous qui vous plaignez constamment de ne pas sortir.

— Mais les instructions de papa, alors? s'enquit Ricky. Il nous a interdit de bouger de la ferme.

— En l'absence de votre père, c'est moi qui décide, Ricky, répondit Seamus en se versant une tasse de café. On a besoin de notre aide et j'entends que nous répondions présents. Quand les hommes de bonne volonté restent les bras croisés, le mal finit irrémédiablement par gagner.

— Sauf que nous ne sommes pas des hommes, grand-père. Nous sommes des enfants, gémit Brian. Tu m'avais pourtant bien précisé que je n'avais aucune raison d'avoir peur.

Seamus prit la poêle sur le feu, un grand sourire aux lèvres.

— Merci de proposer si gentiment ton aide, Brian, déclara-t-il en déposant d'épaisses tranches de bacon dans l'assiette de l'adolescent. Les jeunes saints dans ton genre ont droit à un petit coin de paradis rien que pour eux.

36

La banque alimentaire se trouvait à Sunnyville, une bourgade située à quelques kilomètres au sud de Susanville.

Jane, en descendant de la camionnette après Seamus, se demanda un instant si l'appellation du lieu était ironique. Rien n'évoquait le soleil à Sunnyville, qui méritait à peine le nom de village. Quelques masures, une grange qui tenait lieu de bar, et un marchand de VTT et de scooters des neiges.

Le décor rêvé pour un film d'horreur. Jusqu'au grincement inquiétant d'une harpe éolienne invisible qui les accueillit lorsqu'ils s'approchèrent du vieux wagon de marchandises abritant la banque alimentaire. Jane s'empara d'une cagette remplie de pâtes en conserve Chef Boy-Ar-Dee. Je comprends que le reste du train soit parti en vitesse de cet enfer, pensa-t-elle.

Ils montaient les marches conduisant au wagon, lourdement chargés de cageots, lorsqu'ils découvrirent plusieurs rangées de mobil-homes derrière la banque alimentaire. Le camping était aussi vaste que délabré. Un rugissement traversa l'air et une grosse femme à moto déboula entre deux mobil-homes fatigués.

Jane se promit de ne plus jamais se plaindre de la vie à la ferme si jamais elle parvenait à échapper à ce lieu de perdition. Elle posa son cageot et retourna à la camionnette en chercher un autre.

Il leur fallut près d'une demi-heure pour entreposer leur cargaison dans le vieux wagon. Leur trésor de guerre se composait essentiellement de boîtes de conserve – de la soupe Campbell, des SpaghettiOs, de la salade de fruits Del Monte –, ainsi que des produits secs : pâtes, nouilles, cacao en poudre. Une fois le tout rangé sur les étagères, le lieu ressemblait à une épicerie.

Une file ne tarda pas à se former du côté du parc de mobil-homes, essentiellement composée de personnes en difficulté. Des Anglos, des Blacks, des Latinos. Des saisonniers sans travail, tous plus pauvres les uns que les autres.

Installés derrière le comptoir, Jane et Ricky préparaient des paniers tandis que Seamus, muni d'un bloc à pince, s'assurait que tous ceux qui poussaient la porte de la banque alimentaire figuraient bien sur les listes de la paroisse.

Ils arrivaient au bout de leurs provisions lorsqu'une bande de gamins du parc de mobil-homes les rejoignit. Sept enfants âgés de huit à treize ans, aussi peu reluisants que leurs parents, habillés de jeans et de T-shirts crasseux, de baskets en piètre état. L'un d'eux, un ado blanc à l'air abruti coiffé d'une crinière brune bouclée, ne portait même pas de chaussures, à l'effroi de Jane qui l'observait de derrière le comptoir.

— Hé, les gars, vous aimez le base-ball ? s'enquit le plus âgé, un Latino râblé, avec une ombre de sourire. Je m'appelle Guillermo. On se demandait si vous voudriez pas jouer avec nous, y a un terrain un peu plus loin.

Avant que les enfants Bennett aient pu répondre, Guillermo se tournait vers Seamus en lui montrant la vieille batte en aluminium qu'il tenait à la main.

— Ça vous dérange pas, mon père, qu'ils jouent au base-ball avec nous ?

— Au contraire, les enfants. À condition que vous restiez dans les parages, on doit bientôt repartir.

Jane se figea derrière son comptoir, persuadée que son grand-père était devenu fou. Elle n'avait aucune envie de jouer au base-ball avec cette version californienne des *Enfants du maïs*. Après tout, elle n'était pas un garçon ! Et puis elle n'avait que douze ans !

— Allons! Jane, Ricky, sortez de là, leur ordonna Seamus. Vous m'avez bien aidé, vous avez mérité de jouer un peu pendant qu'on finit de ranger avec Brian.

Jane et Ricky se regardèrent.

— Ouais, venez! les encouragea Guillermo en donnant à Ricky une tape amicale sur l'épaule. Suivez-nous.

Quelques instants plus tard, la petite bande quittait le wagon et se dirigeait vers un bois de pins et de chênes au-delà duquel s'étendait un champ. Le terrain de jeux improvisé était à pleurer : une simple étendue de terre rouge dont les bases étaient figurées par un arbre, un gros rocher menaçant et un amas de métal rouillé qui avait dû servir de moteur à un réfrigérateur dans une vie antérieure. L'élément de décor le plus vaillant était encore le grillage surmonté de fil de fer barbelé qui fermait le terrain à son extrémité.

Ricky observa d'un air sombre le grillage et l'armée de gamins qui l'entourait. Il s'étonna brusquement qu'aucun d'eux n'ait pensé à se munir d'une balle. Ils n'espéraient tout de même pas se servir d'un caillou?

— Euh… c'est toi qui décides de quel côté on joue? demanda-t-il à Guillermo.

Le gamin éclata de rire.

— Non, répondit-il en poussant durement Ricky. Tu vas me donner ton fric. Allez, aboule, espèce de petite salope.

37

— Comment? s'écria Ricky, éberlué. Tu rigoles, ou quoi? Quand est-ce qu'on joue?

Guillermo lui envoya une bourrade.

— Je déconne pas du tout. File-moi ton fric.

— Oublie pas de lui piquer son iPhone, ajouta le gamin qui marchait pieds nus. Tu me feras pas croire que ce petit enfoiré de la ville a pas d'iPhone.

Guillermo agrippa Ricky par la chemise et lui enfonça méchamment dans le menton l'extrémité de sa batte usée.

Jane fondit en larmes. Elle n'en croyait pas ses oreilles. Comment avaient-ils pu en arriver là?

— Je te conseille de vider tes poches vite fait si tu veux pas que je te casse la gueule, insista Guillermo.

— J'en étais sûr! s'exclama Brian en débouchant du petit bois au pas de course.

Guillermo se pétrifia en voyant l'ado sportif d'un mètre quatre-vingt-cinq se ruer sur lui. L'instant suivant, il roulait dans la poussière.

Les gamins du parc de mobil-homes s'égaillèrent aussitôt dans les bois en voyant le sort réservé à leur copain. Jane, les yeux écarquillés, ne savait plus si elle voulait sauter au cou de son grand frère ou bien exécuter des cabrioles.

Brian ramassa la batte.

— C'est bon, mec, je déconnais, balbutia Guillermo en se relevant péniblement, couvert de poussière. Allez, rends-moi ma batte. Je te dis que c'était pour rigoler.

Brian soupesa la batte.

— Tu veux parler de ça? demanda-t-il. Tu veux vraiment que je te la rende?

Brian se retourna et lança de toutes ses forces la batte qui fendit l'air avec un sifflement d'hélice d'avion avant d'atterrir au milieu des fourrés, de l'autre côté du grillage.

— Tu as vu ce que j'en fais, de ta batte, petit con? Tu n'as plus qu'à aller la chercher.

— Hé! Pourquoi t'as fait ça? s'écria Guillermo, estomaqué.

— Je me demande, réagit Brian en plissant les paupières. Tu crois peut-être que tu peux embêter mon petit frère et ma petite sœur comme ça? T'as de la chance que je te l'ai pas écrasée sur le crâne, ta fichue batte.

Le gamin regarda Brian, puis se tourna vers le grillage et se mit à pleurer.

— Il faut que tu me la rendes, c'est la batte de mon frère. Il me tuera si je la lui rapporte pas.

Brian observa le gamin.

— Alors cours la chercher, espèce de bébé.

— Je peux pas. T'as vu où tu l'as lancée? En plein milieu du champ de Cristiano!

— Et alors? C'est rien qu'un pauvre champ. T'as qu'à escalader le grillage.

— Un pauvre champ? T'es malade, ou quoi? Ouvre les yeux! C'est de l'herbe, vieux. De l'herbe de première bourre. Cristiano rigole pas, il a même des chiens. Des rottweillers. Il paraît qu'il a installé des pièges. Personne ne met les pieds dans son champ.

— De l'herbe? répéta Jane. De la marijuana? Mais on n'a pas le droit de faire pousser de l'herbe, c'est complètement interdit!

— Vous sortez d'où, les gars? Ils font rien pousser d'autre, dans le coin, insista Guillermo en essuyant d'un revers de la main ses yeux brillants de larmes.

— Et tu trouves ça normal? s'énerva Brian, vert de rage.

C'est quoi ce délire? On est en Amérique, ou quoi? pensa-t-il, à la limite d'assommer le gamin.

— Ricky, Jane! Venez, on fout le camp d'ici, décréta Brian.

— Et ma batte? hurla le gamin. Mon frère va péter les plombs, mec!

Brian se retourna en tendant vers lui un doigt vengeur.

— Rien à foutre de ta batte. Et rien à foutre de toi, espèce d'avorton! J'espère bien que ton frère te tuera. Il rendrait un sacré service à l'humanité.

En regagnant la banque alimentaire à petites foulées, Brian avait bien conscience de ne pas s'être montré très charitable, mais Guillermo avait dépassé les bornes. Il en avait marre des hippies du coin et de tous ces traîne-misère. Sans parler de cette histoire de drogue. Après tout, ils étaient uniquement venus là pour aider les gens, et c'est tout juste si Ricky ne s'était pas fait tabasser par un voyou. C'était quoi, cette histoire?

Seamus rabattait le haillon arrière du break lorsque les enfants le rejoignirent.

— Alors? Vous avez gagné? s'enquit-il tandis que les trois Bennett se précipitaient dans la voiture.

— Pour avoir gagné, on a gagné, grand-père, répliqua Ricky, un sourire innocent aux lèvres. Tu peux démarrer, maintenant?

— Tout va bien? demanda Seamus, surpris.

— Très bien, répondit Brian en jetant un regard inquiet par-dessus son épaule en direction du parc de mobil-homes. On peut y aller, grand-père? J'ai très envie de me rendre aux toilettes.

— Moi aussi, renchérit Ricky.

— Pas autant que moi, ajouta Jane.

— Très bien, fit Seamus en haussant les épaules.

Il mit le contact et le moteur époumoné toussota longuement sans démarrer.

Oh non, geignit Brian dans son for intérieur. Mon Dieu, je t'en supplie, aide-nous.

— Haut les cœurs… et le reste, plaisanta Seamus en actionnant à nouveau le démarreur.

Le moteur toussa de plus belle sans se mettre en route.

Tu vas voir qu'on va rester coincés ici, pensa Brian. Paumés au milieu des gamins de Sa Majesté des mouches.

Au moment où il allait céder au désespoir, le moteur fit enfin entendre un ronronnement rassurant.

Brian se signa sur la banquette arrière en voyant Seamus actionner la marche arrière et démarrer.

38

Il était tout juste 5 h 30 lorsque Mary Catherine sortit avec le cheval de la grange d'Aaron Cody. Il faisait encore noir et l'haleine de l'animal dessinait des volutes vaporeuses dans l'air frais du matin. La jeune femme se retourna en entendant une vache meugler tristement, dans un recoin de la nuit.

— Bonne journée à vous aussi, chère madame, marmonna-t-elle. Ça vous ravigote, ce temps-là, n'est-ce pas?

Un sourire éclaira son visage. Ces balades à cheval, au petit matin, constituaient pour elle un moment précieux. Encore lui fallait-il s'accorder ces quelques minutes de calme et de sérénité avant que les enfants se lèvent et que sa journée se transforme en rodéo.

— Doucement, Spike. On y va, glissa-t-elle d'une voix rassurante à l'oreille de sa monture avant de monter en selle.

L'animal, un hongre à la robe grise, s'était montré rétif lorsqu'elle l'avait harnaché, comme souvent. Elle savait pourtant que tout irait bien une fois qu'ils se seraient éloignés de la ferme.

Il lui fallut près d'une demi-heure pour atteindre son coin de prédilection. Spike, qui connaissait le chemin par cœur, ralentit en abordant la crête, avant même qu'elle ait tiré sur les rênes.

— Mon vieux Spike, tu me combles, tu sais, sourit-elle en caressant la crinière de l'animal. Si tu étais un être humain, je t'épouserais sans hésiter.

La jeune femme regarda en silence le soleil se lever au-dessus de la Sierra Nevada. Elle frissonna, emportée par la magie du lieu. Quel décor! Et ce ciel! Un vent glacial lui sifflait aux oreilles tandis que les premiers rayons du soleil chassaient l'ombre et s'éparpillaient le long des pentes.

Une Amérique digne d'un livre d'images, se dit-elle, s'attendant à tout instant à voir des cow-boys dévaler la montagne à la poursuite d'Indiens, un train à vapeur en toile de fond.

En sortant la thermos qu'elle avait pris la précaution d'emporter, elle se demanda comment réagiraient les petits malins de son patelin d'Irlande s'ils pouvaient voir Mary Catherine toute maigre d'autrefois, grande et belle à présent, déguster son thé, juchée sur un cheval au cœur du Far West.

Ils ne réagiraient tout simplement pas, sourit-elle intérieurement en trempant les lèvres dans son gobelet, persuadée que ces idiots en resteraient sans voix, pour une fois dans leur pauvre vie.

Elle était la première surprise du sort que l'existence lui réservait.

Quand elle avait envisagé la possibilité de travailler comme nounou à New York, elle s'était vue surveillant la croissance des deux enfants d'un couple de millionnaires. Elle s'était imaginée en train de les promener dans une poussette de luxe à travers Central Park, les jours où elle ne leur ferait pas visiter les musées de la ville ou réviser leurs cours de français. En fait de couple de millionnaires, elle était tombée sur un veuf débordé, flic de son état, qui n'avait pas deux enfants, mais cinq fois plus!

Le plus curieux, c'est qu'elle avait accompli sa mission. En l'espace de quelques années, à force de ténacité, elle avait appris à dompter le tumultueux clan Bennett. Non seulement elle les avait nourris (et Dieu sait qu'ils avaient un appétit féroce), habillés et éduqués, mais elle leur avait inculqué le sens des responsabilités et de l'indépendance. Mary Catherine n'en était pas peu fière.

Son quotidien n'était pas de tout repos, c'est vrai, mais elle avait exécuté avec brio la tâche la plus ingrate qui soit : métamorphoser des sauvageons en êtres humains dignes de ce nom.

Au moment précis où elle entrevoyait le bout du tunnel, voilà qu'un tueur dont Mike avait croisé la route se mettait en tête de les assassiner. Du jour au lendemain, ils s'étaient trouvés dépossédés de leur vie et expédiés à cinq mille kilomètres de chez eux, dans cette ferme californienne.

Elle n'arrivait toujours pas à comprendre. Comment quelqu'un qu'elle ne connaissait ni d'Ève ni d'Adam pouvait-il les prendre pour cibles, quand ils n'avaient rien fait ? Comment un être humain pouvait-il se montrer aussi inhumain ?

C'était pourtant la réalité, et Mary Catherine en était terrifiée. Depuis quelque temps, elle se réveillait régulièrement en sursaut la nuit, persuadée que des ombres l'attendaient au pied de son lit. Elle en était arrivée à s'endormir avec une arme à portée de main. Histoire de se rassurer.

Elle vida le reste de son thé par terre et revissa le gobelet sur la thermos avant de remiser celle-ci dans ses fontes en soupirant. Quand je pense que je ne dors que d'un œil avec un fusil sous mon lit, pensa-t-elle en secouant la tête. Elle n'avait pas tort d'imaginer qu'elle vivait au Far West.

Spike, comme s'il avait déchiffré ses pensées, laissa à son tour échapper un soupir.

Mary éclata de rire en lui grattant la tête entre les oreilles.

— Allez, mon vieux, déclara-t-elle à voix haute. Il se fait tard. C'est l'heure de rentrer au bercail pour les vieilles bêtes que nous sommes.

39

Mary Catherine trouva le moyen de se perdre en regagnant la ferme Cody. Bêtement, par sa faute. Alors qu'elle poussait Spike à travers un bosquet de cyprès et de chênes, elle remarqua un sentier et s'imagina, à tort, qu'il s'agissait d'un raccourci. Au lieu de redescendre dans la vallée, le petit chemin remonta brusquement dans la direction opposée.

Elle s'apprêtait à rebrousser chemin après avoir parcouru un kilomètre lorsqu'elle entendit un bruissement de feuilles sur sa droite. L'instant suivant, un inconnu apparaissait sur le petit chemin derrière elle. Spike, effrayé, se dressa sur ses pattes arrière, manquant de jeter à bas la jeune femme.

Mary parvint à le calmer tout en le faisant pivoter sur lui-même. Elle découvrit alors un jeune homme famélique vêtu d'un jean et d'une chemise à carreaux aux manches coupées. Les longs cheveux bruns qui s'échappaient de son chapeau kaki lui couvraient les épaules.

Une lanière de couleur sombre au niveau de son épaule signalait la présence d'un fusil.

Un fusil? s'émut-elle. Le cartel avait réussi à retrouver leur trace!

— Je peux vous aider? s'enquit sèchement le jeune homme.

Si ce n'était pas l'un des sbires de Perrine, de qui pouvait-il s'agir? Un fou, peut-être? Mary, pétrifiée sur Spike, observait l'intrus avec des yeux écarquillés.

Elle se frappa le front, comprenant brusquement le ton peu amène de son interlocuteur.

— J'y suis! Je me trouve sur une propriété privée, c'est ça? demanda-t-elle. Je suis sincèrement désolée. Je vis dans le ranch d'Aaron Cody et j'ai cru prendre un raccourci en me promenant ce matin. Quelle idiote je fais. Je n'avais aucunement l'intention de pénétrer sur vos terres.

— M. Cody? Ah bon! réagit l'inconnu, manifestement soulagé.

Il releva son chapeau d'un doigt en affichant un sourire. Mary n'avait pas vu jusqu'alors à quel point il était jeune. Elle avait affaire à un ado de seize ou dix-sept ans, tout au plus.

— Je ne voulais pas vous effrayer, s'excusa-t-il. Je m'appelle Kevin. Kevin Norberg. Le voisin de M. Cody. Vous êtes effectivement chez nous, mais pas de souci. C'est pas évident de se retrouver entre les différentes propriétés du coin. En fait, il y a bien un raccourci qui permet de rejoindre le ranch de M. Cody en traversant nos terres. Je vais vous le montrer, si vous voulez.

Mary hésita l'espace d'une seconde.

— Volontiers. Je vous remercie.

Elle suivit le gamin sur le petit chemin, hypnotisée par son fusil. Un gros calibre. Peut-être son guide chassait-il le chevreuil quand elle avait croisé sa route. Spike fut pris d'une hésitation en voyant que la sente traversait un amas rocheux et Mary dut l'encourager afin qu'il franchisse l'obstacle.

De l'autre côté s'ouvrait un champ d'arbustes plantés très serrés. En s'approchant, elle s'aperçut qu'il ne s'agissait pas de simples plantes. Hautes de trois mètres, celles-ci possédaient de longues feuilles crénelées et des têtes violacées dégageant une odeur douceâtre, presque fruitée.

Un champ de marijuana, pensa Mary, le souffle coupé. Des hectares et des hectares de marijuana!

Le récit que lui avait fait Brian de leur mésaventure à la banque alimentaire lui revint en mémoire. À en croire l'adolescent, les gamins du cru affirmaient que la marijuana était la principale ressource de la région. Tout en contournant le champ, elle observa la mer d'herbe qui l'entourait. Elle savait que la Vallée Centrale de Californie fournissait au pays l'essentiel de sa nourriture, mais ce n'était visiblement pas sa seule activité agricole.

Elle se demanda si de telles cultures étaient autorisées, dans le cadre de programmes médicaux.

Kevin, qui précédait le cheval de quelques pas, ne paraissait nullement inquiet que l'on puisse connaître l'activité de la ferme familiale. Tranquille comme Baptiste, il aurait tout aussi bien pu se promener à Central Park. À moins que son fusil ne soit pas aussi innocent qu'il y paraissait.

Mary jugea préférable d'éviter les questions.

— Vous êtes très à l'aise sur cet animal, madame, la complimenta Kevin alors qu'il traversait la forêt de cannabis. Vous travaillez pour M. Cody?

— Non, je suis juste venue lui rendre visite, répliqua Mary Catherine d'une voix qu'elle aurait voulue naturelle.

— D'où êtes-vous originaire? D'Écosse?

— D'Irlande, plus exactement.

— D'accord, approuva l'adolescent en rougissant légèrement. J'adore votre accent.

— Merci, répondit joyeusement la jeune femme.

— Votre séjour ici vous plaît?

— C'est un pays magnifique.

— Vous trouverez pas mieux, à condition d'aimer la campagne, fit l'adolescent.

Ils rejoignirent une serre bâchée à l'aide de plastique blanc, à l'intérieur de laquelle se dressait une longue table couverte de gobelets en polystyrène. Chacun d'eux contenait un jeune plant de marijuana. Mary aurait pu se croire dans une classe de maternelle, un jour d'atelier de sciences naturelles.

À l'extrémité opposée de la serre, une femme aux cheveux blancs en tenue de jardinage était accroupie au fond d'une tranchée d'irrigation, occupée à brancher des tuyaux en PVC.

Elle adressa un signe de la main à Kevin qui lui répondit sur le même mode.

— C'est ma mère, expliqua-t-il à la cavalière.

Mary nota au passage que la mère en question était armée, elle aussi. Elle portait un revolver chromé au canon interminable dans un étui attaché à sa ceinture. C'était la première fois que Mary voyait un Colt, en dehors des films de Clint Eastwood.

Décidément, je suis vraiment au Far West, pensa-t-elle, impressionnée malgré elle.

Cent mètres plus loin, elle franchissait une clôture à bétail et Kevin lui désignait un chemin de terre rouge.

— Vous suivez cette route jusqu'au ruisseau, et puis vous apercevrez le silo de M. Cody en contrebas.

— Merci, Kevin, remercia-t-elle l'adolescent. Ravi d'avoir fait ta connaissance.

— De même, madame, répondit poliment le jeune éleveur de marijuana en saluant la visiteuse d'un mouvement de son chapeau.

40

Une lumière blanche intermittente troua la nuit. Un grésillement électronique insistant se déclencha simultanément,
rythmé par les pulsations de la lumière.

Réveillée en sursaut, Vida Gomez se souvint qu'elle se
trouvait dans la chambre du premier étage de la planque de
South Alta Vista Boulevard, à La Brea. Elle s'assit dans son lit,
saisit sur la table de nuit le téléphone portable crypté fourni
par le cartel et le détacha de son chargeur.

Elle fut prise d'une hésitation, hypnotisée par les icônes
qui clignotaient sur l'écran de l'appareil. ACCEPTER, en vert.
REJETER, en rouge. Le fabricant aurait mieux fait de pro-
grammer des touches VIVRE et MOURIR, frissonna-t-elle en
acceptant l'appel d'un pouce rugueux.

Sans même prononcer le « allô » de rigueur, elle se contenta
d'écouter dans le noir les ordres qu'on lui donnait et de
les mémoriser soigneusement.

Une demi-heure plus tard, Vida et ses hommes descen-
daient en marche arrière l'allée de gravillons de la planque,
à bord du seul véhicule dont ils disposaient en toute léga-
lité, un Honda Odyssey Touring Elite noir. À l'image de la
jeune femme, les mercenaires avaient enfilé short, T-shirt
et baskets au lieu des gilets pare-balles habituels. Quant
aux mitraillettes, elles avaient laissé place cette fois à des
armes de poing aisées à dissimuler : des Smith & Wesson
Bodyguard de calibre 380 et des Walther PPK. Leurs ordres

étaient clairs sur ce point, pas question d'attirer l'attention sur eux.

Installée au volant, Vida prit la direction du sud avant de bifurquer vers l'ouest en évitant les autoroutes, préférant les artères moins fréquentées : Venice Boulevard, Lincoln, Washington Street. C'est tout juste si la jeune femme consultait de temps à autre l'écran du GPS installé sur le tableau de bord. Après s'être sentie perdue dans cette ville tentaculaire la semaine de son arrivée, elle commençait à se repérer sans difficulté.

La circulation était fluide et ils rejoignirent Marina Del Rey en moins d'une demi-heure. C'était la première fois que Vida se rendait dans ce quartier chic du bord de mer. Les immeubles de couleur pastel et les palmiers lui rappelèrent son séjour à Miami, lorsqu'elle était enfant.

Elle gara la camionnette dans un parking public et remonta les quais avec ses hommes. La marina, gigantesque, abritait un bon millier de bateaux. Le yacht de pêche de quatorze mètres qu'ils cherchaient était amarré au troisième emplacement sur la gauche du ponton 29. Son nom, *Aces and Eights*, s'affichait sur la poupe dans l'aube grise.

Un Américain ventripotent d'âge moyen, les cheveux blonds tout ébouriffés, chargeait des seaux remplis d'appâts avec de grosses mains couvertes de cicatrices.

— J'peux vous aider ? s'enquit-il en laissant retomber son seau avec un bruit sourd.

— Vous êtes le capitaine Scanlon ? Thomas Scanlon ?

— C'est moi, rétorqua le gros homme blond.

— Nous sommes le groupe de Raphaël, expliqua Vida.

Scanlon la dévisagea, puis s'intéressa aux six tueurs qui accompagnaient la jeune femme avant de hocher la tête.

— Montez à bord, décréta-t-il en leur faisant signe de franchir la passerelle.

Tout était déjà prêt pour la partie de pêche : les lignes, les moulinets, les cartes. Scanlon avait même fait établir des permis de pêche en bonne et due forme pour chacun de ses passagers, histoire d'éviter toute complication en cas de contrôle.

Il se mit aux commandes et prit la mer, Vida à ses côtés. Il tenait la barre en fredonnant sans se soucier de la jeune femme, les yeux rivés sur la carte et la boussole qui s'affichaient sur l'écran de son ordinateur. Elle se demanda combien de fois il avait effectué ce genre d'opération pour le compte du cartel. Ce n'était pas la première fois, en tout cas.

D'autres yachts de pêche se joignirent à eux à mesure que l'*Aces and Eights* approchait de l'entrée de la marina. Le capitaine de l'un d'eux, transportant à son bord ce qui ressemblait à une équipe féminine de volley universitaire, salua Scanlon d'un coup de klaxon. Ce dernier répondit d'un air joyeux par un double hululement.

— Vous vous amusez bien? lui reprocha Vida, la mine sévère.

— *Siempre*, rétorqua Scanlon en lui adressant un clin d'œil. Je m'amuse toujours, dans la vie.

Tu es bien le seul, pensa Vida en s'agrippant au bastingage du bateau ballotté par les vagues, dans l'espoir de calmer les soubresauts de son estomac.

41

Parvenu à une dizaine de milles de la côte, Scanlon coupa les moteurs. Il descendit sur le pont, accrocha des appâts aux hameçons et distribua les lignes à ses passagers masculins.

— Ce ne sera pas la peine, lui ordonna Vida de la passerelle.

— Vous êtes sûre? s'étonna-t-il en posant sur la jeune femme un regard sceptique. Je vous signale que les gardes-côtes sont équipés de drones, ma jolie. Avec des caméras capables de voir à travers votre petite culotte pour vous compter les poils du cul à vingt mille pieds d'altitude. À votre avis, qu'est-ce qu'ils vont penser en voyant que vos petits copains se tournent les pouces au lieu de taquiner le poisson?

— Très bien, approuva-t-elle en regardant sa montre avant d'observer l'horizon à l'aide de jumelles. Vous êtes sûr qu'on est au bon endroit?

— J'en donnerais ma main à couper, répliqua Scanlon d'un air assuré tout en enseignant l'art du lancer à Eduardo.

Un peu plus d'une heure s'était écoulée lorsqu'un navire apparut à l'horizon, en direction du sud. Un tanker gigantesque à la coque noire marquée par la rouille, qui aurait aisément pu accueillir deux terrains de football. Le pont était désert et sur sa poupe flottait le pavillon du Guatemala.

C'est sûrement ça, pensa Vida. Il ne navigue pas dans le coin par hasard.

Persuadée que le tanker se mettrait en panne, elle ne fut pas peu surprise de le voir passer sans ralentir à moins de cent mètres à tribord du yacht de pêche. Elle leva la tête en direction du pont du mastodonte, sans distinguer personne. Pouvait-elle s'être trompée?

Le navire s'éloignait déjà en faisant danser l'*Aces and Eights* dans les remous de son sillage. Vida scruta attentivement la mer afin de s'assurer que les occupants du tanker n'avaient rien jeté par-dessus bord du côté opposé. L'océan était vide à perte de vue.

Scanlon soulevait le couvercle de sa glacière sur le pont lorsque Vida posa le canon de son Walther sur sa nuque tannée par le soleil.

— C'est quoi, cette histoire? exigea-t-elle de savoir. Où est-il? Tu nous as conduits au mauvais endroit.

Scanlon, sans se soucier de la menace du pistolet, ouvrit sa cannette de Budweiser et se retourna lentement.

— Et pour quelle raison je vous aurais conduits au mauvais endroit?

— Pour nous trahir, répondit-elle. On ne m'a pas fourni les coordonnées, tu étais le seul à les avoir. Tu as très bien pu nous attirer ici pendant qu'un autre bateau récupérait le chargement au point de rendez-vous.

Scanlon éclata de rire avant d'avaler une gorgée de bière.

— Ma petite dame, vous dites n'importe quoi. Je travaille pour Perrine depuis très, très longtemps. On s'est bourré la gueule ensemble à Paris un jour de réunion de l'OTAN à l'époque où je faisais encore partie des SEAL. Vous pouvez vous renseigner. Vos petits copains sur le bateau ont eu les pétoches, ou bien on leur a refilé un tuyau quelconque qui leur a fait peur. *¿ Comprende?* Ça fait plus de vingt ans que je fais ces conneries, ça arrive tout le temps. Le plus simple est de regagner le port, d'appeler vos gens, et de…

— Ahhhh! s'exclama l'un des mercenaires derrière eux.

Agglutinés à l'arrière du yacht, les comparses de Vida multipliaient les cris.

— Que se passe-t-il? s'inquiéta-t-elle en se précipitant.

— Eduardo! expliqua l'un des hommes. Il était là avec nous il y a un instant, et puis je ne sais pas ce qui s'est passé, il a disparu comme si quelqu'un l'avait attiré dans l'eau!

Quelques instants plus tard, Eduardo faisait surface à quelques brassées du yacht.

— *¡Ayudame! ¡Tiburón!* hurla-t-il. *¡Algo que está agarrando el pie!*

— Un requin qui lui mordrait le pied? N'importe quoi! s'écria Scanlon alors qu'Eduardo disparaissait à nouveau.

Les flots s'écartèrent peu après et Vida sursauta violemment en envoyant un coup de coude dans le gros ventre de Scanlon. Un inconnu en tenue de plongée noire avait crevé la surface à côté d'Eduardo.

— Surprise, surprise! s'exclama Manuel Perrine en retirant son masque avant de le jeter sur le pont. Comment ça va, tout le monde? Vida, tu es belle à croquer.

Sur le yacht de pêche, tout le monde était sous le choc. Vida n'en croyait pas ses yeux. L'appel reçu dans la nuit lui annonçait une livraison, mais jamais elle n'avait pensé qu'il puisse s'agir de son patron en personne.

— Je t'ai bien eue, hein? poursuivit Perrine en nageant jusqu'au bateau.

— Tu veux dire que tu as sauté du pont de ce baquet rouillé, espèce de vieux salopard? maugréa Scanlon en aidant Perrine à prendre pied à bord.

— Que veux-tu, Scanlon, réagit Perrine, une lueur amusée dans le regard. Je tiens toujours la forme.

Pendant ce temps, les mercenaires aidaient Eduardo à sortir de la baille, sous le regard inquiet de Vida. Perrine, de retour aux États-Unis. Voilà qui ne lui disait rien de bon.

Eduardo ne s'était pas trompé en parlant de requin. Sauf que celui-là avait deux jambes.

42

Ne pas entendre chanter le coq de Cody ne m'a pas empêché de me réveiller tôt le lendemain de mon arrivée à la base.

L'après-midi précédente avait été chargée. Émilie Parker m'avait donné à remplir des formulaires grâce auxquels j'étais officiellement engagé par le gouvernement, avec un plein accès à toutes sortes d'informations classées. Elle m'a ensuite fourni un badge du FBI ainsi qu'un Glock 17. Après le dîner, elle m'a souhaité bonne nuit en me confiant un épais dossier que j'ai consulté dans ma chambre jusqu'à près de 1 heure du matin.

C'était la première fois qu'un rapport de la CIA me passait entre les mains et j'ai découvert avec étonnement qu'il ressemblait à ceux du NYPD auxquels j'étais habitué. En résumé, on comprenait qu'en dépit de nombreuses pistes personne n'avait réussi à localiser Perrine.

La paperasserie n'est pas mon fort en temps ordinaire, mais j'avoue que l'enquête me passionnait. Sans avoir retrouvé mon poste aux Grandes Affaires criminelles dans les locaux du One Police Plaza à Manhattan, je ne me tournais plus les pouces. Pour la première fois depuis huit mois, je me sentais utile.

J'étais même excité à l'idée de donner un laïus. En temps ordinaire, parler en public figure en tête des plaisirs dont je me passerais volontiers, ex æquo avec un rendez-vous chez le dentiste. Ce matin-là, pourtant, j'étais impatient d'expliquer ce que je savais de Perrine aux troupes de l'US Army chargées de sa capture.

Le sort s'est occupé de tempérer mon enthousiasme. J'étais en train de me raser en sortant des douches du dortoir quand mon téléphone a sonné.

J'ai veillé à tenir le portable loin de mon visage de façon à ne pas l'enduire de mousse.

— Salut, Parker. J'ai quasiment terminé le premier jet de ma brillante intervention. Elle tient à la fois du discours de Lincoln à Gettysburg et de celui de la Saint-Crépin dans *Henri V* de Shakespeare.

— Que d'ambitions, a répondu Parker. En attendant, tu vas devoir refréner tes ardeurs car ton discours attendra, Mike. On a reçu un tuyau cette nuit. Quelqu'un aurait vu Perrine à la frontière au niveau de Tijuana. L'armée a aussitôt rameuté l'unité Grey Fox pour vérifier l'info. Le reste des troupes est en état d'alerte.

Grey Fox, ainsi que me l'avait expliqué Parker la veille, est le nom de code attribué à l'unité aéroportée des Opérations spéciales qui travaille main dans la main avec la CIA. Ils avaient reçu pour mission de ratisser des zones de recherche à l'aide de petits monomoteurs ou de drones équipés de systèmes d'écoute très sophistiqués, capables de géolocaliser n'importe quel téléphone portable dans une zone déterminée.

Quant au «reste des troupes» dont elle parlait, il s'agissait de la Delta Force et des membres de l'unité 6 des SEAL, mis à la disposition du groupe d'intervention pour procéder à l'arrestation de Perrine le jour où l'on découvrirait sa cachette.

— J'ose espérer que ce n'est pas un tuyau percé. Que faisons-nous en attendant?

— Je viens de raccrocher avec le responsable de l'unité du LAPD chargée des meurtres attribués au cartel à Los Angeles. Ils ont besoin de petites mains. Je sais bien qu'on avait prévu de passer quelques jours ici, Mike, mais on pourrait se rendre là-bas dès maintenant, si tu es d'accord.

— Et mon allocution devant les militaires? Moi qui ai passé la nuit à copier le style oratoire du général Patton.

— Les troupes attendront, général Bennett. Que dirais-tu de continuer à jouer les flics quelques jours de plus? La dernière fois que j'ai vérifié, tu étais plutôt bon dans ce rôle-là.

— Heureux que tu l'aies remarqué. Quand passes-tu me prendre?

— Tout de suite, a répondu la voix de Parker du seuil de la salle de douche.

Je me suis retourné d'un bloc, rouge comme une pivoine, en serrant ma serviette contre mon ventre. Émilie s'était déjà éclipsée, j'ai entendu son rire résonner dans le couloir.

— Ce n'est pas drôle, Parker. Les filles sont interdites de séjour dans les dortoirs des garçons!

43

Quelques heures plus tard, habillé et nourri, je me trouvais avec Émilie dans une voiture qui filait à toute allure sur l'Interstate 10 en direction de Los Angeles.

Une route à la fois longue et pittoresque. Nous avons commencé par traverser le désert de Mojave avant de partir à l'assaut des monts San Gabriel, sans apercevoir l'ombre d'un taxi ou d'un vendeur de rue. Il faut dire qu'il n'y avait pas de rues, encore moins d'êtres vivants.

Nous approchions de Los Angeles quand Parker m'a montré du doigt le carrefour d'El Monte où deux inspecteurs de la police locale avaient été hachés menu à coups d'armes automatiques par les hommes de Perrine.

Je peinais à y croire en découvrant la présence d'un Burger King au coin de la rue, à côté d'un magasin d'ameublement et en face d'une concession automobile. Une rue commerçante de banlieue ordinaire, à des années-lumière de l'idée qu'on peut avoir d'une zone de guerre.

Le ciel bleu au-dessus de nos têtes et l'apparition des premiers palmiers confirmaient que le centre-ville ne se trouvait plus très loin, tandis que les monts San Gabriel s'effaçaient peu à peu à l'horizon sur ma droite. Je ne m'étais rendu à LA qu'une seule fois de toute mon existence, au cours de l'été qui avait précédé mon entrée à l'université. À force de regarder les films de Stanley Kubrick, nous nous étions mis dans le crâne, avec un copain, de venir tenter notre chance dans le milieu du cinéma, en tant que scénaristes ou réalisateurs.

Au lieu de quoi nous nous sommes tristement soûlés trois jours durant dans un motel sordide, à un jet de pierre de Hollywood Boulevard. Faute de trouver du boulot, nous avons été obligés d'appeler nos parents respectifs à la rescousse pour qu'ils nous envoient l'argent du billet de retour. C'est fou ce qu'on peut être intelligent à dix-huit ans.

En voyant les silhouettes du centre-ville se dessiner dans le lointain, j'ai prié le ciel que ma deuxième visite à Los Angeles se conclue plus brillamment que la première.

Le groupe d'intervention avait installé son QG dans le commissariat d'Olympic, un bâtiment du LAPD en brique, verre et acier situé sur South Vermont, dans le quartier d'affaires de Wilshire. Les équipes réunies pour la capture de Perrine étaient initialement abritées au commissariat de Hollywood, jusqu'à ce que l'omniprésence des paparazzi et autres journalistes passionnés par l'enquête depuis l'assassinat du rappeur King Killa et de la chanteuse Alexia Gia les oblige à déménager.

Nous sommes montés à l'étage dans une vaste pièce où Parker m'a présenté ses collègues Bob Milton et Joe Rothkopf du FBI, deux vieux de la vieille qui nous ont accueillis avec une gentillesse exemplaire. En prévision de notre arrivée, ils avaient trouvé le moyen de réquisitionner des bureaux qu'ils avaient installés dans un coin avant de les équiper d'ordinateurs.

Rothkopf venait de déposer devant moi le dossier complet du meurtre du mafieux de Malibu quand plusieurs inspecteurs du LAPD, tous baraqués, nous ont rejoints d'une démarche mal assurée. Vu l'heure tardive, leur pause déjeuner s'était éternisée. Une pause déjeuner manifestement bien arrosée, à en juger par leurs mines rubicondes.

Malgré la présence massive, au sein du groupe d'intervention, d'agents fédéraux des Stups, des Douanes, de l'Immigration, et même de l'ATF, le bureau spécialisé dans le tabac, l'alcool, les armes et les explosifs, les pontes des Grandes Affaires criminelles du LAPD avaient gardé la main. Ils n'avaient pas l'intention qu'on l'oublie.

Le plus grand des inspecteurs a posé sur moi un regard glacial avant de s'approcher, un large sourire aux lèvres.

— Attention, m'a prévenu Rothkopf dans un souffle. J'espère que tu portes une coquille de protection.

— Salut. Terry Bassman, s'est présenté le trentenaire en m'écrasant les phalanges. C'est vous, Bennett? Vos copains fédéraux nous ont beaucoup parlé de vous. Je vois qu'ils n'ont pas menti en affirmant que vous nous rejoindriez à la première occasion. Ravi de rencontrer en chair et en os l'homme qui a laissé Perrine s'échapper.

J'ai récupéré péniblement ma main broyée tandis que l'autre imbécile regardait ses copains en rigolant. Il a fourré un chewing-gum dans sa bouche, de l'air de celui qui ne se laissera jamais marcher sur les pieds. Un mètre quatre-vingt-quinze, cent vingt kilos, large d'épaules, copieusement musclé, il y avait peu de chances que quiconque s'y hasarde.

Dopé par mon esprit de contradiction légendaire, je lui ai répondu d'une voix suffisamment sonore pour que toute la salle en profite.

— Exactement, Terry. C'est moi qui ai laissé échapper Perrine. Mais vous savez quoi? Je me suis dit que c'était toujours mieux de le laisser s'échapper après lui avoir mis la main dessus que de n'avoir jamais réussi à le coffrer. Comme vous autres pingouins du LAPD, jusqu'à preuve du contraire.

D'un seul coup, les copains de Bassman ne ricanaient plus du tout. On aurait entendu une mouche voler. Du coin de l'œil, j'ai vu que Rothkopf se mordait la joue pour ne pas éclater de rire.

Je continuais d'observer Bassman d'un air innocent. Je n'aime pas particulièrement me prendre la tête, mais j'en suis capable en cas de besoin, à l'image de tout flic digne de ce nom. Les petits malins ne m'ont jamais fait peur.

Bassman m'a lancé un regard assassin, les mâchoires tendues à craquer sur son chewing-gum. Soudain, il a posé brutalement sa grosse main sur mon épaule en souriant à nouveau.

— Si jamais vous avez besoin de quoi que ce soit, monsieur Bennett, l'adresse de Disneyland, un plan des maisons de stars ou autre, n'oubliez pas que le LAPD est au service du citoyen.

44

L'étape obligatoire du bizutage terminée, j'ai pris le temps de lire en détail les dossiers relatifs aux meurtres.

Les photos les plus insupportables étaient de loin celles prises dans la maison de Licata, à Malibu, comme chez Alan Leonard, le rappeur vedette. La vue de ces corps vidés de leur sang était effrayante, on aurait pu les croire tirés d'un documentaire consacré aux expériences médicales menées par les nazis pendant la guerre. Personne n'avait pu déterminer la nature exacte du poison utilisé, mais le labo du FBI y travaillait d'arrache-pied.

Debout derrière moi, Parker fixait d'un œil consterné ces clichés dignes d'un film d'horreur.

— J'en arrive à me demander si leur but n'est pas de nous traumatiser, a-t-elle suggéré en soupirant de rage.

— Probablement. Le monde est si tordu aujourd'hui que Perrine doit se montrer imaginatif s'il entend retenir l'attention des gens.

— Je peux te dire qu'il a réussi à retenir la mienne, en tout cas. C'est inimaginable. J'ai lu quelque part que les cartels avaient adopté les tortures les plus horribles, du genre décapitation et mutilations, après les avoir découvertes sur les vidéos de terroristes islamistes diffusées sur Internet.

— N'importe quoi. Les narcotrafiquants latinos sont connus depuis belle lurette pour leur barbarie. Qui a inventé la cravate colombienne, à ton avis? Non, je suis convaincu que tout ce grand-guignol est pour beaucoup lié à la *Santa Muerte*, ce culte de la mort terrifiant auquel adhèrent la plupart des hommes de main des cartels.

— Si je te comprends bien, ce serait un cycle infernal, a réagi Parker. À mesure que les cartels gagnent en pouvoir, ses membres éprouveraient le besoin d'offrir davantage de sang à la *Santa Muerte* ?

J'ai acquiescé.

— Je trouve ça un peu tiré par les cheveux, Mike. Tu ne penses pas que le culte satanique de Perrine est avant tout celui de l'argent et de la drogue ?

— Si c'était le cas, pourquoi tuerait-il autant de monde ? Vingt-neuf victimes à New Laredo, quarante-neuf à Juárez. Tous pendus à des ponts, leurs têtes retrouvées dans des sacs en bord de route. Les victimes ne sont même pas des membres de cartels ennemis. Ce sont des émigrants innocents, ou bien des clandestins qui tentaient de franchir la frontière des États-Unis. Ce n'est pas comme tuer un passeur qui a volé une cargaison, ou bien un témoin gênant. Je te le dis, nous sommes en présence d'un phénomène nouveau. Ou plutôt, très ancien.

— Ancien ? s'est étonnée Émilie.

— As-tu déjà entendu parler des Thugs ?

Parker a levé les yeux au ciel.

— Je suis heureuse de constater que vous avez trouvé le temps de lire dans votre retraite du Far West, inspecteur.

— Effectivement, Parker. Figure-toi qu'en Inde, au XIVe siècle, est apparu un culte criminel auquel on a donné le nom de Thugs. C'était une organisation secrète de voleurs et d'assassins. Ils commençaient par étrangler leurs victimes avant de les vider de leur sang et de l'offrir à Kali, la déesse de la destruction. On dit parfois que la *Santa Muerte* est une réincarnation moderne de Quetzalcóatl, la divinité de la mort des Aztèques.

— Où veux-tu en venir ? Que nous allons devoir combattre la déesse de la mort ?

— D'une certaine façon.

— Tu regardes un peu trop la chaîne Histoire.

— Tu crois vraiment? Les membres des cartels ont un comportement psychotique, proche de celui des tueurs en série. Est-ce vraiment fou de penser que leur attitude est le fruit d'une idéologie bien particulière? C'est une hypothèse que nous aurions tort d'écarter, à mon avis. Nous aurions tort de continuer à croire que nous sommes en face d'une simple bande de trafiquants assoiffés d'argent.

45

Une heure plus tard, nous décidions d'aller manger un morceau. Parker quittait le parking du commissariat d'Olympic au volant de sa Crown Victoria brun métallisé quand j'ai tapé du poing sur le tableau de bord.

— C'est quoi cette bagnole, Parker? Comme diraient mes ados, cette voiture est «carrément relou». Le Bureau aurait au moins pu te fournir une décapotable, sachant que nous sommes à Los Angeles.

Émilie a ricané derrière ses Ray-Ban.

— Écoute, Mike. Le jour où tu auras réussi à coincer Perrine, je veillerai personnellement à ce que tu puisses acheter sa Bentley à prix d'ami quand l'État la vendra aux enchères.

— Une Bentley, dis-tu? À ton avis, combien de personnes peut transporter une Bentley? J'ai besoin d'une douze places, moi.

Ma boutade a fait rire Parker.

— Une douzaine? Pas plus? Que fais-tu de Seamus?

— On le coince généralement dans le coffre, ou bien alors sur le toit avec le chat.

Parker a laissé échapper un soupir en secouant la tête.

Elle savait bien que je la taquinais. La Crown Vic me convenait fort bien, avec sa radio branchée sur le réseau du Bureau et son mauvais café coincé dans le porte-gobelet de mon siège. J'étais trop heureux de reprendre du service.

J'étais plus heureux encore de l'excellent repas qui nous attendait. Sur les instances de Parker, Rothkopf nous avait obtenu une réservation au Cult, le restaurant branché de l'hôtel Beverly Wilshire. Une steakerie tenue par le grand chef Wolfgang Puck que fréquente régulièrement Tom Cruise, à en croire la rumeur.

En revanche, nos hôtes du LAPD s'étaient montrés nettement moins arrangeants. La lecture attentive de leurs rapports m'avait apporté la preuve que les as du LAPD faisaient cavalier seul en veillant scrupuleusement à ne jamais partager leurs pistes et leurs contacts avec les fédéraux.

S'il m'était arrivé en mon temps de veiller jalousement sur mon pré carré à New York, j'étais agacé de constater leur façon de mettre le FBI sur la touche depuis que j'en faisais partie. Je n'avais pas quitté ma retraite pour jouer les utilités.

Le téléphone de Parker a sonné.

— Une seconde, a-t-elle déclaré à son interlocuteur. Je suis en train de conduire, je préfère vous passer l'inspecteur Bennett.

J'ai étouffé le micro du portable qu'elle m'avait tendu en le posant sur ma cuisse.

— Qui est-ce?

— Bassman.

— Merci de cette attention, Émilie.

J'ai porté l'appareil à mon oreille.

— Bennett. Quoi de neuf, inspecteur?

— Où êtes-vous, les gars? m'a répondu la voix de Bassman. Je vous cherche partout.

Tu parles. Surtout après avoir passé des heures dans leur QG à nous tourner les pouces. J'étais prêt à parier qu'il avait eu vent de notre dîner au Cult et trouvé un moyen de nous empêcher d'y aller en nous envoyant sur une fausse piste. Bassman ne pensait qu'à nous mettre des bâtons dans les roues alors que le cartel continuait d'assassiner en toute impunité. Ce type-là était un connard de première.

— Je ne sais pas comment vous bossez à New York, Bennett, mais cette force d'intervention est censée travailler en équipe. Quoi qu'il en soit, j'ai un plan pour Parker et vous. Un type arrêté pour conduite en état d'ivresse à la suite d'un accident mortel. Il jure ses grands dieux avoir vu Perrine ce matin. Ce serait bien si vous alliez l'interroger à l'asile.

— L'asile?

— Oui, il a été interné dans le service psychiatrique de Metro State, à Norwalk. J'ai cru comprendre qu'il était dopé aux amphétamines, ou qu'il avait pris de l'ecstasy.

J'en aurais donné ma main à couper. Le groupe d'intervention recevait tous les jours des milliers d'appels de gens prétendant savoir où se cachait Perrine. Et voilà que Bassman nous envoyait interroger un toxico drogué jusqu'aux oreilles. Moi aussi, j'avais aperçu Perrine. À cheval sur un bourdon vert géant, au pied d'un arc-en-ciel.

Après tout, Tom Cruise pouvait bien se passer de nous pour déguster son steak dans le filet. Autant commencer l'enquête quelque part.

— Pas de souci. Donnez-moi l'adresse.

Bassman a marqué le coup à l'autre bout du fil, déçu de constater que je ne ruais pas dans les brancards. Pas question de lui accorder ce plaisir.

— Alors écoutez-moi bien, Bennett. Je vous donne l'adresse lentement, que vous ayez bien le temps de l'entrer sur votre GPS.

46

Il nous a fallu quarante bonnes minutes pour arriver à l'hôpital Metropolitan State de Norwalk. Tout en roulant en accordéon sur l'une des six files congestionnées de l'Interstate, ce n'était pas tant la circulation qui me surprenait que l'étendue de cette ville tentaculaire. Dans mon ancienne vie de flic à New York, je me contentais de veiller sur cinq arrondissements surpeuplés. À Los Angeles, mes collègues avaient la charge de cinq comtés.

L'hôpital psychiatrique se dressait au cœur d'une vaste propriété verdoyante que l'on aurait aisément pu confondre avec un campus universitaire sans la clôture de trois mètres, surmontée de fil de fer barbelé, qui la ceignait.

— C'est là qu'ils ont filmé *Le Silence des agneaux*? Ou peut-être *Terminator 2*? Attends, je sais! *Vol au-dessus d'un nid de coucou*!

— À ce stade, Mike, je te conseillerais volontiers de tempérer ton humour si tu ne veux pas qu'ils te gardent comme pensionnaire, m'a conseillé Émilie.

Comme nous avions pris la précaution d'annoncer notre venue, il nous a suffi de présenter nos badges à l'entrée. Le sergent Joe Rodbourne, de la brigade routière de Californie, nous attendait dans le hall du bâtiment tout neuf de l'administration. Rodbourne, un personnage trapu et chauve, ne s'est pas égaré en détails inutiles. Le temps d'enfiler des lunettes de vue de grand-mère, il a tiré un carnet de la poche de sa chemise kaki.

— Alors, voilà ce que j'ai. Aux alentours de 16 h 25 ce jour, un véhicule de marque BMW a tenté d'effectuer un demi-tour sur la 710 à hauteur du Santa Ana Freeway, dans le quartier d'East Los Angeles. Au moment où le conducteur exécutait sa manœuvre, un semi-remorque de type Peterbilt qui roulait en direction du sud a frappé de plein fouet la BM, tuant sa passagère sur le coup. Les témoins racontent que le camion a poursuivi sa course sur le terre-plein central pendant cinq cents mètres dans une gerbe d'étincelles avant de s'immobiliser sur la chaussée, évitant de nombreuses victimes parmi les automobilistes qui rentraient de leur journée de travail en pleine heure de pointe.

Rodbourne s'est léché le pouce avant de tourner une page de son carnet.

— Le conducteur de la BMW, un certain Matthew J. Scricca, s'en est sorti miraculeusement indemne. Il a un yacht de pêche ancré à Marina Del Rey et possède un casier chargé. Son dernier fait d'armes en date remonte à la nuit de la Saint-Sylvestre, quand il a été arrêté pour agression armée devant un club de strip-tease de Sunset Boulevard.

— J'ai cru comprendre que Scricca était drogué.

Le motard m'a regardé par-dessus ses lunettes.

— Le responsable des urgences affirme qu'il est sous GHB. Ce qu'on appelle la drogue du viol, un truc charmant que nos jeunes amateurs de sortie en boîte expérimentent allègrement depuis quelque temps. Ça ne m'étonnerait pas. Scricca semble avoir été victime de… euh, de troubles de la vision. Il n'arrêtait pas de parler de fleurs : "Retirez-moi toutes ces fleurs ! Je veux qu'on m'enlève toutes ces fleurs de l'estomac !" Ce genre de remarques pertinentes. C'est pour ça qu'il a été conduit ici.

« On a décidé de vous appeler quand il est redescendu sur terre il y a un peu plus d'une heure. Il faut dire que sa descente a été fulgurante quand il a compris qu'il allait se trouver inculpé pour homicide involontaire. Il a tout de suite voulu négocier en nous disant qu'il avait du gros. Des informations relatives à Manuel Perrine.

Nous nous sommes regardés avec Parker. Sans avoir besoin de nous parler, nous avions établi le lien. Un capitaine de bateau. De la marchandise de contrebande. Perrine. Jusque-là, la logique était imparable.

— Auriez-vous la gentillesse de nous conduire jusqu'à lui, sergent? a demandé Émilie avec un sourire charmeur.

47

Le sergent Rodbourne s'est adressé à un infirmier qui nous a conduits jusqu'au passage couvert menant du bâtiment de l'administration jusqu'à une aile en brique.

Une fois franchie une grille électronique, nous avons remonté un long couloir d'un blanc usé. Le secteur sécurisé des urgences était protégé par des portes blindées comparables à celles que l'on trouve à l'entrée des chambres froides. Toutes étaient trouées de hublots grillagés en verre blindé.

— Vous rêvez toujours d'agneaux, Clarice ?

Parker m'a fait taire d'un coup de coude au plexus solaire.

Notre guide s'est arrêté devant une porte à l'extrémité du couloir. Un coup d'œil à travers la vitre m'a permis de découvrir Scricca menotté aux montants du lit d'hôpital sur lequel il était allongé, torse nu.

J'ai constaté avec étonnement qu'il était plutôt bel homme : un teint basané, de longs cheveux noirs, des yeux gris-vert, une silhouette d'alpiniste. Comme quoi, au pays du rêve, même les sales cons préservent les apparences.

Les tatouages qui ornaient son torse traçaient sur lui un gilet dont les serpents, les aigles et autres clowns inquiétants dessinaient une sorte de motif cachemire.

— La classe. Je sens que ce type va me plaire, a murmuré Parker en voyant l'infirmier déverrouiller la porte.

En pénétrant dans la chambre, j'ai vu d'un simple coup d'œil que Rodbourne ne s'était pas trompé dans sa description du personnage. Scricca avait les yeux injectés de sang, mais il n'avait nullement l'air d'un fou. Ses traits fatigués trahissaient l'inquiétude de quelqu'un qui se réveille dans un océan de merde sans bouée de sauvetage.

— Bonjour, monsieur Scricca. Je suis l'agent Parker du FBI, s'est présentée Émilie en s'exprimant d'une voix lente, comme si elle s'adressait à un gamin de trois ans, ou à un toxico en crise.

— Je suis vraiment désolé de la mort de cette jeune femme, a dit Scricca en mordillant nerveusement l'ongle du pouce de sa main libre. J'ai deux filles dont l'une a l'âge de celle-ci. Comme je l'ai déjà expliqué, c'est elle qui m'a fourni ce truc. Elle prétendait que c'était de la coke. Ça ressemblait à des sels de bain. En plus, c'est elle qui a voulu que je fasse demi-tour. Elle m'a mis au défi, elle prétendait que j'avais pas les couilles.

Rodbourne s'est avancé.

— Vous ne manquez pas d'air, Scricca. Vous commencez par jeter votre copine sous les roues d'un camion, et maintenant vous la jetez aux orties.

Je me suis interposé, persuadé que l'interrogatoire s'engageait sur un terrain glissant.

— Merci, sergent. Ne vous inquiétez pas, on prend le relais.

Je l'ai gentiment reconduit jusqu'à la porte capitonnée.

— Nous ne sommes pas venus vous parler de l'accident, a repris Parker, une fois Rodbourne parti. Vous prétendez avoir vu Manuel Perrine, le leader de cartel recherché par toutes les polices du pays. Ici même, à Los Angeles. Pouvez-vous nous en dire davantage?

— Je ne prétends rien du tout, a réagi Scricca en naviguant du regard entre Parker et moi. Je l'ai vraiment vu en début de journée. Avec un type que je connais.

— Arrêtez-moi si je me trompe. Vous affirmez que Manuel Perrine, le criminel le plus dangereux de la planète, est passé à côté de vous ce matin en compagnie d'un copain à vous?

C'est bien ça? Excusez-moi, mais les gens qui croisent la route de Perrine se retrouvent plus souvent dans un cercueil que dans un asile.

— Tout simplement parce qu'il ne m'a pas vu. Je me trouvais à deux cents mètres de lui, a répliqué Scricca en tapant des phalanges sur le montant du lit. J'avais des jumelles. Même que j'ai consulté le site du FBI sur mon portable pour vérifier que je ne me trompais pas. C'est pas des conneries. C'était bien lui. L'ennemi public numéro un en personne.

— Où se déroulait la scène? a insisté Parker. Vous avez vu Perrine en pleine mer, depuis votre bateau?

Scricca a repris sa respiration. Sa menotte a grincé sur le métal du lit alors qu'il s'adossait contre le mur.

— Je ne dirai rien de plus tant qu'on se sera pas mis d'accord. Je suis prêt à vous dire tout ce que je sais quand on m'aura accordé l'immunité et que mon avocat aura donné son aval. J'ai aucune envie de balancer quiconque, mais il est hors de question que je retourne en taule. La dernière fois, ma femme a essayé de se suicider. Je peux pas lui infliger ça de nouveau.

— Très bien, monsieur Scricca. Dans ce cas, nous reviendrons, a décidé Parker en me poussant vers la porte.

J'ai attendu que nous soyons dans le couloir pour réagir.

— J'avoue être impressionné par la noblesse des sentiments de cet homme. Il commence par tuer la petite amie avec laquelle il se droguait avant de penser à sa femme quand il se fait tauper.

— Je suis tout de même curieuse de savoir ce que tu penses de son histoire, Mike. Tu crois que ce tas de merde a réellement des infos?

J'ai observé Scricca à travers le hublot de sa porte avant de répondre.

— Oui. En dépit de ses tatouages douteux et de ses tendances suicidaires évidentes, je le crois curieusement loin d'être idiot.

— Je pense exactement comme toi. Et puis merde. On mord à l'hameçon. On lui offre une porte de sortie au cas où son témoignage conduirait à l'arrestation de Perrine. On n'a rien à perdre, même si ça se termine en impasse. Ce n'est pas comme si on avait d'autres pistes.

— Je te suis. Au point où nous en sommes, je suis prêt à tout.

Émilie a sorti son portable et composé un numéro, un sourire mauvais aux lèvres.

— Qu'est-ce qui vous arrive, agent P?

— Souviens-toi du piège que voulait nous tendre ce crétin de Bassman. Ce serait trop drôle si nous avions vraiment découvert la poule aux œufs d'or.

48

Sachant que la Californie est le paradis des chercheurs d'or, tous les espoirs étaient permis et nous n'avons pas été déçus.

À la suite de l'appel d'Émilie, les responsables du groupe d'intervention ont contacté le bureau du procureur de Los Angeles. Le temps de nous envoyer l'adjoint de service, Bill Kaukonen, et un accord était trouvé.

Scricca s'en est tiré royalement. En échange de toute information conduisant à la capture de Perrine, il écopait d'une peine avec sursis et d'une obligation de traitement pendant six mois dans un centre de désintoxication.

J'avoue avoir eu un goût amer dans la bouche en voyant s'éloigner Kaukonen. La jeune femme tuée dans l'accident n'avait que vingt-huit ans. D'un autre côté, face à un Perrine fermement décidé à relancer la guerre du Viêtnam en Californie, nous n'avions guère le choix.

L'adjoint du procureur reparti, nous avons recueilli la déposition de Scricca dans sa cellule. En résumé, il avait reconnu Perrine à bord de l'*Aces and Eights*, un yacht de pêche appartenant à un certain Thomas Scanlon. D'après Scricca, Scanlon était un personnage douteux dont tous les pêcheurs de Marina Del Rey savaient qu'il trafiquait de la drogue.

Le témoignage de Scricca a pris toute sa valeur lorsque nous sommes retournés au commissariat d'Olympic et qu'Émilie a entré le nom de Scanlon dans une base de données fédérale digne de Big Brother.

Notre informateur ne s'était pas trompé, Scanlon était bien un personnage douteux. Ancien des SEAL, les nageurs de combat de la Navy, il avait été renvoyé en 1995 pour usage de stupéfiants. Dans la foulée, le relevé de son passeport montrait que M. Scanlon avait voyagé dans des lieux pour le moins divers : l'Amérique du Sud, les Pays-Bas, l'Afrique centrale, le Moyen-Orient. Pas mal pour un individu dépourvu de tout revenu officiel.

— Il a même passé un an et demi au Qatar, m'a expliqué Parker alors que nous mangions des plats à emporter sur nos bureaux respectifs. Tu t'es récemment rendu au Qatar, Mike?

J'ai soulevé le couvercle de mon gobelet de café.

— Au Qatar? Je ne saurais même pas le situer sur une carte.

— Nous sommes bien d'accord. Ce Scanlon disparaît des écrans radar pendant cinq ans et pouf! le voilà qui effectue son grand retour à la barre d'un bateau de pêche sous le soleil de Californie. Tu peux m'expliquer comment il s'y est pris?

— Tu as raison. Ce type-là pêche en eaux troubles.

Émilie m'a récompensé de mon trait d'esprit en m'envoyant une frite que j'ai adroitement attrapée au vol sans renverser une seule goutte de mon café. J'ai instinctivement croqué dedans avant de la jeter à la poubelle en me souvenant que la pomme de terre est un légume et que manger sain est un crime dans ce pays.

— Que suggères-tu, Émilie?

— On appelle nos responsables et on voit en combien de temps ils changent notre or en paille, a-t-elle rétorqué en commençant à rédiger un texto.

— Dieu du ciel! On croirait entendre un vétéran blasé du NYPD après avoir vidé une bouteille de vieux vin irlandais.

— Tu as une influence détestable sur ton entourage, Bennett, a souri Émilie sans quitter son écran des yeux. Je pense sérieusement que tu devrais consulter.

À peine avions-nous terminé d'envoyer l'info aux huiles militaires et civiles dont nous dépendions que la machine de guerre se mettait en branle. Les mandats nécessaires signés, les téléphones de Scanlon étaient rapidement placés sur écoute et un réseau de surveillance était mis en place autour de son bateau et de son domicile de Brentwood. Le ponte du FBI chargé de coordonner l'opération avec l'armée et la CIA était d'autant plus excité que le tuyau relatif à la présence de Perrine à Tijuana était aussi percé qu'une passoire.

Grâce au système de vidéoconférence, la réunion générale du groupe d'intervention prévue à 8 heures le lendemain matin se ferait avec la participation des militaires de la base du Southern Cal Logistics Airport. Dans l'intervalle, la responsable d'Émilie en Californie, Evaline Echevarria, nous a envoyés surveiller la maison de Scanlon.

Oubliant que nous étions sur le pont depuis l'aube, nous avons accepté avec joie. Personnellement, j'étais sur les nerfs. Après des mois passés à me morfondre dans une ferme, je disposais de réserves d'adrénaline quasiment inépuisables.

Nous partions chercher un véhicule de surveillance plus discret au siège du Bureau quand j'ai pouffé.

— Tu t'es inscrit au festival du fou rire, Mike? Tu perds déjà les pédales? Si tu insistes, je peux facilement te reconduire à Metro State pour une évaluation psychiatrique. J'ai remarqué que la chambre voisine de celle de Scricca était libre.

J'ai retrouvé mon sérieux.

— C'est gentil, mais c'est un peu tôt. Non, je riais en imaginant la figure de Bassman quand il aura appris le résultat de notre petite virée à Norwalk. À l'heure qu'il est, ce crétin doit être à la limite de l'implosion.

49

Scanlon vivait à Brentwood dans une maison de Chappe-ral Street, une petite rue calme bordée de haies et donnant sur l'arrière d'une école privée pour filles. Son joli pavillon en brique de style Tudor était dissimulé à la vue par d'épais buissons. Seule la grille de fer forgé protégeant l'accès à son allée permettait d'apercevoir le bâtiment.

Rares étaient les véhicules garés dans un quartier aussi isolé, de sorte que le 4x4 Mercedes gris métallisé fourni pour l'occasion n'était pas vraiment idéal. Nous nous sommes garés le long du trottoir à quelques maisons de celle de Scanlon.

— Jolie baraque pour un simple pêcheur.

Parker a acquiescé de la tête.

— Une propriété comme celle-ci doit bien coûter un million de dollars. Peut-être même un million et demi.

La lumière installée au-dessus de la porte du garage était allumée à notre arrivée. L'examen à la jumelle des différentes fenêtres ne nous a guère avancés. Pendant plus d'une demi-heure, rien n'a bougé chez Scanlon. Impossible de déterminer s'il était chez lui.

Parker a rapidement trouvé la solution en passant un coup de fil. Vingt minutes plus tard, une camionnette blanche anonyme s'engageait sur Chapperal, passait à côté de nous sans s'arrêter et s'immobilisait brièvement devant la grille de la propriété de Scanlon avant de disparaître.

Le portable de Parker a sonné quelques minutes plus tard.

— C'est bon, a fait une voix dans le haut-parleur du téléphone, mais il y a un chien. Un vrai cerbère. Bonne chance, Parker.

— Super, merci, a répondu Émilie avant de raccrocher.

— Ils étaient équipés d'un scanner à infrarouge?

— Tu brûles. En fait, il s'agit de la camionnette à rayons X du bureau de Los Angeles. On s'en sert dans les ports, ou bien en cas de visite présidentielle. Les deux techniciens installés à l'arrière sont capables de voir à travers n'importe quel matériau, ou presque.

— Une équipe de sécurité aéroportuaire mobile, en quelque sorte. J'imagine que c'est un boulot réservé aux mecs. Dis-moi, Parker, quelles sont les chances d'embauche pour une recrue temporaire comme moi?

Émilie a haussé un sourcil.

— Tu serais surpris de voir le nombre de filles qui font ce boulot, Bennett.

J'ai eu du mal à dissimuler mon étonnement.

— Dans ce cas, tu me rappelleras d'acheter des caleçons en aluminium la prochaine fois qu'on passera devant un supermarché.

En dépit de tous ses efforts, Parker a eu du mal à garder son sérieux. La guerre d'usure commençait à porter ses fruits, elle commençait à succomber à mon charme naturel.

— Dis-moi, Mike. Si Scanlon n'est pas chez lui en train de compter les moutons, où peut-il bien se trouver à une heure aussi tardive?

— Tu me poses la question à soixante-quatre millions de dollars, c'est ça? Personnellement, si j'étais un fugitif international réfugié en territoire ennemi, je garderais un œil sur tous ceux qui sont au courant. Au moins jusqu'à mon départ. Si j'aimais les jeux d'argent, je parierais volontiers que Scanlon fera profil bas en compagnie du grand patron tout au long de son séjour.

— Si je te comprends bien, il suffit de trouver Scanlon pour mettre la main sur Perrine.

— Il n'est pas interdit de rêver.

50

Comme Scanlon ne se trouvait pas chez lui, nous n'avions plus qu'à passer à la phase deux de l'opération.

Le temps d'un nouveau coup de fil, et c'est un pick-up Dodge Ram au plateau surmonté d'une bâche qui s'arrêtait à côté de nous vingt minutes plus tard.

— Tu as des copains partout, Émilie. À quoi sert cet engin ? À mesurer le taux de cholestérol des suspects ?

Elle m'a fait taire d'un geste et j'ai vu descendre du véhicule deux types habillés en noir de la tête aux pieds. J'ai également remarqué que le plafonnier du pick-up ne s'était pas allumé lorsqu'ils avaient ouvert les portières.

Parker a baissé sa vitre. L'un de ses collègues était un vétéran trapu à la lèvre supérieure barrée d'une moustache sombre, tandis que l'autre était un petit blondinet à peine en âge de se raser. Une version père et fils d'un tandem de ninjas américains.

— Laquelle est-ce ? a demandé le jeunot.

— La propriété à la grille, lui a répondu Parker. Apparemment, il y a un chien.

— Pas de souci, a décrété le vieux avec un mauvais sourire en tapotant le sac qu'il avait à la main. On adore les canidés.

Le jeunot, les yeux rivés sur la maison de Scanlon, a glissé une chique de tabac à l'intérieur de sa joue en serrant les courroies de son sac à dos dont le contenu a tinté. Il a regardé sa montre.

— On vous appelle dans... sept minutes? a-t-il demandé à son équipier.

— Six, l'a corrigé le vieux.

Sans attendre, les deux hommes ont escaladé la grille avec l'agilité d'un couple d'écureuils.

— La roue de la justice avance beaucoup plus vite que je ne le croyais, tu ne trouves pas, Émilie? Je n'ai jamais vu personne obtenir un mandat de perquisition aussi rapidement.

Parker a fait la sourde oreille, pleinement consciente que je l'asticotais pour la façon dont le Bureau prenait des libertés avec le système en opérant de façon parfaitement illégale.

Personnellement, je n'y voyais aucun inconvénient. Suivre le règlement à la lettre alors que Perrine décimait des flics et des familles entières équivalait à respecter le code de la route à l'heure de conduire un mourant aux urgences. C'était tout bonnement stupide.

Nous avions besoin d'informations précises, et vite. Il fallait surveiller le téléphone de Scanlon et fourrer le nez dans ses intrigues avant qu'il ait pu comprendre ce qui lui arrivait. Je ne pensais qu'à la récompense finale : un monde enfin débarrassé de Manuel Perrine. J'étais disposé à prendre toutes les libertés nécessaires pour éliminer ce salopard qui avait décidé de tuer toute ma famille.

Le vieux s'était trompé. Cinq minutes à peine venaient de s'écouler depuis le départ des plombiers du FBI lorsque la grille s'est ouverte lentement. Le même vieux nous attendait au bout de l'allée, debout devant la porte ouverte de la maison, tel un majordome stylé.

— Où est Médor? a demandé Parker.

— Il fait un gros dodo. Le temps de crocheter la serrure et de lui donner sa pâtée, j'ai vu ses paupières s'alourdir. Bizarre, non?

51

Parker a tiré du sac qu'elle tenait à la main une paire de gants et des lunettes de vision nocturne qu'elle m'a tendues, et nous avons entamé la fouille de la maison en veillant soigneusement à ne rien déranger. Avec le souci de ne pas éveiller les soupçons de Scanlon, bien sûr ; plus encore à cause des armes éparpillées un peu partout. Nous avons découvert un Taurus de calibre 380 dans l'armoire à pharmacie de la salle de bains, un M1911 de calibre 45 sous l'évier de la cuisine, ainsi qu'un Mack 10 automatique chargé, scotché sous le plateau de la table de nuit dans la chambre de notre hôte.

J'ai montré ma dernière prise de guerre à Émilie.

— Notre ami Scanlon est visiblement un homme prudent.

Un autre trésor de guerre nous attendait dans le placard de la pièce dont Scanlon se servait comme bureau. Sur une pile de ramettes de papier se trouvaient une douzaine d'emballages de téléphones portables jetables. La moitié des boîtes étaient vides.

Les narcotrafiquants ont régulièrement recours à des téléphones de ce genre, de façon à échapper à toute détection, mais les numéros de série figuraient encore sur les emballages des appareils manquants. Rien de plus facile pour nos techniciens d'entrer en contact avec le fabricant et de mettre sur écoute les portables incriminés. Si Scanlon en avait un en poche, nous avions le moyen de le localiser.

— Pourvu que ça marche, a prié Parker en mitraillant les emballages avec un appareil photo.

Nous allions quitter la maison quand nous avons vu un type traverser la rue en direction de la propriété.

— C'est Scanlon? m'a demandé Émilie.

J'ai rapidement observé la photo de passeport dont nous disposions. L'inconnu était trop jeune, trop mince et trop brun pour que je puisse le confondre avec un gros blond tel que Scanlon.

Nous avons machinalement sorti nos Glock en voyant le type composer un code sur le clavier de la grille. J'ai vu qu'il avait tout juste la vingtaine en le regardant remonter l'aller, ses écouteurs d'iPod dans les oreilles.

— Je ne sais pas qui c'est, mais il a la conscience tranquille.

Nous nous sommes écartés de la porte en l'entendant glisser une clé dans la serrure.

Il venait de repousser le battant quand je lui ai posé le canon de mon Glock sur la nuque. Il a fait un bond, comme électrifié, au point de se cogner le front contre la porte. Je lui ai retiré ses écouteurs et des effluves de rap ont brisé le silence.

— Pas un geste.

— C'est quoi, ce délire? Qui vous êtes? s'est enquis le jeune type.

J'ai décidé de le moucher vite fait.

— Qui on est? C'est à toi qu'on aimerait poser la question.

— Je suis Donny Pearson, j'habite un peu plus loin dans la rue. Tommy vient de m'appeler pour me dire qu'il s'absentait quelques jours. Il m'a demandé de donner à manger à Cristobel.

Parker l'a délesté de son portefeuille et m'a confirmé qu'il disait la vérité. J'ai rengainé mon arme avant de lui montrer mon badge.

— Hé là! J'ai rien fait d'illégal! Je le jure! s'est exclamé Pearson.

— Alors écoutez-moi bien, monsieur Pearson. Scanlon vous a-t-il appelé sur votre numéro privé, ou bien sur votre portable ?

Il a sorti son iPhone.

— Mon portable.

Parker s'est empressé de comparer le dernier numéro figurant sur le journal d'appel avec ceux découverts dans le placard.

— Bingo avec un B majuscule, m'a-t-elle dit en me tapant violemment dans la main.

52

Nous avions désormais Perrine dans notre collimateur. Nous étions près du but.

J'ai pris le volant pour regagner l'hôtel tandis qu'Émilie diffusait les informations récoltées à l'ensemble de son carnet d'adresses professionnel. Après avoir contacté les spécialistes des communications du LAPD, elle a fait de même avec le FBI, la CIA, la NSA et même Grey Fox, l'unité des forces spéciales de l'armée.

De retour dans ma chambre, je me suis déshabillé et j'ai pris une douche, à moitié groggy de fatigue, avant de tomber de sommeil sans même retirer le peignoir de l'hôtel. J'avais toujours la tête dans l'oreiller quand mon téléphone a sonné quelques heures plus tard.

De l'autre côté de la vitre, la silhouette d'un palmier se dessinait dans le ciel orangé. J'aurais été bien incapable de dire si c'était l'aube ou le coucher du soleil. Pas étonnant que la Californie soit considérée comme un petit paradis, ai-je pensé en récupérant enfin mon téléphone qui refusait de se taire.

— La poule a pondu un œuf de vingt-quatre carats, m'a annoncé la voix tout excitée de Parker. Ils viennent de recevoir un signal en provenance du portable de Scanlon. Il se trouve dans le comté d'Orange.

Émilie m'a fourni tous les détails un peu plus tard alors que nous roulions à toute allure sur la Pacific Coast Highway.

Le téléphone de Scanlon avait été relayé par un émetteur de Newport Coast, une ville d'une opulence obscène située à une heure au sud de Los Angeles. L'unité Grey Fox avait procédé à des recoupements. La maison d'où émettait le portable de Scanlon se trouvait dans un lotissement de villas de plus de mille mètres carrés desservi par la Newport Coast Drive, tout près du très célèbre Pelican Hill Golf Club.

Profitant du fait que Parker tenait le volant, j'ai consulté l'annonce consacrée à ce palace de style espagnol que le FBI avait réussi à dénicher sur d'anciens listings immobiliers du site realtor.com. La fiche m'a ainsi appris que la maison, propriété d'un milliardaire de l'industrie de l'énergie, avait récemment été mise en location dans le cadre d'une procédure de divorce.

J'ai hoché la tête d'un air approbateur.

— Une piscine gigantesque, pleine vue sur le Pacifique, tout le confort. L'annonce précise que les éléments de décoration intérieure ont été récupérés dans un château du XVIIIe siècle, celui de Monpazier dans le sud de la France. Je sens que nous brûlons, chère madame Parker. La description des lieux correspond en tout point aux goûts de luxe de Perrine.

Le point de ralliement avait été fixé derrière une épicerie Trader Joe's, à cinq kilomètres au sud de notre objectif. Les moyens mis en œuvre étaient proprement stupéfiants. Le bus servant de quartier général se trouvait déjà sur place quand nous sommes arrivés. Pendant plus d'une heure, nous avons assisté à un ballet incessant de voitures banalisées. Et encore, il n'était question que des intervenants civils.

L'Unité de libération d'otages du FBI nous a rejoints. En regardant ses membres débarquer d'une caravane de camionnettes blanches, j'ai noté un peu plus loin la présence de deux individus dépourvus de la tenue réglementaire. Deux énormes types chauves et barbus, lunettes de soleil et casquette de base-ball verte, qui se tenaient à part du reste de l'équipe. Je n'ai pas eu besoin des lumières de Parker pour deviner que j'étais en présence de militaires, sans doute des membres de la Delta Force. J'imagine qu'ils avaient reçu pour mission de coordonner les communications entre forces civiles et militaires. Émilie m'avait d'ailleurs précisé que les troupes de l'armée avaient convergé dans un autre lieu afin d'organiser l'assaut aérien.

Tandis que grossissait la masse des forces réunies pour l'opération, nous avons rejoint les autres membres du groupe d'intervention. Nos collègues Bob Milton et Joe Rothkopf du FBI, tous deux installés derrière une table de camping débordant de munitions, distribuaient des gilets pare-balles et des fusils automatiques M4 à tour de bras. Malgré la pression grandissante, ils restaient impavides. Deux parangons du style cool californien. À les voir, on aurait pu croire qu'ils attendaient le top de départ d'une compétition de surf, et non le déclenchement de la Troisième Guerre mondiale.

L'inspecteur Bassman, infiniment moins zen, tournait en rond sur le parking comme un père de famille à la naissance de son premier enfant. Il évitait soigneusement de croiser mon regard et de nous adresser la parole, avec Émilie. Ses pensées étaient si transparentes qu'il n'était pas très ardu de les deviner, à le voir tournicoter sur lui-même, en état de choc. Il avait tenu entre les mains une bombe qui aurait pu catapulter sa carrière au firmament, et voilà qu'il l'avait bêtement donnée à une fédérale et à un pouilleux du NYPD.

Si j'avais encore entretenu des doutes sur le sérieux avec lequel les autorités traitaient l'affaire Perrine, ils auraient été balayés par le convoi que j'ai vu pénétrer sur le parking peu après la tombée de la nuit.

Sur la remorque d'un camion reposait un tank Bradley de plus de vingt tonnes. Je suis resté bouche bée en apercevant ses énormes chenilles et son canon de 25 mm.

— Eh bien, a réagi Rothkopf, debout à côté de moi, en polissant machinalement les lentilles de ses lunettes de vision nocturne. Je doute que l'ennemi nous déborde avec sa puissance de feu.

Ce déploiement de force m'aurait presque rendu nerveux.

— J'avoue que c'est impressionnant. Surtout qu'on n'est même pas certains que Perrine se trouve là-bas.

— Raison de plus pour ne pas arriver les mains vides s'il se terre dans cette maison, a remarqué Rothkopf.

— Perrine voulait la guerre, a conclu Émilie. L'heure de vérité a sonné.

53

Profitant de la nuit, nous avons mis au point le plan d'action final.

Les unités SWAT de Los Angeles, armées jusqu'aux dents, ont reçu pour mission de lancer l'assaut frontalement avec l'Unité de libération d'otages du Bureau. De leur côté, les membres du groupe d'intervention dont je faisais partie avaient reçu l'ordre de rester à couvert tout en surveillant l'arrière de la propriété, au cas où Perrine aurait eu l'idée de s'éclipser discrètement.

Peu après 23 heures, nous avons pénétré dans le Crystal Cove State Park, à peu de distance du lotissement. Il nous restait à parcourir plus d'un kilomètre sur une allée cavalière bordée de chênes et de saules, équipés de lunettes de vision nocturne. En dépit de la fraîcheur nocturne, chargé et armé comme je l'étais, j'étais trempé de sueur en moins de deux minutes. De son côté, Parker paraissait fraîche comme une rose.

Les eaux du Pacifique scintillaient au loin, de l'autre côté des arbres. Le métier de flic est parfois imprévisible.

Nous avancions dans un silence radio absolu. Il n'aurait pas été inutile d'imposer le silence tout court. Devant nous, Bassman se plaignait bruyamment de cette mission de merde, du scandale que le LAPD ne se trouve pas en première ligne alors que les victimes de Perrine étaient des flics de Los Angeles.

Nous nous sommes regardés en secouant la tête, Émilie et moi. J'ai croisé pas mal de têtes de con dans ma carrière, mais celui-là tenait le pompon.

Il nous a fallu près de vingt minutes pour prendre position à l'extrémité de l'allée cavalière, au pied d'un petit monticule couvert de végétation situé derrière la propriété de location. Nous nous sommes déployés deux par deux tous les six ou sept mètres. Si Perrine tentait de s'enfuir de ce côté-là, il ne pouvait pas nous échapper. J'aurais donné n'importe quoi pour qu'il choisisse de passer par là.

Ma montre affichait 23 h 45. L'équipe de choc devait intervenir à 0 h 20 pile. Il était exactement 0 h 15 quand tout a commencé à merder. Je me suis retourné en voyant Bassman, posté sur notre droite, grimper sur la butte de terre en compagnie de son coéquipier.

Je me suis précipité à sa poursuite.

— Bassman ! Qu'est-ce que vous fichez ?

— Je cherche une meilleure position, a-t-il murmuré en retour.

— Ce n'est pas ce qui était prévu. Vous allez vous faire canarder.

— Vous vous prenez pour ma mère, ou quoi ?

Il m'a fait signe de repartir tout en poursuivant son ascension. Une minute plus tard, il disparaissait de l'autre côté du monticule avec son collègue.

Au même moment, j'ai vu l'énorme silhouette d'un hélicoptère Black Hawk MH-60 émerger de la nuit. Il est passé juste au-dessus de nos têtes dans un vrombissement digne d'un robot de cuisine. Je savais que les soldats participant à l'opération devaient investir les lieux par voie aérienne, simultanément avec l'action des SWAT, mais je n'aurais jamais cru qu'ils puissent agir aussi discrètement !

Moins d'une minute plus tard nous parvenaient plusieurs coups sourds. Les SWAT venaient de forcer la grille en fer forgé de l'entrée. Le rugissement de leurs camionnettes a pris le relais. Un tonnerre de cris et d'ordres a grésillé dans mon oreillette tandis que retentissaient de nouvelles explosions.

Les premiers coups de feu ont éclaté juste après. Le crépitement caractéristique des armes automatiques s'est élevé de tous côtés, déchirant le silence. Des éclairs ont traversé la nuit alors que ma radio se faisait l'écho de hurlements confus.

La bataille était à son comble quand une voix que j'aurais reconnue entre toutes s'est élevée au milieu de la cacophonie ambiante.

— Je suis coincé! a hurlé Bassman. Près du local technique de la piscine! À l'aide! Flic en détresse!

Je me suis tourné vers Parker d'un air dégoûté.

— Il ne manquait plus que ça!

Et je suis parti à l'ascension de la butte de terre.

J'ai coulé un regard sur le versant opposé sans voir Bassman. En revanche, un Latino trapu en caleçon blanc, la poitrine couverte d'un tatouage tribal, me regardait droit dans les yeux, un fusil à pompe à la main.

Avant que j'aie pu me baisser, attraper la poignée du fusil que je portais dans le dos ou réciter l'acte de contrition, une demi-douzaine de types des SWAT ont contourné la maison en ouvrant le feu. Les portes en verre du local technique ont volé en éclats et le Latino a été littéralement cisaillé en deux par les rafales des MP5.

Pétrifié, j'ai vu les SWAT pénétrer à l'intérieur de la villa par l'arrière.

Sans leur intervention, je serais mort. Il s'en était fallu d'une seconde.

Je tremblais de tous mes membres.

Je n'avais participé à aucune guerre jusque-là, et ce n'était que mon baptême du feu.

54

J'avais repris mon sang-froid quand Parker m'a rejoint. Nous avons contourné la piscine et le cadavre du Latino, puis nous sommes entrés à notre tour dans la villa.

Les cris des assaillants résonnaient dans tous les coins.

— Écartez-vous! Écartez-vous! À plat ventre! Pas un geste!

Une femme pleurait quelque part.

Parker m'a tapé dans le dos en passant devant une salle de bains.

— Putain, Mike! Là! C'est lui!

— Qui? Perrine? Où ça?

En me retournant, j'ai vu non pas Perrine, mais Scanlon. Je l'ai reconnu à la photo de son passeport. Plus ou moins. Il gisait sur le dos au fond de la baignoire, entortillé dans le rideau de douche déchiré. Les mains menottées dans le dos, il avait la gorge tranchée jusqu'à la colonne vertébrale.

Nous avons fouillé la maison pendant vingt bonnes minutes avant qu'un type des SWAT découvre la porte secrète dans la cave à vin. Elle s'ouvrait sur un escalier en colimaçon, façon château avec murs de pierre et torchères, descendant jusqu'à une porte gothique digne d'oubliettes médiévales.

— C'est quoi ce truc? s'est exclamée Émilie en voyant l'un des membres de l'Unité de libération d'otages pousser le battant.

— Ils n'en parlaient pas sur realtor.com.

La porte s'ouvrait sur une vaste pièce octogonale aux murs écarlates bordés de bancs. Un immense lit trônait sur une estrade au centre de la chambre. Toutes sortes d'accessoires très intéressants étaient accrochés aux murs tendus de soie moirée rouge sang : des fouets, des menottes, des cagoules en cuir et d'autres objets pour le moins parlants, sans nul doute expédiés dans des emballages anonymes lorsqu'on les commandait sur Internet. La pièce était également équipée d'une chaîne hi-fi sophistiquée et d'une caméra fixée au plafond.

J'ai laissé échapper un ricanement.

— Je commence à comprendre pourquoi le précédent propriétaire a divorcé.

L'un des commandos a poussé une porte à l'opposé. Celle-ci donnait sur un long corridor qui se terminait en cul-de-sac par un mur de brique sur lequel était boulonnée une petite échelle permettant d'accéder à une trappe. Ouverte.

J'ai passé la tête par le trou et découvert le petit chemin, à moins de dix mètres de l'endroit où nous avions attendu le début de l'assaut. J'ai secoué la tête avant de me frapper la cuisse du poing.

Si nous n'avions pas bougé, nous aurions entendu Perrine s'échapper dans notre dos. Il devait déjà se trouver loin.

— Il est dans les bois derrière la maison ! a crié l'un des commandos dans sa radio. Vite ! L'hélico ! Fouillez le parc au sud et à l'est de la maison avec les projecteurs et, putain de bordel, amenez la brigade canine !

Le temps de regagner le lupanar souterrain, Bassman était là, qui examinait l'un des gadgets accrochés au mur. J'ai fusillé du regard cet abruti, je ne crois pas avoir été aussi furibard de ma vie.

Il a fini par s'apercevoir de ma présence. Encore un qui n'avait pas volé son titre d'inspecteur.

— Pas la peine de me regarder comme ça, Bennett, a-t-il déclaré en bombant le torse plus encore qu'à son habitude. Si t'as des états d'âme, c'est le moment.

À défaut de lui dire ma façon de penser avec des mots, je me suis avancé et je lui ai collé mon poing en pleine figure.

Sa tête a volé en arrière, puis il s'est rué sur moi en hurlant et m'a donné un coup d'épaule en pleine poitrine. Le souffle coupé, j'ai été projeté en arrière. Je l'ai empêché de me jeter à terre en enroulant une jambe autour de sa cheville, histoire de le déstabiliser. Il s'est écroulé sur le dos au pied du lit, je lui ai sauté dessus, et j'ai eu le temps de le frapper au visage à trois reprises avant que deux gars des SWAT nous séparent.

— T'es complètement cinglé? a crié Bassman en épongeant du pouce sa lèvre tuméfiée.

J'étais au bord de l'hystérie.

— On aurait pu le coincer! Il était là! On le tenait! Mais il a fallu que tu partes à l'assaut de la butte et que tu foutes tout en l'air comme un minable que tu es!

— Va te faire foutre, Bennett! Je t'emmerde!

— Pour une fois, tu as raison, Bassman. Pour m'emmerder, tu m'emmerdes! Et royalement, même!

LIVRE 3

COMPLICATIONS DOMESTIQUES

55

Ce matin-là, Mary Catherine autorisa Trent à verser la pâte à crêpe dans la poêle pendant qu'elle se rendait à la cave chercher un second tablier. Elle fouillait l'un des cartons stockés là lorsque son attention fut attirée par un bruit de pas discret au-dessus de sa tête. Quelqu'un descendait prudemment l'escalier des chambres situées à l'étage.

— Salut, Chrissy, fit la voix de Trent.

Ça y est, ça commence, pensa Mary Catherine en écartant un carton de décorations de Noël afin d'accéder à celui qu'elle cherchait. Trent était à l'âge où sa préoccupation première, et même sa seule et unique préoccupation, consistait à énerver les filles. Chrissy, en sa qualité de benjamine du clan, était sa cible de prédilection.

— Bonjour, petite sœur, poursuivit Trent d'une voix enjôleuse. Ravi de te voir. Bien dormi?

— Qu'est-ce que tu fais? s'inquiéta Chrissy sur un ton dubitatif. Je croyais que t'avais pas le droit de t'approcher de la cuisinière. Où est Mary Catherine?

— Va savoir, mentit le garçonnet. Je fais une expérience. Tu vois comment la pâte coule sur la spatule en bois en éclaboussant la poêle? C'est exactement comme quand quelqu'un se prend une balle et que le sang gicle partout. Imagine qu'on vient de me tirer dessus, d'ac? Je saigne à mort et y a du sang plein la poêle. C'est horrible, non?

Mary secoua la tête, un sourire aux lèvres. Ah, les garçons, pensa-t-elle. Où allaient-ils chercher tout ça?

— Arrête, Trent, s'exclama Chrissy. Tu racontes n'importe quoi. Le sang, ça ressemble pas du tout à ça.

— Si! répliqua Trent, plein d'assurance. Le sang, ça gicle partout. Surtout quand la balle traverse une artère. Je l'ai vu à la télé.

Mary se promit de modifier le code parental de la télévision à la première occasion.

— Et puis tu sais quoi? poursuivit Trent. Je suis prêt à parier qu'à l'heure où je te parle, papa examine des giclures de sang sur un mur à côté d'un cadavre. C'est son boulot, non, puisqu'il est flic? Chaque fois qu'on trouve un mort criblé de balles ou avec un poignard dans la nuque, on appelle papa. La chance! Tu trouves pas ça trop cool?

Mary Catherine fit la grimace, sûre que Chrissy allait fondre en larmes. Sa surprise n'en fut que plus grande.

— Tu veux que je te dise? réagit la petite fille d'une voix calme. C'est pas cool du tout, c'est même dégoûtant. Comme toi.

Bravo! sourit intérieurement Mary Catherine. Chrissy apprenait à se défendre. C'était l'un des principaux avantages d'appartenir à une fratrie aussi fournie, chacun y jouait des coudes. Bien vu, ma fille! L'attaque est encore la défense la plus efficace.

— Mary Catherine! hurla Trent en haut de l'escalier de la cave. Chrissy a dit que j'étais stupide!

— Stupide? répondit Mary Catherine en regagnant la cuisine. Si ma mémoire ne me fait pas défaut, jeune homme, ta sœur t'a traité de dégoûtant, précisa-t-elle avec un clin d'œil à l'intention de Chrissy.

56

La sonnerie de la machine à café se déclencha alors que la moitié du clan Bennett, les yeux bouffis de sommeil, mangeait des crêpes. Mary Catherine tira du placard une tasse en porcelaine qu'elle remplit avant d'y ajouter du lait et de rejoindre la galerie.

La jeune femme aimait particulièrement ce moment de répit, juste avant le lever du soleil. Le grincement de la porte moustiquaire, l'air froid venant des montagnes, le contact des planches de bois usées sous ses pieds nus.

Le marshal de service, Leo Piccini, se leva précipitamment de la chaise de camping qu'il occupait et reposa sur la rambarde l'exemplaire de *Là-bas au nord*, le roman de James Dickey qu'il était en train de lire.

Quand ses collègues utilisaient leurs smartphones pour se distraire pendant leurs heures de surveillance, Leo se munissait systématiquement d'un livre. Mary s'était longtemps demandé comment il réussissait à lire dans le noir, jusqu'au jour où elle l'avait surpris avec ses lunettes de vision nocturne.

Après le départ de Mike, les services fédéraux avaient renforcé les mesures de sécurité. En plus de surveiller la maisonnée vingt-quatre heures sur vingt-quatre, ils avaient installé la veille des détecteurs de mouvement dernier cri tout autour de la propriété, ainsi que des caméras de surveillance de nuit. C'est tout juste si Mary ne s'attendait pas à les voir débarquer avec des mines antipersonnel.

Elle regarda machinalement le fusil automatique M4 posé aux pieds du marshal dans son étui ouvert, protégé par un linge. Un tel degré de protection n'était pas pour la rassurer. Mike l'avait appelée la veille afin de lui annoncer l'imminence du raid. La présence de Perrine aux États-Unis étant confirmée, la jeune femme devait bien accepter la situation.

— Oh, ce n'était pas la peine, la remercia Leo en prenant la tasse de café que lui tendait Mary.

Mais si, mais si, se dit-elle dans son for intérieur.

En plus d'être bien élevé et intelligent, Leo mesurait un mètre quatre-vingt-cinq et était mignon. Les quelques conversations qu'ils avaient eues lui avaient permis d'apprendre qu'il était originaire de Baltimore et qu'ils avaient approximativement le même âge. Elle n'avait pu s'empêcher de remarquer qu'il ne portait pas d'alliance.

Et pourquoi ne l'aurait-elle pas remarqué, après tout? Depuis que Mike avait mis en stand-by leur relation chaotique, elle se sentait bien seule dans la campagne californienne avec les enfants. Elle avait bien le droit d'apporter un café à M. Fort-Gentil si elle en avait envie, non? Et même plusieurs fois par jour.

Les deux jeunes gens s'observaient.

— Alors, quoi de neuf? Tout est calme au pays du western? demanda Mary Catherine.

— Rien à signaler, répondit Leo dont le sourire faisait ressortir deux fossettes. À 3 heures du matin, l'une des caméras m'a montré deux chouettes en train de se battre. Je suis surpris qu'elles ne vous aient pas réveillée. Elles poussaient des cris quasiment humains.

— Deux mâles en train de se battre pour les beaux yeux d'une dame chouette, sans doute, réagit Mary en secouant la tête. C'est bien un truc de garçons. Les chouettes ne sont peut-être pas aussi sages qu'on le prétend.

— Je ne suis pas certain, répondit Leo d'un air songeur après avoir avalé une gorgée de café.

Il sourit de plus belle, le regard pétillant.

— Il arrive que la dame pour laquelle ils se battent en vaille la peine, ajouta-t-il.

Mary sentit le sang lui monter au cou en constatant que le jeune marshal l'observait de ses yeux brun clair. Il détourna brusquement le regard et souffla sur son café en s'intéressant aux silhouettes accidentées des montagnes dans le lointain.

— Si vous le dites, bredouilla Mary Catherine en se retournant vers la porte afin de dissimuler son trouble. Bon courage.

57

En dépit des leçons qui attendaient normalement les enfants, Mary Catherine prit la décision de bouleverser le programme habituel en entendant qu'une journée chaude s'annonçait. En tant que directrice de l'école Bennett en exil dans le Grand Ouest, elle accorda la journée à tout son petit monde.

Le petit-déjeuner terminé, elle laissa les plus grands à la charge de Seamus et installa les plus petits dans le break avec un pique-nique, direction la ferme de Cody. Des cris d'enthousiasme montèrent en chœur lorsqu'elle s'arrêta devant les écuries.

Alors que les enfants trouvaient généralement le moyen de se plaindre, tous adoraient monter les trois chevaux de Cody : Spike, Marlowe et Double Down. Leur passion de l'équitation n'égalait peut-être pas tout à fait celle de Mary Catherine, mais il s'en fallait de peu.

Cody, qui sortait de l'écurie en compagnie de Double Down tout harnaché, afficha un air étonné sur son visage ridé.

— Mais… c'est quoi, ça ? s'exclama-t-il, feignant la stupéfaction. Qu'est-ce que c'est que tous ces enfants ? Je vous croyais plongés dans vos devoirs ! Laissez-moi deviner : vous en avez ras le bol, c'est ça ? Vous avez décidé que l'herbe était plus verte ailleurs ?

Les enfants regardèrent le vieil homme avec de grands yeux, éblouis par le cheval noir. Ils mouraient d'envie de demander la permission de le monter, évidemment, mais Mary Catherine leur avait interdit de harceler leur hôte à tout bout de champ. Ils avaient le droit d'accepter s'il le leur proposait, mais pas question de se montrer mal élevés en posant directement la question. Chrissy et Shawna regardaient Double Down avec des yeux écarquillés de convoitise, à la limite de l'apoplexie.

— Vous avez perdu votre langue, ou quoi? réagit Cody en les dévisageant. Avant de repartir, pourriez-vous me rendre un petit service? Mes chevaux auraient bien besoin qu'on les monte, mais je ne trouve aucun cow-boy ou Indien pour partir en balade. Je m'en veux de vous poser la question à brûle-pourpoint, mais vous croyez que vous pourriez les emmener se promener?

— Je ne sais pas, monsieur Cody, répondit Mary Catherine en voyant les enfants trépigner d'impatience. Les petits adorent les chevaux, mais ils ont des devoirs. On ferait sans doute mieux de rentrer à la maison et de s'en débarrasser tout de suite.

— Noooon! hurlèrent les gamins qui ne tenaient plus en place.

— À cheval. Besoin de monter à cheval, balbutia Trent, le clown de service, en feignant de défaillir.

— C'est bon, c'est bon, accepta Mary Catherine. Tous en rang, les enfants. Les petits devant. Qu'est-ce que j'ai dit, Ricky? Les plus petits, pas les plus effrontés. C'est bien!

La jeune femme se retourna en entendant une voiture s'avancer dans la cour de la ferme. Elle reconnut Leo, au volant de sa Crown Vic de service. Quoi encore? pensa-t-elle en se précipitant.

— Que se passe-t-il, Leo? Un problème? s'enquit-elle en se penchant à travers la vitre ouverte, côté passager.

— Pas du tout. Tout va bien, Mary. Désolé, je ne voulais pas vous inquiéter. Je souhaitais simplement m'assurer que tout allait bien de votre côté avant de repartir.

Mary battit des paupières.

— Repartir? Vous vous en allez? Vous ne faites plus partie des équipes de surveillance?

— Mais si, la rassura Leo, un large sourire aux lèvres. J'ai terminé mon service, c'est tout.

— Je suis bête, s'excusa Mary en ramenant une boucle blonde derrière son oreille. Vous n'auriez pas dû vous donner cette peine.

— Pas de souci, ça me faisait plaisir, répondit Leo d'une voix douce en regardant la jeune femme droit dans les yeux. À propos, Juliana et Jane me disaient que vous n'aviez pas mangé de pizza depuis un mois, je me demandais si ça vous ferait plaisir que je passe en prendre à l'heure du déjeuner.

— Ce serait gentil, Leo. Super gentil. Les enfants seront ravis.

Et pas uniquement les enfants, poursuivit intérieurement Mary Catherine.

— Alors à tout à l'heure, Mary.

— À tout à l'heure, murmura-t-elle en regardant s'éloigner la voiture du jeune marshal.

58

Au bout de deux jours passés à décortiquer le fiasco de Newport Beach, nous n'avions toujours aucune information relative à Manuel Perrine à nous mettre sous la dent. Pas l'ombre d'une piste, même après avoir repris le chemin de Brentwood et passé au peigne fin la maison et les fadettes de Scanlon, le contrebandier égorgé.

Maigre consolation, nous avions découvert à l'étage, dans l'une des salles de bains, une empreinte de main correspondant à celle dont nous disposions dans le dossier de Perrine. Cet indice nous apportait la preuve que ce dernier avait séjourné chez Scanlon, et qu'il se trouvait certainement encore sur le territoire des États-Unis.

Il se murmurait au sein du FBI, comme au LAPD, que Perrine avait été alerté par un flic ripou, mais je n'y croyais pas. Non pas que l'existence d'une telle taupe soit inimaginable, mais je connaissais suffisamment Perrine pour savoir à quel point il se montrait prudent. Il avait pu être mis au courant du siège de mille façons différentes, lui laissant toute latitude de s'éclipser en passant par ce que ma collègue Parker avait baptisé «la cave de malade». Personnellement, je penchais plus volontiers pour l'appellation de «bordel pour milliardaire californien».

En dépit de mes démêlés avec les hommes du LAPD, l'ensemble des équipes impliquées avaient choisi de se serrer les coudes et de mettre les bouchées doubles à la suite de notre échec. J'ajoute que le groupe d'intervention était composé de flics consciencieux et professionnels, y compris Bassman. Ce n'était pas leur faute si Perrine était aussi insaisissable qu'une anguille.

Le troisième jour suivant notre raid désastreux, Parker a été convoquée par sa hiérarchie afin de participer à une évaluation obligatoire de tir. L'absence temporaire de ma coéquipière m'a incité à m'accorder un break dont j'avais grand besoin. Le temps de prendre une douche et de m'habiller après m'être levé à 7 heures, je me suis lancé dans une petite visite guidée personnelle de Los Angeles.

Notre hôtel de Santa Monica se trouvait sur Ocean Boulevard, juste en face d'un parc d'énormes palmiers. J'observais les eaux du Pacifique entre deux de ces monstres quand un chopper Harley s'est arrêté à un feu voisin, piloté par un type à barbe blanche vêtu d'un smoking, un petit chien de type Benji sur les genoux. Quelques instants plus tard, une voiture surbaissée vert pétard a rejoint la moto, une peinture très sophistiquée de la Vierge Marie sur le capot.

Quel pays! ai-je pensé en voyant les deux véhicules redémarrer. À peine avais-je mis le nez dehors que je me plongeais dans l'atmosphère si décalée du Sud californien.

Suivant les recommandations du réceptionniste de l'hôtel, j'ai rejoint la Third Street Promenade, à quelques pâtés de maisons de là. Il s'agissait essentiellement d'un élégant centre commercial en plein air, aux rues parcourues de boutiques et de restaurants. Après un peu de lèche-vitrine, je me suis arrêté dans un Barney's Beanery.

J'ai tout d'abord cru qu'il s'agissait d'un café ordinaire avant de remarquer les écrans géants diffusant un match de foot, les plaques d'immatriculation fixées aux murs, ainsi que les sièges de voiture alignés devant le bar en guise de tabourets. Ce bar pour sportifs branché n'en proposait pas moins des petits-déjeuners et j'ai commandé un gigantesque petit-déj' mexicain avec de la viande hachée, des œufs et du chili servi sur des tortillas.

Ma collation avalée, je me suis rendu dans une concession Hertz proche de l'hôtel où j'ai loué une voiture. Veillant soigneusement à éviter les autoroutes, j'ai commencé par rouler au hasard avant de remonter Santa Monica Boulevard vers l'est. Une fois à Beverly Hills, j'ai bifurqué à gauche et je me suis retrouvé sur une route baptisée Coldwater Canyon Drive qui serpentait au milieu des villas en verre ultramodernes perchées sur les collines de Hollywood.

Au bout d'un moment, j'ai tourné à droite sur la célèbre Mulholland Drive avant de rejoindre La Brea. Parvenu au carrefour avec Hollywood Boulevard, j'ai laissé la voiture dans un garage afin de jouer les touristes.

J'ai commencé par faire une halte au cinéma Grauman avant de me balader dans le coin en contemplant les empreintes de pieds et de mains laissées dans le ciment du trottoir par les vieilles stars de Hollywood. J'ai ensuite remonté le Walk of Fame où je suis tombé sur l'étoile dédiée à Elvis. Je me suis empressé d'en prendre une photo à l'intention de Mary Catherine qui est une inconditionnelle du King. J'ai acheté des cartes postales pour les enfants, puis je me suis fait prendre en photo avec un sosie de Jack Sparrow, le capitaine des *Pirates des Caraïbes*, pour la somme royale de dix dollars.

J'ai envoyé mes clichés à Mary Catherine, accompagnés d'un texto : «Me voici avec Johnny Depp. On déjeune tout à l'heure chez Tom Cruise, on se fera quelques paniers. Comment se passe votre journée?»

Sa réponse n'a pas tardé : «Pas aussi excitante que la vôtre, apparemment, monsieur la vedette de cinéma. En espérant que le succès ne vous monte pas à la tête. ☺»

Ne me demandez pas pourquoi, mais j'ai aussitôt répondu : «Je peux compter sur vous pour rester ma fan numéro un, non?» En fait, je sais pourquoi. Les enfants me manquaient, de même que la relation que nous avions avec Mary Catherine jusqu'à récemment. J'ai compris que j'étais allé trop loin en constatant qu'elle ne réagissait pas à mon texto. Et puis mon portable a vibré au moment où je reprenais le volant.

«?»

La réponse de Mary Catherine.

59

J'ai repris le chemin de Santa Monica avec l'intention de déjeuner chez Barney's Beanery. J'avalais une part de pizza arrosée d'une pinte de Guinness quand m'est arrivé un e-mail d'Émilie. Pour une fois, c'était une bonne nouvelle. Si je puis dire.

Les équipes scientifiques du FBI avaient enfin réussi à identifier la substance blanche mortelle retrouvée sur les deux scènes de crime de Los Angeles. Il s'agissait d'une version modifiée de fentanyl, un analgésique cent fois plus puissant que la morphine. Les forces spéciales russes en avaient utilisé une variante pour gazer les terroristes tchétchènes qui avaient pris d'assaut un théâtre de Moscou en 2002, avec cent dix-sept victimes à la clé.

Savoir que Perrine disposait d'une arme aussi effroyable faisait froid dans le dos. Du moins était-ce une piste.

Sur cette nouvelle douce-amère, je me suis réfugié dans un box à l'écart avec une autre Guinness et j'ai appelé les miens afin de prendre de leurs nouvelles.

— *Hola*, m'a répondu la voix de Seamus avec un mauvais accent espagnol, dès la deuxième sonnerie.

— *Hola*? Je t'ai bien entendu dire *hola*?

— Ah, c'est toi! Bien sûr que j'ai dit *hola*, Michael. Une ruse de guerre destinée à égarer l'ennemi. Même un vieillard infirme comme ton grand-père a besoin de ressources quand il s'agit de sauver sa peau. Alors j'en suis réduit à dire *hola*, à cause de toi. Je t'en prie, Michael. Dis-moi que tu as enfin réussi à coffrer le diable incarné.

— Pas encore. Comment te débrouilles-tu? Comment vont les enfants?

— Ils ne me laissent pas une minute de répit, comme d'habitude. Ils sont en train de jouer à la balle avec le petit nouveau. Comment s'appelle-t-il, déjà? Leo.

J'en suis resté comme deux ronds de flan.

— Leo?

— Tu sais, le grand beau gosse. Le marshal qui fait les nuits. Il est arrivé il y a une heure avec une balle, une batte et des pizzas. Il prétend avoir joué en ligue mineure avec les Astros, avant de s'abîmer l'épaule. Il enseigne aux enfants l'art du lancer. Un vrai champion. Je les vois par la fenêtre, Mary Catherine s'amuse comme une folle. Plus encore que les enfants.

Ah! Voilà qui expliquait tout.

— C'est super.

— Absolument, a renchéri Seamus.

— Arrête, digne vieillard. Je sais très bien à quoi tu joues. Tu veux me rendre jaloux pour que je me dépêche de coincer Perrine et qu'on puisse tous regagner nos pénates.

— C'est qu'il y en a, là-dedans, mon jeune Michael, a rétorqué Seamus. Je te laisse, ils m'appellent. C'est mon tour de réceptionner.

60

Dodger Stadium, Los Angeles.

Raymond Bowie, les bras chargés de bières, se vit contraint d'ouvrir la porte de la loge privée avec ses fesses.

— C'est bon, les gars. Ne m'aidez pas, surtout, plaisanta-t-il en direction de ses trois compagnons, trop occupés à suivre le match pour se préoccuper de lui.

— Attends, vieux. Je te donne un coup de main, proposa Kenny Cargill avec un clin d'œil en le soulageant de deux bières pour lui-même et son épouse, Annie.

— Merci, salopard, répliqua Ray avec un éclat de rire.

Cette loge privée du Dodger Stadium lui avait coûté la coquette somme de douze mille dollars, mais il entendait profiter de Kenny avant qu'il s'envole à la fin du mois pour la côte Est où l'attendait un boulot dans la finance. Kenny avait bouleversé à jamais l'existence de Ray le jour où il lui avait présenté Denise. Il devait bien ça à son meilleur ami.

Denise, la femme de Ray, sirotait un Coca lorsqu'un claquement sec se fit entendre. Sur la pelouse, le joueur de deuxième base des Dodgers, Mark Ellis, partit telle une flèche alors que la balle qu'il venait de frapper s'envolait vers un coin du terrain. Ellis dépassa la première base à toute vitesse et accéléra encore en voyant Schierholtz, des Giants, récupérer la balle.

Non! grimaça Ray intérieurement. Schierholtz était un lanceur de merde, mais il avait une puissance de feu ahurissante. Le stade tout entier retint son souffle en voyant la balle filer en direction de la deuxième base.

Ellis et la balle atteignirent la base simultanément. Ray laissa échapper un gémissement en voyant l'un des joueurs adverses essayer d'empêcher Ellis de voler le but. Non! À la dernière seconde, Ellis parvint à planter ses crampons dans le coussin du but. L'arbitre écarta les bras! Ellis était sauf! Égalité, trois à trois dans la septième manche, ils disposaient à présent d'un coureur en position de marquer!

Le hurlement de la foule traversa le stade à plusieurs reprises alors que l'entraîneur des Giants s'approchait du marbre et sortait Lincecum, le lanceur vedette de l'équipe.

Ray retint son souffle en entendant un cri monter des cinquante mille poitrines. Annie retira le bandana bleu des Dodgers qu'elle avait autour de la tête et l'agita furieusement tandis que l'animateur du stade entonnait le « On est prêts » traditionnel.

— Ouais! Youhaaaa! hurla Kenny en tambourinant sur le dos de Ray.

Ce dernier, copieusement arrosé de bière, afficha un sourire béat. La mer de fans des Dodgers en bleu et blanc face à la pelouse, son meilleur ami d'un côté, sa femme de l'autre, il n'aurait pu être plus heureux.

Alors que la foule en délire ne semblait pas vouloir se calmer, Ray s'essuya la main sur son short et la glissa sous le maillot Piazza de Denise dont le ventre légèrement arrondi signalait la présence de leur futur bébé.

À huit semaines, leur fils ou leur fille avait déjà des doigts. Des poignets, des chevilles, des traits, de minuscules paupières toutes serrées. Le cerveau, les poumons, le foie commençaient à se former. Ray connaissait tous ces détails pour les avoir lus dans la pile de bouquins achetés le lendemain du jour où Denise lui avait annoncé qu'elle était enceinte.

Les Dodgers face aux Giants. L'affiche idéale, pensa Ray en tâtant le ventre tiède de sa femme. La vie idéale, même. Surtout au regard de celle qu'il aurait pu avoir.

Jusqu'à l'année précédente, Ray était l'un des principaux fournisseurs de drogue sur le circuit des clubs de Los Angeles. Il avait entamé sa carrière comme videur avant de se mettre à dealer. Il avait acheté un club avec ses premiers bénéfices, puis deux autres.

À force de se bourrer de coke et d'ecstasy, complètement parano et déboussolé, il avait voulu se faire sauter la cervelle après avoir brûlé l'existence par tous les bouts pendant cinq ans. Le doigt posé sur la détente, il cherchait désespérément une raison de ne pas en finir lorsqu'il avait brusquement remarqué, sur l'écran de son portable, la présence d'un texto expédié la veille par son vieux pote Kenny.

Longtemps très proches, les deux hommes s'étaient perdus de vue depuis qu'ils avaient quitté le lycée, dix ans auparavant. Dans son texto, Kenny lui expliquait avoir perdu son père et demandait à Ray de le rejoindre à Carmel, leur ville natale, pour la veillée funèbre.

Accepter cette invitation avait été la décision la plus sage de la vie de Ray. Kenny était un type ordinaire, avec un boulot régulier dans une banque, une femme, un gamin, une maison dotée d'un jardin et d'un barbecue. Ray s'était aperçu que son ami d'enfance était parfaitement heureux sans les stripteaseuses, les putes, les voyous, la coke et les sacs remplis d'argent sale qui meublaient son propre quotidien.

Le temps d'un week-end, Ray avait renoué avec le souvenir de l'époque où lui aussi était un être humain digne de ce nom, et non une saloperie de dealer égocentrique, vide et cruel. Et puis Kenny lui avait présenté Denise, une caissière dans la même banque que lui. La fille la plus belle, innocente et délicate qu'il ait jamais rencontrée. Ce jour-là, il avait vendu ses clubs et mis un terme à ses activités de trafiquant. Il s'était tiré de cet enfer sans une égratignure.

Ray ne s'était jamais adressé à Dieu de toute son existence, bien au contraire. Mais à cet instant précis, alors que le nouveau lanceur des Giants prenait le relais, Ray Bowie embrassa du regard les milliers de visages heureux qui s'affichaient dans les tribunes et leva les yeux en direction du ciel de nuit que trouaient les projecteurs.

— Merci, articula-t-il silencieusement.

Il priait le ciel lorsqu'on toqua à la porte en verre de sa loge.

61

Ray se retourna. Un gros Latino, affublé d'un ruban à l'extrémité duquel pendaient plusieurs passes sur un polo officiel aux couleurs des Dodgers, se tenait de l'autre côté de la porte transparente.

— Que veut-il? s'étonna Denise.

— Je ne sais pas, répondit Ray. Ne bouge pas, je vais voir.

Ray sortit de la loge et découvrit trois autres Latinos, tous membres du personnel du stade. Les intrus l'observaient d'un air étrange, visiblement tendus. Des types baraqués, comme lui, qui le dévisageaient comme le font les videurs lorsqu'ils s'attendent à une mauvaise surprise de la part d'un client. Une alarme résonna dans la tête de Ray.

— De quoi s'agit-il? s'inquiéta-t-il en plissant les paupières.

— Désolé de vous déranger, monsieur, mais on se demandait si on pouvait commencer à débarrasser le buffet, répondit le gros type qui avait frappé.

Ray posa sur lui un regard aussi surpris que furieux. Il avait sorti douze mille dollars pour avoir la paix avec ses amis, par pour que des sous-fifres lui cassent les bonbons à l'heure où les Dodgers écrivaient une page glorieuse de leur histoire.

— Et puis quoi, encore? s'exclama-t-il sur un ton agacé. Vous n'aurez qu'à revenir quand le match sera terminé. En attendant, fichez-moi la paix.

Au même moment, une silhouette s'encadra sur le seuil des toilettes attenantes à la loge.

— Désolé, Ray, fit l'inconnu. On n'a plus vraiment l'intention de te ficher la paix.

Ray sentit son univers vaciller en reconnaissant le nouveau venu.

Perrine! Sainte Mère de Dieu, pensa Ray. Manuel Perrine.

Il recula machinalement d'un pas, les poings serrés, prêt à en découdre, mais l'un des voyous sortit un objet métallique noir soigneusement huilé de son sac aux armes des Dodgers. Ray identifia un pistolet-mitrailleur Heckler & Koch.

Manuel Perrine s'approcha et prit Ray par l'épaule.

— Désolé de gâcher la fête, mais ça fait un bail, mon bon ami, déclara-t-il en affichant un sourire rêveur.

— C'est quoi, ce bordel? murmura Ray.

— Allez, viens avec nous, répondit Perrine en prélevant une aile de poulet épicé sur le buffet.

Il la renifla et la rejeta dans le plat.

— Il faut qu'on parle d'un tas de trucs, tous les deux. De chaussures, de bateaux, de cachets et de sceaux. De salade de chou et de rois[1]. Sauf si tu préfères qu'on règle ça tranquillement ici, en présence de tes amis.

Ray avala sa salive.

— Non, non, Manuel. Je t'accompagne. Tout ce que tu veux. Laisse-moi juste leur dire au revoir.

— Mais bien sûr, acquiesça Perrine. Ne t'avise pas de déconner, surtout.

Ray regagna la loge. Le panneau lumineux sur lequel s'affichait le score, la foule, sa femme.

— Qu'est-ce que tu as? lui demanda Denise. On dirait que tu as croisé un fantôme.

— Un souci avec ma carte de crédit. Je reviens tout de suite. Je t'aime, tu sais.

Il déposa un baiser brûlant sur les lèvres de sa femme, lui caressa le ventre, et s'éclipsa la mort dans l'âme.

---

1. Allusion au poème de Lewis Carroll «Le Vieux Morse et le menuisier». *(Toutes les notes sont du traducteur.)*

62

Les hommes de Perrine conduisirent Ray dans une autre loge privée dont les stores étaient baissés. À peine y avait-il pénétré que l'un des gangsters le précipitait tête la première contre le mur en béton, lui ouvrant le crâne, avant de le fouiller.

— Rien, décréta le gangster.

— Tu as tort de te balader sans arme, Raymond, jugea Perrine en se laissant tomber sur un fauteuil aux couleurs des Dodgers. Sachant à quel point tu es vulnérable.

Ray le regarda en papillotant des yeux. Il avait croisé la route de Perrine quelques années plus tôt dans l'un de ses clubs. Les deux hommes avaient rapidement travaillé ensemble, jusqu'à devenir copains. Ray avait même eu le privilège d'être invité dans la villa du trafiquant au Mexique. Manuel lui avait appris les ficelles du métier, lui enseignant l'art de distribuer la dope tout en gardant un œil sur les flics.

— J'en suis sorti, Manny, se justifia Ray. Je ne sais pas ce qu'on t'a raconté, mais j'ai tout arrêté. Tout. J'ai passé le relais à Roger.

— C'est bien ce qui me chagrine, rétorqua Perrine. Roger sert d'indic aux Stups. Où avais-je la tête, je dis n'importe quoi. Disons plutôt que Roger servait d'indic aux Stups. Ton petit passage de relais à Roger m'a coûté au bas mot quinze millions, Raymond. Figure-toi que mon beau-frère s'est fait choper lors de la saisie des stocks. Pour ne rien arranger, ce même beau-frère s'est fait tuer en prison, six mois après sa condamnation, par l'un de mes concurrents. Ma sœur me le reproche amèrement aujourd'hui encore.

«Tu comprends mon problème, Raymond? Tu m'as baisé dans les grandes largeurs et le fait est que je dois m'y retrouver. Il n'existe qu'un seul moyen d'y parvenir, comme tu le sais.

— Mais puisque j'ai tout arrêté!

— Regarde la réalité en face, Raymond. Je suis le premier à la regretter, crois-moi. Tu étais pourtant doué. Tu avais le look, l'intelligence, cette faconde qu'on ne trouve qu'à Los Angeles, tu étais taillé pour ce métier. Tu me croiras si tu veux, mais j'avais de grands projets pour toi. Tu as fait un autre choix. Une dernière déclaration, peut-être?

Le visage de Ray se décomposa sous l'effet de l'ahurissement. Perrine n'allait tout de même pas le tuer, sans autre forme de procès?

— Je, euh… Je, euh…, balbutia-t-il.

— Curieuse façon de se justifier. Tu euh quoi, Raymond? Je euh, donc je suis?

Les acolytes de Perrine ricanèrent. L'un des Latinos plia Ray en deux d'un violent coup de poing dans les reins. Ray lâcha un râle et se retrouva aussitôt bâillonné avec une bande de gros scotch qui lui couvrait le visage d'une oreille à l'autre.

Ray fixait désespérément la moquette, ivre de terreur. Il se laissa déshabiller entièrement, de ses chaussures à son caleçon en passant par les chaussettes, la chemise et le short.

Lui-même enfant adoptif, il avait attendu avec impatience la naissance de son bébé. Bien des personnes adoptées acceptent de pardonner à leurs parents biologiques et vont parfois jusqu'à louer leur courage d'avoir trouvé la force d'abandonner la chair de leur chair. Ce n'était pas le cas de Ray. Il aurait aimé montrer que le vrai courage consistait à ne jamais laisser échapper un enfant. Il avait décidé d'être très proche d'un petit qu'il comptait fermement serrer contre lui dès sa naissance.

Il venait de comprendre qu'il n'en aurait jamais l'occasion.

Il se sentit agrippé brutalement par les cheveux. On le força à s'agenouiller en lui tirant la tête en arrière de façon à exposer sa gorge. Ray serra ses paupières humides de larmes, aveuglé par un projecteur.

— Voici le sort qui attend tous ceux qui se mettent en travers de la route de Los Salvajes! hurla Perrine.

L'instant suivant, Ray sentait un objet dur et froid s'enfoncer dans son cou au niveau de l'oreille droite.

63

Nous nous sommes donné rendez-vous pour un dîner tardif, Parker et moi, en apprenant les détails du meurtre commis le jour même au Dodger Stadium.

Il était un peu plus de 1 heure du matin quand nous avons quitté l'hôtel et rejoint en voiture Ammo, un restaurant à l'ambiance tamisée situé sur Highland Avenue, au cœur de Hollywood.

Je n'ai pu m'empêcher de plaisanter sur le nom de l'établissement.

— «Ammo», le diminutif du mot «munition»? C'est de circonstance. Après ce qui s'est passé ce soir pendant le match des Dodgers, on risque d'avoir besoin d'une caisse de chevrotine et de quelques boîtes de balles de gros calibre.

À défaut, nous nous sommes rabattus sur du liquide. Jack Daniel's et ginger ale pour moi, pinot gris pour Émilie. J'avais déjà bu quelques bières à l'hôtel, sans aucun effet. Voir dans les journaux télévisés nationaux les reportages consacrés à la décapitation aurait suffi à dessoûler l'alcoolique le plus endurci.

Émilie m'avait expliqué dans la voiture qu'une équipe du groupe d'intervention avait été dépêchée au stade. Leur rapport ne nous était pas encore parvenu.

— Nous savons pertinemment que c'est Perrine le coupable, s'est énervée Émilie en posant son portable sur un coin de table. Il est en train de marquer son territoire aux États-Unis, et il en profite pour nous mettre le nez où tu sais.

Elle a lâché un grand soupir en regardant à travers la vitre du restaurant. Elle avait le visage pâle et les traits tirés de quelqu'un qui vient de donner son sang. N'importe qui aurait marqué le coup avec la charge de travail qui était la sienne, sans parler de la pression constante de sa hiérarchie. Le pire, c'est que nous étions infoutus de savoir où les cartels voulaient en venir. Je partageais pleinement son sentiment de frustration. Émilie avait raison, on en prenait plein la gueule.

— J'ai récemment vu sur Internet une vidéo ahurissante, a poursuivi Émilie. Une bande de gamins de bonne famille d'apparence tout à fait normale qui se filment en train de harceler de façon abominable la vieille dame de soixante-dix-huit ans qui leur sert d'accompagnatrice dans le car de ramassage scolaire. Ils lui disent qu'elle est grosse et moche, qu'elle ferait mieux de se pendre. On voit la malheureuse éclater en sanglots pendant que les gamins rient aux larmes. Je t'assure, Mike, ils prennent littéralement leur pied en voyant sa détresse. Comme si humilier de la sorte cette malheureuse vieille dame était le truc le plus rigolo de la terre.

— Je sais, je l'ai vue, et j'aurais préféré m'en abstenir. On aurait dit une scène tirée d'*Orange mécanique*, en vrai.

Elle a levé son verre de blanc et l'a longuement contemplé.

— Je me demande parfois si Perrine n'est pas le symptôme d'un mal nettement plus global. Comme si la vie… changeait radicalement. Les gens, leur façon de se comporter, le regard que nous portons collectivement sur l'autre. Regarde cette nouvelle drogue qui transforme les individus en zombies cannibales. Ou encore ces phénomènes de mobilisation éclair qui voient des centaines de gamins piller des magasins à l'appel d'un texto.

«J'ai vraiment l'impression que tout fout le camp, Mike. On pourrait croire que Perrine surfe sur tout ça en s'amusant à accélérer le mouvement. Je ferais peut-être mieux de me replier dans la brousse avec ma fille, comme toi. Tu crois qu'il y a encore de la place pour deux personnes dans le refuge nord-californien du clan Bennett?

Je l'écoutais en dessinant des cercles sur la nappe avec mon verre.

— Non, Émilie. Crois-moi, ce n'est pas la solution. La brousse a ses bons côtés si tu y vas en vacances, mais tu n'as pas envie d'y vivre à l'année. Je sais bien que la situation n'a rien de réjouissant en ville, pourtant notre place est là. Les dernières conneries de Perrine en sont la preuve. Il essaie de nous casser le moral, mais il a les yeux plus gros que le ventre. Des salopards pires que lui s'y sont cassé les dents. Je le lui ai clairement dit à l'époque où il était en prison, il n'a pas bien compris qui nous sommes.

— Comment peux-tu être si sûr de toi?

J'ai fait tinter les glaçons dans mon verre.

— Souviens-toi du 11 Septembre, Émilie. On dit que trois cents Spartiates ont réussi à tenir en échec des milliers d'envahisseurs à la bataille des Thermopyles. Eh bien, le 11 Septembre à Manhattan, ce sont des millions de mètres cubes de béton, de verre et d'acier en feu menaçant de s'écrouler qui attendaient les quatre cent trois pompiers, flics et autres secouristes qui se trouvaient sur place. Des millions de mètres cubes!

«Eh bien, pas un seul n'a sourcillé. Ils sont tous restés à leur poste alors que des débris incandescents et les corps des victimes s'abattaient autour d'eux. Ils n'ont pas bougé d'un pouce et ils ont sauvé des vies inlassablement, retirant l'un après l'autre les malheureux qui étaient restés prisonniers de cet enfer terrestre. Les quatre cent trois individus en question auraient pu s'enfuir, mais ils ont préféré rester pour sauver des vies.

Émilie a conservé le silence un long moment avant de hocher la tête.

— Tu as raison. Ils auraient mérité que le roi Léonidas leur tire son casque à crête en crin de cheval.

— Bien sûr, que j'ai raison. Ça fait partie de notre ADN, Émilie. Si les terroristes s'imaginent avoir remporté une victoire ce jour-là, ils se fourrent le doigt dans l'œil. Ils ont uniquement prouvé que les Américains sont précisément ce qu'ils leur reprochent d'être. Des héros du quotidien, des hommes et des femmes libres prêts à sacrifier leur vie pour sauver leurs semblables le jour où le ciel leur tombe sur la tête. En l'occurrence, les tours jumelles. Qui est encore assez couillu et dingue de nos jours pour couler avec le navire s'il le faut? Nous, Émilie!

J'ai trinqué avec elle.

— Allez, agent Parker. La tête haute! Perrine s'imagine peut-être qu'il est fou, on lui montrera qui est le plus fou des deux avant la fin de cette histoire.

64

La serveuse venait de nous apporter les desserts quand nos portables sont brusquement devenus fous. Mon iPhone, posé à côté d'une part de cheesecake intacte, s'est mis à vibrer moins d'une seconde avant que celui d'Émilie imite son exemple.

J'ai souri.

— Laisse-moi deviner. Tu reçois aussi les tweets de Justin Bieber?

— Tu as vu ça? s'est exclamée Parker en lisant le texto qui s'affichait sur son BlackBerry. Ils nous convoquent à une réunion tout de suite. Il est 2 heures du matin!

J'ai sorti mon portefeuille.

— Pas de répit pour les braves épuisés.

Une bonne moitié des membres du groupe d'intervention se trouvaient déjà réunis quand nous sommes arrivés au commissariat d'Olympic vingt minutes plus tard. Les flics et autres agents fédéraux présents avaient quitté leurs box respectifs pour s'attrouper au centre de la pièce, face à un écran géant.

Un calme inquiétant régnait dans l'immense pièce. Les visages paraissaient blêmes et tirés sous les néons. Nous étions tous épuisés physiquement et moralement. Le meurtre perpétré au stade était un acte de terrorisme avéré, et nous nous raidissions, inquiets de savoir ce que l'avenir nous réservait.

Les lumières se sont éteintes et le symbole de chargement d'une vidéo s'est mis à tourner sur l'écran.

Je me suis approché de Rothkopf.

— De quoi s'agit-il?

L'agent du FBI a secoué la tête d'un air grave.

— La brigade criminelle du LAPD vient de recevoir cette vidéo attachée à un e-mail. On pense qu'elle émane de Perrine.

Le visage de ce dernier nous est apparu. Confortablement installé dans un fauteuil en cuir aux couleurs des Dodgers, il avait revêtu une combinaison blanche en intissé. Celle-ci était couverte de sang, de la poitrine aux genoux.

Il se trouvait dans ce qui ressemblait à une loge privée du stade. On distinguait derrière lui plusieurs consoles de jeux vidéo, des écrans et des tabourets. Des cadres contenant des maillots aux noms de champions des Dodgers étaient accrochés aux murs de la pièce.

La caméra a opéré un zoom arrière et les tribunes bondées sont apparues de l'autre côté des vitres de la loge. Les supporters se sont levés bruyamment par vagues pour faire la ola. Perrine les a imités en se levant à son tour et s'est tourné vers la caméra.

— Un grand salut au LAPD, au FBI, comme à tous mes supporters dans cette belle et grande ville. Comment allez-vous, par cette nuit étoilée? Comme vous pouvez le constater, je m'amuse comme un petit fou dans votre noble cité.

Il affichait un sourire particulièrement satisfait.

Un homme invisible à l'écran lui a tendu un bretzel chaud couvert de moutarde. Il a pris avec délicatesse la serviette en papier enrobant le bretzel avant de croquer dedans.

— Je profite de l'occasion qui m'est donnée pour dire ma façon de penser à ce groupe d'intervention mis sur pied à mon intention, a-t-il déclaré, la bouche pleine. Posez-vous la question en toute honnêteté: pensez-vous vraiment être à la hauteur? Vous avez tous des femmes et des enfants. Comment continuer à vous en occuper si vous rentrez chez vous ce soir en plusieurs morceaux?

Il a mordu à nouveau dans le bretzel avant d'essuyer d'un pouce la tache de moutarde restée collée à la commissure de ses lèvres.

— Je laisse toujours l'occasion à mes adversaires de prendre leurs distances, a-t-il poursuivi en se léchant le pouce. C'est pourquoi je ne saurais trop vous recommander de renoncer avant qu'il soit trop tard. Demandez votre mutation, prenez votre retraite, démissionnez s'il le faut. À votre place, je fuirais la région avec ma famille le plus tôt possible.

Nous nous sommes tous regardés d'un air ébahi. Où voulait-il en venir ?

— Voyez-vous, mesdames et messieurs, vous avez tort de penser qu'il s'agit uniquement de drogue. Pourquoi croyez-vous que mes hommes sont aussi motivés ? Je suis en passe de réaliser ce que les autorités mexicaines n'osent pas accomplir, par lâcheté. Centimètre par centimètre, *gringo* après *gringo*, je suis sur le point de rendre la Californie à son propriétaire légitime : le peuple mexicain.

« J'entends récupérer par la force ce que vous avez pris par la force en 1848. La révolution a commencé. Par la présente, je déclare officiellement la guerre aux États-Unis d'Amérique.

— Salopard, a grondé Rothkopf entre ses dents alors que l'image virait au noir. C'est un putain de salopard aux instincts barbares.

De toutes les bouches est monté simultanément le même son, une sorte de grondement de surprise teinté de rage. Émilie avait raison. Perrine prenait un malin plaisir à nous mettre le nez dedans.

65

Une gerbe de gouttes argentées venait d'exploser dans le soleil du matin lorsque Lillian Mara gara son énorme Ford Expedition noir à quelques centimètres de la clôture. De l'autre côté du grillage, l'eau du bassin olympique bouillonnait furieusement sous les assauts de l'équipe de natation des moins de douze ans de la piscine Van Nuys Sherman Oaks.

Les parents qui observaient les exploits de leur progéniture, installés sur des chaises de camping le long du bassin, adressèrent un regard noir à la conductrice. Celle-ci savait bien ce qu'ils pensaient. «Encore cette pétasse blonde en tailleur avec son 4x4 polluant qui n'a même pas la décence de descendre de voiture pour regarder nager son gamin.»

Ce n'était pas la première fois qu'elle éprouvait l'envie d'ouvrir sa portière et de leur expliquer qu'en sa qualité d'agent rattachée au bureau du FBI à Los Angeles ce véhicule lui servait de bureau. Elle était censée rester joignable vingt-quatre heures sur vingt-quatre et sept jours sur sept afin de jongler entre les rendez-vous avec les services du procureur et les réunions avec les équipes de surveillance et autres agents infiltrés.

De toute façon, ils s'en fichent éperdument, soupira-t-elle intérieurement. Ils penseront que c'est une simple excuse. Après tout, que lui importaient les regards assassins des autres mères?

Lillian retint son souffle en voyant un petit blond maigrichon d'une dizaine d'années sortir de l'eau et rejoindre en courant les starting-blocks.

— Vas-y, mon fils. Tu peux y arriver, murmura-t-elle pour encourager mentalement son petit Ian. Penche-toi encore un peu plus, le menton sur la poitrine. C'est bien, mon fils.

Elle laissa échapper un cri de déception en voyant Ian rater son plongeon et s'écraser lourdement dans l'eau. Comme toujours. Lillian sourit.

Ce n'est pas la dernière fois que tu te prends un gadin, mon bébé, se dit-elle en regardant son fils remonter péniblement toute la longueur du bassin. Crois-en ma vieille expérience.

Son portable, en train de charger sur le tableau de bord, vibra. Elle le retira de la prise et choisit l'option FaceTime en voyant s'afficher le numéro de son mari.

Le visage de Mitch apparut à l'écran, provoquant chez elle un sourire. Chef ingénieur mécanicien chez l'avionneur Northrop, il se trouvait en déplacement professionnel au Brésil.

Elle monta le volume du téléphone alors que les jardiniers du parc mettaient en branle leurs souffleuses près du parking de la piscine.

— Salut, beau gosse, s'exclama-t-elle. Heureuse de constater que tu portes encore ton alliance. Me voilà rassurée.

— Pas de souci, les dernières danseuses brésiliennes viennent de quitter ma chambre, répliqua Mitch, provoquant leur hilarité.

Mitch, un ancien commando des Marines, l'avait demandée en mariage le jour où ils avaient reçu tous deux leur diplôme de l'université Irvine. Il lui avait avoué un jour n'avoir que trois amours dans la vie : elle, la course à pied et la bière. Six enfants plus tard, dont deux déjà étudiants, ils étaient toujours aussi amoureux et savouraient leur chance.

— Comment va notre petit champion ? demanda Mitch.

— J'ai bien peur que Ian n'attire pas l'attention du comité olympique de natation de sitôt, grimaça-t-elle.

La réponse de Mitch se perdit dans le grondement de la souffleuse du jardinier qui chassait les feuilles juste derrière le 4 x 4. On aurait dit un 747 au décollage.

— Désolé, Mitch, je n'entends rien, réagit Lillian.

Au même instant, sa vitre vola en éclats.

Sous le choc, aspergée par une pluie de verre, Lillian vit s'avancer le visage menaçant d'un jardinier latino. Du coin de l'œil, elle vit la main de l'inconnu, armée d'un objet sombre, traverser la fenêtre éclatée en direction de son visage.

Elle portait la main à l'arme de service coincée dans son étui sous son aisselle lorsqu'un jet de gaz poivre lui atteignit les yeux. Incapable de respirer, aveuglée, le visage en feu, Lillian trouva néanmoins la force de s'emparer de l'automatique dans le rugissement de la souffleuse.

Le jardinier lui envoya en pleine mâchoire un coup de poing magistral. Avant de perdre connaissance, Lillian entendit le bruit mat de son pistolet tombant sur le tapis à ses pieds tandis que sa portière s'ouvrait. Sa ceinture se détendit et elle fut emportée par une vague noire.

66

Lorsque Lillian Mara revint à elle, elle se trouvait dans les bras d'un inconnu musclé. Celui-ci remonta une allée d'ardoise jusqu'à une maison de style espagnol crépie de blanc et coiffée d'un toit de tuiles. L'haleine de l'homme était chargée de café et de tabac. Il s'approcha d'une porte de bois sombre bardée de fer, comme on en trouve dans les châteaux.

Elle ouvrit la bouche sans parvenir à émettre le moindre son. J'ai été droguée, pensa-t-elle en s'efforçant de chasser les nappes ouatées qui lui embrumaient l'esprit. Elle bascula à nouveau dans l'inconscience au moment où s'entrouvrait la porte majestueuse.

De la musique flottait en arrière-plan lorsqu'elle reprit connaissance. De la musique classique, un concerto de violoncelle. Bach? Non, Haydn, se dit Lillian en reconnaissant le *Concerto en ré majeur*.

Elle se demanda où elle se trouvait, mais son intuition lui commandait de ne pas s'inquiéter inutilement. Les yeux fermés, elle se concentra sur les pleins et les déliés du violoncelle enchaînant thèmes et harmonies.

Lillian écarta les paupières en s'apercevant qu'une voix inconnue fredonnait la mélodie en accompagnement du disque. Une jolie jeune femme d'origine hispanique se tenait à côté d'elle.

Une infirmière, peut-être? Non, sûrement pas. L'inconnue était vêtue d'un maillot de foot aux couleurs du drapeau mexicain, d'un pantalon de yoga et de Nike blanches marbrées de rose fluo, ses cheveux bruns tirés en arrière en queue de cheval.

Lillian battit des paupières dans l'espoir de chasser les dernières toiles d'araignée qui l'empêchaient d'avoir les idées claires et de comprendre ce qui l'attendait.

Elle se trouvait dans une pièce lambrissée, une sorte de bureau dont les stores en bois étaient tirés. Les rayonnages vides d'une bibliothèque couvraient tout un pan de mur. Assise dans un fauteuil basculant en cuir, elle avait les jambes et les bras attachés aux montants de son siège à l'aide de scotch industriel gris.

La mémoire lui revint brutalement. Ian. La piscine. La vitre du 4 x 4 volant en éclats.

Mon Dieu, non! pensa-t-elle en se tortillant dans tous les sens. Non, non, non. Pas ça!

— Calmez-vous, lui intima la jeune femme en lui caressant doucement le bras. Vous risquez de vous blesser, à force de vous agiter. Je m'appelle Vida. Je suis ici pour vous aider, madame Mara. Puis-je vous appeler Lillian?

— Que voulez-vous? sanglota Lillian. Laissez-moi partir. Pourquoi vous en prendre à moi?

— Pour toutes sortes de raisons, à commencer par celle-ci, répondit Vida en levant un doigt sévère. Notre organisation recherche un individu qui se cache actuellement. Nous le soupçonnons de s'être réfugié en Californie. Il s'appelle Michael Bennett. Est-ce que vous le connaissez?

— Pas du tout, répondit Lillian en regardant son interlocutrice droit dans les yeux. Vous vous trompez de cible. Je travaille effectivement pour le FBI, mais je dirige les services administratifs. Je ne sais rien.

— C'est bien dommage, réagit Vida en pivotant sur ses Nike rose et blanc.

L'instant d'après, elle récupérait un objet posé dans un coin de la pièce. Lillian eut un haut-le-cœur en découvrant un outil à manche jaune dont la tête était dotée d'une hache d'un côté, d'un marteau de l'autre.

La jeune femme le brandit au-dessus de la tête de sa prisonnière.

— Non! hurla Lillian au moment où Vida lui assenait un grand coup de masse sur le coude, le réduisant en miettes.

Vida monta le volume de la musique afin d'étouffer les cris de sa victime. La douleur abominable de cette dernière s'estompa lentement sur le fond joyeux des notes de Haydn.

Vida leva à nouveau l'arme.

— Cette fois-ci, j'ai l'intention de me servir de la hache. Alors? Où se trouve Bennett?

— Dans le nord de l'État… près de Susanville, bredouilla Lillian entre deux sanglots, secouée par le puits de souffrance qui s'échappait de son coude mutilé. Je… je ne connais pas… l'adresse exacte. Je vous la donnerais si je pouvais… jamais ils ne me la communiqueront.

— Dans ce cas, comment savez-vous tout ça?

— On a envoyé là-bas un agent du bureau de Los Angeles, couina Lillian. Elle voulait recueillir son avis… sur la capture de Perrine… C'est moi qui établis les ordres de mission… c'est comme ça que je l'ai appris.

— L'agent en question fait-elle partie du groupe d'intervention?

— Oui.

— Comment s'appelle-t-elle?

— Parker. Émilie Parker, répondit Lillian sans hésiter.

Elle se détestait de sa faiblesse, consciente qu'elle mettait ses collègues en danger, mais la douleur était insoutenable. Sans parler de la peur.

Vida reposa sa hache et feuilleta longuement un dossier, puis elle s'empara d'un téléphone.

— Amenez la camionnette, ordonna-t-elle.

La jeune Latina contourna le fauteuil de sa victime en tirant un pistolet de la ceinture de son pantalon de yoga.

— Un dernier détail, madame Mara, et nous vous laissons en paix, déclara Vida en levant le canon, muni d'un silencieux, de son Smith & Wesson de calibre 22.

67

Un long cortège de camions de pompiers, d'ambulances et de voitures de police se trouvait déjà sur place lorsque nous sommes arrivés à Venice.

Les flics en charge de la sécurité de la plage étaient partout, à bord de 4x4 et de pick-up, sur des quads, pour la plupart équipés de M16. Les appareils qui bourdonnaient au-dessus de nos têtes en éclairant la scène de crime de leurs projecteurs faisaient virevolter les bandes jaunes déployées tout autour.

Des dizaines de badauds se pressaient de l'autre côté. Beaucoup étaient torse nu, l'un d'eux avait les reins ceints d'une serviette de toilette d'hôtel. À peine descendu de la Vic, j'ai tourné la tête en entendant un bruit suspect. Rassuré, j'ai constaté qu'il s'agissait d'un skateur trentenaire chevelu, attiré par les gyrophares.

Émilie et moi avons contourné un petit chien attaché à une fontaine publique avant de franchir la bande jaune. Dans notre dos, la sirène d'une voiture de patrouille hululait par intermittence, à la façon d'un réveil cassé.

Il faut dire que nous avions toutes les raisons d'être réveillés, après avoir passé la journée à arpenter la ville, à la recherche d'indices qui nous auraient permis de retrouver l'agent du Bureau enlevé en plein jour. Son mari, qui lui téléphonait sur FaceTime au moment des faits, nous avait contactés du Brésil, où il se trouvait pour affaires. Je plaignais le malheureux.

Surtout depuis que sa femme avait été retrouvée.

Le sourire tordu du croissant de lune qui brillait au-dessus des eaux noires du Pacifique était là pour nous souhaiter la bienvenue sur la plage. Le murmure lointain des vagues répondait à la caresse du vent dans les palmiers bordant le mail. Nous avons franchi une deuxième barrière de bande jaune et traversé une piste cyclable déserte.

Quelques mètres au-delà, à même le sable, face à la mer, Lillian Mara était recroquevillée dans une chaise roulante, la tempe percée de deux trous. On l'avait enveloppée dans une couverture crasseuse. Du sang s'échappait de sa bouche. Sur ses genoux reposait un sachet de papier kraft contenant sa langue, à en croire les premiers flics arrivés sur les lieux.

Elle était accrochée aux montants du fauteuil roulant à l'aide de liens en plastique. Il ne faisait aucun doute qu'elle avait été tuée ailleurs avant d'être abandonnée là. J'ai remarqué à la lueur d'un projecteur halogène de 500 watts qu'elle avait le coude gauche en compote. Le coup qui lui avait été porté lui avait quasiment sectionné le bras. La malheureuse avait été torturée.

L'inspecteur Bassman est sorti de l'ombre.

— Salut. On cherche les magasins équipés de caméras vidéo le long de la promenade, mais je n'y crois pas beaucoup. Aucun indice ici, pas une empreinte, pas de témoin. Rien de rien. J'ai demandé au légiste de se grouiller pour l'autopsie, de façon à rendre le corps à la famille le plus rapidement possible. Vous savez si le mari est déjà rentré?

— Il est en vol, a répondu Émilie.

— C'est aussi bien comme ça. Inutile qu'il voie ça. C'est inouï. Je sais bien que j'ai pas toujours été cool avec les gens du Bureau et je m'en excuse. Je sais que vous bossez dur. Et je sais ce que c'est de perdre un collègue.

Il a fourré une liasse de billets entre les mains d'Émilie.

— De la part du service. Vous aurez qu'à offrir de la glace ou ce que vous voulez à ses gosses, OK? Dites-leur que le

LAPD n'aura de cesse de coincer jusqu'au dernier des salauds qui ont tué leur mère.

— Merci, je n'y manquerai pas, a répliqué Émilie.

Je l'ai rattrapé au moment où il s'éloignait.

— Hé, Bassman!

— Qu'est-ce qu'il y a, Bennett?

— Tu n'es peut-être pas un sale con, après tout.

Il a haussé les épaules.

— Évite juste que ça se sache, a-t-il souri.

68

Il faisait déjà chaud lorsque la maisonnée se réveilla ce matin-là, plus chaud encore lorsque trois membres du clan Bennett se retrouvèrent en plein champ à 11 heures, sous un soleil impitoyable.

Brian chassa d'une claque l'énorme taon qui s'intéressait de trop près à son cou ruisselant de transpiration. Furieux, il commençait à en avoir sérieusement marre de ce trou. Qui avait osé dire qu'il était sain de vivre en pleine nature ? S'il avait appris un truc lors de ce séjour, c'est que la campagne était un enfer de crasse, de chaleur, de mauvaises odeurs et d'ennui.

— Merde ! s'écria-t-il alors que le taon l'attaquait de plus belle.

— Tu dis des gros mots, maintenant, Brian ? Que tous les saints du paradis nous protègent, fit Eddie en imitant à la perfection l'accent irlandais de Seamus.

Brian se retourna et surprit un sourire sur les lèvres d'Eddie. Il avait un mouchoir en papier coincé dans une narine, histoire d'arrêter le saignement de nez survenu de façon intempestive à cinq cents mètres de la ferme. Brian ne put s'empêcher de rire. Il fallait bien reconnaître que son jeune frère ne manquait jamais une occasion de jouer les clowns avec ses baratins sans queue ni tête, les voix rigolotes qu'il était capable de prendre, sa façon de se moquer de tout, à commencer par lui-même. Un vrai bouffon.

Un fou. Mon frère Eddie, fou du roi, décréta Brian intérieurement, en toute bienveillance.

— Une petite question, s'éleva la voix de Ricky, derrière Eddie. Quelqu'un peut me dire pourquoi on arpente ces terres désolées comme des nomades au lendemain de l'Apocalypse? Désolé, mon cher grand frère, mais ce sentier de la mort au plus profond de la jungle est à la limite de nous emmieller sérieusement.

— Rien ne t'empêche de rebrousser chemin, espèce de mauviette, rétorqua Brian sur un ton sans appel. Ça vaut pour toi aussi, Eddie. Je vous ai pas obligés à me suivre. Je m'en fiche complètement.

— Excuse-moi si je me trompe, mais c'est pas toi qui nous as réveillés à l'aube, Brian? le contra Ricky. Le type qui nous a secoués en nous disant : «Levez-vous, bande d'idiots. C'est l'heure!» te ressemblait comme deux gouttes d'eau.

— C'est bon, marmonna Eddie à l'adresse de Ricky. Brian est juste d'une humeur de Brian. En termes clairs, notre aîné a pété les plombs.

Tu crois pas si bien dire, pensa Brian en continuant à arpenter une campagne californienne dont il trouvait la réputation dorée largement usurpée. Quel ado de quinze ans normalement constitué ne péterait pas les plombs dans ce désert digne des plaies d'Égypte?

Ses plombs avaient fondu au point de l'inciter à se lever ce matin-là afin d'accomplir une mission d'importance. Retrouver coûte que coûte la rivière où les avait conduits Cody quelques semaines auparavant. Sans raison valable, sinon que cette foutue rivière existait bien et qu'il aurait aimé remettre la main dessus.

Il était persuadé d'avancer dans la bonne direction, mais cela faisait trois heures qu'ils marchaient sans apercevoir la moindre goutte d'eau. Je suis pourtant sûr qu'elle se trouve dans le coin, voulut-il se convaincre intérieurement en plissant les yeux à cause du soleil.

Il n'avait pas pris la peine d'avertir Mary Catherine ou Seamus. Il leur avait encore moins demandé la permission, ni même laissé un petit mot. Il était bien conscient que c'était nul de partir comme un voleur, mais c'était le but de l'aventure. Leur père parti, ils se retrouvaient tous coincés là sans espoir d'échapper à leur exil forcé, et Brian en avait carrément ras le bol. Ras le bol des vaches, des cours à la maison avec les chiards. Pour un peu, il serait retourné à Manhattan à pied, retrouver ses copains, sa vie d'avant.

— «Je sais pas où ça nous mène», chanta Eddie en imitant les antiennes de l'armée, «marre de marcher à perdre haleine».

— Une, deusse! Une, deusse! enchaîna Ricky.

— Attendez! Chut! Taisez-vous! leur ordonna Brian.

Les trois garçons se figèrent. Un léger murmure leur parvint, en provenance d'un rideau d'arbres sur leur droite. Ils se regardèrent d'un air ravi avant de se précipiter. Brian courait en tête, suivi de Ricky, tandis qu'Eddie peinait à les suivre.

Brian s'immobilisa sur la rive sablonneuse, un grand sourire aux lèvres, hypnotisé par les reflets argentés du soleil sur la rivière qui défilait à toute allure avant de s'enfuir en serpentant à travers le paysage aride. L'odeur acide de l'eau imprégnait l'air. C'était la première fois que Brian respirait une eau aussi propre.

J'ai réussi, triompha-t-il en son for intérieur. Il avait atteint le but qu'il s'était fixé. Un but sans grand intérêt, soit, mais là n'était pas l'essentiel. Il était aux anges.

— T'as réussi! T'as vraiment trouvé la rivière, Pocahontas! s'enthousiasma Eddie en topant avec son aîné.

— Bien sûr, répondit Brian avec une nonchalance feinte.

69

Les trois garçons s'amusaient à s'asperger d'eau en sautant d'un rocher à l'autre lorsqu'ils virent arriver un kayak vingt minutes plus tard.

Le vieux hippie qui pilotait l'esquif s'immobilisa sur la rive à leur hauteur en affichant un sourire. Brian commença par avoir peur, trouvant que l'intrus ressemblait beaucoup au terroriste Unabomber. L'inconnu descendit de son kayak jaune fluo, vêtu d'une salopette à bottes en caoutchouc qui lui montait jusqu'à la poitrine.

Ce n'est qu'un vieux pêcheur inoffensif, se rassura Brian.

Le hippie leva la main après avoir échoué son kayak.

— Ugh, dit-il à l'indienne, puis il éclata de rire. Désolé, je n'avais jamais trouvé l'occasion de sortir cette vanne, ajouta-t-il avec un clin d'œil malicieux. Je m'appelle McMurphy. Ravi de vous rencontrer, les garçons. Vous êtes nouveaux dans le coin? Qu'est-ce qui peut bien amener des voyageurs intrépides comme vous dans ce monde perdu? Je ne vois pas vos cannes à pêche, alors laissez-moi deviner : la gloire, la fortune, l'aventure?

— L'ennui, plus exactement, répondit Eddie dont la remarque provoqua un nouvel éclat de rire chez son interlocuteur.

— L'ennui, répéta McMurphy en posant un doigt sur sa tempe. Excellente raison, fiston. Va pour l'ennui.

Waouh, pensa Brian en observant avec de grands yeux le regard allumé et la crinière blanche du visiteur. Ce type-là était gentiment cinglé. Il avait dû consommer un peu trop d'acide en son temps. Son visage lui rappelait quelqu'un. Un vieil acteur des années 1960. Dennis machinchose. En tout cas, ce vieil excentrique paraissait inoffensif.

Peut-être était-ce le sort qui les attendait s'ils restaient là trop longtemps? Brian faillit lui demander s'il faisait partie du programme de protection des témoins, lui aussi.

— Bon sang! Vous êtes là! s'écria une voix aiguë derrière le rideau d'arbres bordant la rivière.

Les garçons tournèrent la tête et découvrirent Juliana sur un remblai de sable. Elle montait Spike, l'un des chevaux de Cody, et portait des bottes d'équitation dignes de la reine d'Angleterre. Comme toujours, grinça Brian dans sa tête. La petite fille modèle se permet les trucs les plus cool. Juliana faisait systématiquement ce qu'elle voulait.

— Tout le monde vous cherche, poursuivit Juliana en fusillant Brian du regard. Qu'est-ce que vous fabriquez?

— Bonjour, petite demoiselle. Je me présente, McMurphy, la coupa le vieux hippie avec une courbette. Vous connaissez ces garçons?

Juliana opina.

— J'allais leur proposer de leur apprendre à pêcher à la mouche. Vous êtes la bienvenue, si ça vous intéresse. Pourquoi ne pas attacher votre noble monture à cette branche avant de nous rejoindre? Et comment s'appelle cet animal?

— Spike, répondit Juliana.

— Un beau nom pour un beau cheval. En parlant de noms, puis-je connaître les vôtres?

— On s'appelle Warner, s'empressa de mentir Juliana.

Brian poussa un soupir. Warner. Le patronyme qu'ils étaient censés utiliser quand ils croisaient la route d'inconnus. Décidément, Juliana était la perfection incarnée. Pour un peu, Brian lui aurait octroyé une médaille.

— On est nombreux, dans la famille Warner, s'étonna McMurphy. Une vraie famille d'écureuils.

Juliana et Brian échangèrent un regard.

— Non, il n'y a que nous quatre.

— Vous habitez la ferme de M. Cody, j'imagine? demanda le vieux hippie.

Comment sait-il ça? pensa Brian, étonné.

— Je suis désolée, monsieur McMurphy, mais je dois ramener mes frères à la maison. Mon... euh, mon père a besoin d'eux.

— Votre père? Attendez, je crois l'avoir déjà rencontré. C'est bien vous qui êtes venus un jour à la messe avec ce gentil vieux curé irlandais, non?

— Non, répondit Juliana. Vous devez vous tromper.

— Mystère et boule de gomme, réagit McMurphy en hochant la tête. Bien, bien. Et moi qui vous casse les oreilles avec mes questions, à me mêler de ce qui ne me regarde pas. Il y a mieux comme voisin, pas vrai? Je m'excuse. C'est pourtant bien agréable de croiser quelqu'un dans ces coins reculés. Je vis seul, alors chaque fois que je rencontre un nouveau visage, ça sort comme du soda quand on agite une cannette.

— Euh... très bien, monsieur McMurphy. Ravie d'avoir fait votre connaissance, l'arrêta Juliana en adressant une œillade à Brian.

— Tout le plaisir est pour moi, ma petite demoiselle. Tout le plaisir est pour moi. Attendez une petite minute. Je ne voudrais pas que vous repartiez les mains vides.

Il se pencha au-dessus du kayak et tira d'une besace un sachet hermétique contenant des feuilles séchées. Il en fit cadeau à Brian.

— Fiston, ceci est de la sinsemilia pure de première classe. Tu n'en trouveras pas d'aussi bonne ailleurs en Amérique du Nord. Je la fais pousser moi-même. Tu peux demander à n'importe qui dans le coin, l'herbe de McMurphy est meilleure que les autres. Pur jus, pur sucre, comme disait mon père.

Brian, les yeux écarquillés, regarda successivement le vieil homme, le sachet, et Juliana.

— Allez, prends-le. Il ne va pas te mordre. Bon sang, j'ai été jeune, moi aussi. Vous finirez par devenir complètement cinglés ici, si vous ne vous amusez pas un peu. Puisque je te dis que je te la donne. Tu ne voudrais pas me vexer, quand même?

— On ne peut vraiment pas, monsieur McMurphy, improvisa Juliana. Nous sommes mormons. On n'a même pas le droit de boire de soda. Alors, de la marijuana, vous pensez bien que c'est contre… euh, contre nos principes.

— Vous êtes mormons? Tiens, tiens…, fit McMurphy en plissant les paupières.

Juliana acquiesça.

— Voilà qui est intéressant, ajouta-t-il en remisant le sachet d'herbe dans sa besace. Je vous laisse rejoindre votre père. C'est bien de respecter ses aînés. C'est même précisé dans la Bible. Alors à bientôt.

70

Mary Catherine, le front couvert de transpiration dans la cuisine transformée en étuve, s'empara d'un autre citron dont elle préleva habilement le zeste. Leo devait venir dîner, profitant de son jour de repos, et Mary avait appris qu'il était grand amateur de citron.

Si Leo aime le citron, autant lui donner du citron, pensa la jeune femme en s'escrimant sur l'agrume.

Elle avait déjà enfourné trois poulets et mis deux kilos et demi de pommes de terre à bouillir dans une casserole géante. Il lui restait encore à faire cuire les haricots et éplucher la salade, mélanger la farce et préparer la sauce, mais il lui fallait impérativement terminer son cake au citron si elle ne voulait pas être en retard.

À part les citrons, tout ou presque venait de la ferme de Cody. Y compris les poulets. Désolée, ma Chrissy. Mary Catherine contrevenait sans doute à une loi fédérale quelconque en ayant le toupet de manger des aliments qui avaient poussé sur place, mais elle avait le sentiment que Leo fermerait les yeux une fois qu'il aurait goûté à sa cuisine.

Mary savait d'expérience à quel point les produits de la ferme sont meilleurs. C'était un peu comme découvrir la télé haute définition après avoir passé sa vie devant un poste en noir et blanc. Elle se réjouissait surtout d'accueillir un invité à sa table pour la première fois depuis une éternité.

Elle se retourna en entendant claquer la porte du jardin et découvrit Brian, Eddie et Ricky, tous plus crasseux les uns que les autres. Couverts de coups de soleil, ils paraissaient au bord de l'épuisement.

Mary Catherine se mordit la lèvre pour ne pas éclater de rire.

— Dans quel état êtes-vous? Vous avez creusé un tunnel en pleine terre, ou quoi?

— Ouèche! fit Ricky en retirant une basket couverte de poussière. Ouèche.

— Ça sent bon. On mange quoi? s'enquit Brian en avançant une main noire vers le bol du mixeur.

Mary Catherine lui tapa sur les doigts avec son zesteur et il poussa un cri, provoquant l'hilarité d'Eddie et Ricky.

— Dépêchez-vous de monter dans la salle de bains et de prendre une douche si vous ne voulez pas que je vous traîne dans le jardin par la peau du dos et que je vous lave au jet. Et n'allez pas vous imaginer que vous vous en tirerez à si bon compte après avoir fait l'école buissonnière sans prévenir personne. On se faisait un sang d'encre. Comme si je n'avais pas assez de travail.

— Pourquoi tu t'actives comme ça en cuisine? s'étonna Eddie.

— Je vous l'ai expliqué hier. Nous avons un invité pour le dîner.

— Un invité? intervint Ricky. Qui ça?

— Leo, le marshal.

— Leo le marshal? répéta Brian. Ça peut pas être un invité puisqu'il travaille ici.

— Mary Catherine, est-ce que papa est au courant? s'inquiéta Eddie, un sourcil levé.

Le zesteur se figea dans la main de la jeune femme. C'était la goutte qui faisait déborder le vase. Elle était bien consciente que les garçons supportaient mal la situation depuis un moment, Brian en particulier, mais c'en était trop. Elle passait son temps à se plier en quatre pour eux tous, et voilà qu'on lui reprochait de prendre un peu de bon temps. Pour une fois.

Le décor de la cuisine fit remonter dans sa tête un souvenir d'enfance. Chaque fois que l'un de ses frères s'autorisait une remarque malvenue, son père, qui avait passé la journée à se tuer à la tâche à rentrer le foin ou s'occuper des bêtes, écartait son poing calleux et laissait échapper sa fourchette qui tombait par terre avec un bruit métallique. Son visage buriné se levait lentement et ses yeux se tournaient vers le coupable avec la lenteur d'une tourelle de char à la recherche de sa cible.

Et il ne disait rien. Toute parole eût été inutile. Le silence assassin dont il gratifiait sa victime possédait plus de solennité encore qu'un juge prononçant une sentence de mort. Son regard bleu gris était suffisamment explicite. Un mot, un seul mot, et le coupable voyait déferler sur ses épaules tout ce qu'il détestait le plus en ce bas monde.

Droite comme un *i* dans cette cuisine étouffante, Mary Catherine gratifia les garçons d'un regard sans appel.

Ceux-ci se regardèrent, puis quittèrent la pièce silencieusement en file indienne.

Mary Catherine ne put réprimer un sourire. Décidément, elle était bien la fille de son père.

71

Le repas tenait du délice, Mary Catherine elle-même n'aurait pu le nier. Les poulets étaient tendres à souhait, la purée et la farce à la hauteur de ses exigences. À en juger par la façon dont il avait nettoyé son assiette avant de se resservir, Leo s'était régalé. Elle avait été ravie de constater qu'il avait un faible pour sa sauce au poivre maison.

En revanche, les enfants multipliaient les efforts pour casser l'ambiance. Ils dînaient tête baissée, avec une lenteur infinie. Seul le crissement des couverts sur les assiettes troublait le silence. Eddie et Ricky, qui mangeaient habituellement comme des ogres, se retenaient. On aurait cru un repas d'enterrement.

— Ne vous laissez pas impressionner, Leo, déclara soudain Seamus. Cette petite bande de jeunes gens bien élevés est autrement plus vivante en temps ordinaire. C'est fou l'effet que vous avez sur eux.

— Un effet positif, j'espère, mon père, répondit Leo avec un sourire poli.

— Sûrement, sûrement, marmonna Seamus en balayant l'assemblée des yeux. Dites-moi, Leo. J'ai cru remarquer que vous étiez armé d'un sacré engin quand vous êtes en service. C'est quoi exactement, ce fusil ?

— Seamus, le rappela à l'ordre Mary Catherine. On ne parle pas d'armes à feu à table.

— Peut-être bien, réagit Seamus avec un haussement d'épaules, mais je me dis que c'est toujours mieux que de ne pas parler du tout.

— Il s'agit d'un M4, répondit Leo.

— Un M4, répéta le vieil homme en hochant la tête. Je croyais que c'était un M16.

— À vrai dire, le M4 est une version améliorée du M16, expliqua Leo. À ceci près qu'il est plus petit, plus léger et qu'il dispose d'un canon plus court conçu pour le combat rapproché.

— Hmmm, grommela Seamus en mastiquant. Et quel genre de balles vous utilisez? Des 223?

Quelques sourires s'affichèrent sur les visages des petits à la vue de la mine de Mary Catherine, accompagnés des premiers fous rires. Les aînés donnaient l'impression de vouloir se réfugier sous terre.

— Non, on se sert en fait de projectiles d'un nouveau genre, des 5.56.

— À cause de la petite taille du canon?

— Exactement, approuva Leo en échangeant un sourire avec Mary. Vous pratiquez le tir, mon père?

Seamus laissa échapper un soupir, les épaules voûtées.

— Malheureusement non. Ils ne veulent pas.

72

Des éclats de rire percèrent l'oreillette de l'individu intégralement vêtu de noir accroupi dans l'ombre, à l'écart de la ferme.

Le minuscule récepteur était relié à un micro-canon acheté la veille à San Francisco, en même temps qu'un appareil photo muni d'un téléobjectif. Il aurait aimé s'approcher afin de pouvoir prendre des clichés des occupants de la maison à travers la fenêtre, mais la présence de détecteurs de mouvement tout autour de la propriété lui conseillait la prudence. Il n'y avait apparemment qu'un seul marshal dans les parages et il dînait avec toute la famille, mais on ne savait jamais.

L'homme était arrivé à cheval, veillant soigneusement à éviter les troupeaux comme les chiens de ferme de Cody. Il avait laissé sa monture attachée à un arbre à près de deux kilomètres au nord avant de parcourir la distance restante à pied. Il entendait se montrer prudent, conscient que le marshal n'hésiterait sans doute pas à tirer à vue.

Les conversations à table lui avaient confirmé qu'il s'agissait bien de la famille du flic. Tout correspondait aux détails fournis par son contact au sein du cartel : une palanquée de gamins, un vieux type et une jeune femme à l'accent irlandais. Le doute n'était plus permis.

Quand on pense qu'il devait cette aubaine à Kenny, son beau-frère toxico ! Il était passé voir sa sœur, histoire de la taxer comme tous les mois, quand Kenny avait incidemment parlé de ce curé irlandais qui distribuait des boîtes de conserve à la banque alimentaire en compagnie de trois gamins, dont une ado d'origine asiatique.

Il avait immédiatement fait le rapprochement avec l'avis de recherche lancé par le cartel. Les Mexicains cherchaient à localiser une famille constituée d'une tripotée d'enfants adoptifs placés sous la garde d'un vieux curé irlandais, dans les environs de Susanville. Avec à la clé une récompense d'un demi-million de dollars. On lui avait même fait comprendre qu'il serait possible de marchander. C'est dire si les Mexicains étaient pressés de mettre la main sur ces gens.

En s'informant discrètement, il avait appris que le vieux curé avait remplacé le père Walter au pied levé et que la famille s'était rendue à l'église dans une vieille bagnole appartenant à Aaron Cody. En mettant toutes ces infos bout à bout, il se retrouvait là. À dix mètres d'eux. Cinq cent mille dollars à portée de main.

Il avait été l'un des premiers à comprendre tout l'intérêt de s'acoquiner avec les cartels quand ceux-ci s'étaient installés dans la Vallée Centrale quatre ans auparavant. Pas besoin d'être Prix Nobel de physique nucléaire pour comprendre à qui il avait affaire. Les gens qui tuent pour un oui ou pour un non ne ressemblent pas à des enfants de chœur. Il serait dérisoire de se mettre à dos des gens aussi dangereux à moins d'avoir des yeux derrière la tête, ou une très forte envie de quitter la vie.

Il s'était lancé dans la culture de la marijuana quand il était rentré à Susanville, après un séjour en Irak sous les drapeaux en 2005. Il avait troqué son tank Abrams M1 contre une camionnette avant de postuler comme gardien à la prison du coin, à l'imitation de tous les abrutis de la ville, jusqu'au jour où il avait croisé la route d'anciens potes qui cultivaient du chanvre. Il les avait aidés à s'organiser, à développer la production et la distribution jusqu'à devenir les plus gros pourvoyeurs d'herbe de la région. Il n'avait même pas eu besoin de tuer quelqu'un pour être entendu, il lui avait suffi de poser le canon de son flingue sur la tempe des bonnes personnes.

Ça ne l'empêchait pas de se sentir un peu mal ce soir-là, tapi dans l'ombre comme un voyeur. Il avait des chiards, lui aussi, et il était peu probable que le cartel recherche ces gens pour leur remettre une médaille. Sauf que la moitié de sa récolte avait été saisie par les Rangers un mois plus tôt, et qu'il devait un paquet de fric à des gens qui ne rigolaient pas vraiment là-dessus.

Et voilà qu'il avait le moyen de contenter tout le monde, et même plus. Quitte à agrandir son business ou, mieux encore, tout laisser tomber. Prendre sa retraite pendant qu'il était encore jeune, riche et en un seul morceau.

C'est tout de même pas ma faute, soupira l'homme en noir en écoutant les rires des gamins dans son oreillette, reliée à son iPhone pour mieux enregistrer les conversations de la famille. C'est Dieu qui a voulu que l'homme soit un loup pour l'homme, pas moi.

73

Mille kilomètres plus au sud, Vida Gomez allumait une bougie parfumée dans la salle de bains réservée aux invités lorsque retentit la sonnerie de son portable.

Elle quitta la pièce afin de prendre l'appel sur le balcon. La maison, perchée sur les collines de Hollywood, dominait l'ensemble du bassin de Los Angeles dont les lumières scintillaient dans la nuit, tels des grains de cocaïne sur un drap de velours noir. La planque dans laquelle s'était réfugiée la jeune femme était meublée de façon spartiate, mais ce dénuement apparent était parfaitement adapté au style du lieu. Une construction austère de pierre et de verre, immaculée et froide, comme Vida les aimait.

— Vida ? J'ai des nouvelles, fit la voix tout excitée d'Estefan à l'autre bout du fil. Je viens de recevoir un coup de fil. On tient une piste.

Vida battit des paupières. À peine s'était-elle débarrassée du corps de la femme du FBI sur la plage de Venice, deux jours auparavant, qu'elle avait envoyé Estefan fouiner du côté de Susanville. Elle était heureuse d'apprendre qu'il obtenait déjà des résultats.

— Hé, pas si vite, le modéra-t-elle. La piste en question est-elle crédible ?

— Je n'ai pas encore pu vérifier, mais j'ai fait passer le mot à nos gens ici en évoquant la récompense, comme tu me l'avais dit. Un type du cru vient de me contacter directement.

Il prétend savoir où se cachent les Bennett, mais il y a un petit problème.

— Lequel?

— Le type veut plus de fric. Il exige un million, dont la moitié d'avance. Qu'est-ce que je lui réponds?

— Je te rappelle très vite, décida Vida avant de raccrocher.

Elle regagnait l'intérieur de la maison lorsqu'elle tomba sur Manuel en train de sortir de sa chambre, vêtu d'un peignoir de soie très court. Quand la majorité des parrains engraissaient à mesure qu'ils s'enrichissaient, le Roi Soleil passait une heure chaque jour sur son banc de musculation avant de courir une heure sur un tapis roulant. En outre, il ne mangeait que des aliments sains, de sorte qu'on aurait aisément pu lui donner trente-cinq ans, alors qu'il avait franchi le cap de la cinquantaine.

Vida ne put s'empêcher d'admirer ses épaules musclées en le voyant s'avancer dans la cuisine où il prit une carafe de jus de grenade dans le réfrigérateur. Ce n'était pas la première fois qu'un frisson d'excitation la parcourait en le regardant. Lorsqu'il lui avait proposé de devenir son assistante personnelle durant son séjour à Los Angeles, elle avait cru qu'il avait des vues sur elle ; jusqu'à présent, il s'était comporté en parfait gentleman, au grand regret de la jeune femme.

Il lui avait même annoncé qu'il attendait une visite un peu plus tard. Elle n'était pas dupe. Les deux putains commandées par ses soins la veille au soir n'étaient pas reparties avant 3 heures du matin.

Vida se reprit.

— J'ai de bonnes nouvelles, Manuel. La femme du FBI ne nous a pas menti. Les Bennett se cachent bien dans les environs de Susanville. Je viens d'en avoir la confirmation par un informateur qui prétend connaître leur retraite exacte. Sauf qu'il veut un million de dollars, dont la moitié tout de suite.

— Un million? répéta Perrine, offusqué. C'est du vol!

— On peut essayer de piéger notre informateur, l'obliger à parler, suggéra Vida en sortant son portable.

— Non, répondit Manuel en remplissant son verre de jus de fruits. J'ai une autre idée. Envoie plutôt là-bas l'autre type, celui qui nous a déniché ces deux rats puants l'autre jour. Comment s'appelle-t-il, déjà?

— Le Tailleur?

— Oui! Le Tailleur. Il n'aura aucun mal à débusquer et éliminer les Bennett, surtout maintenant qu'on a la confirmation que tout marche comme sur des roulettes.

Perrine avala une gorgée de jus de fruits, puis sourit en haussant un sourcil.

— Et tu sais ce qui se passe quand tout marche comme sur des roulettes, ma petite Vida.

La jeune femme venait de transmettre les instructions de Manuel lorsqu'on sonna à la porte d'entrée. Elle posa un œil sur l'écran de la caméra de surveillance. Une blonde élancée en haut moulant sans manches et minijupe de cuir sous un imperméable. Il n'y aurait donc qu'une seule pute ce soir.

Génial, soupira intérieurement Vida en levant les yeux au ciel. Je vais peut-être pouvoir me coucher avant 2 heures du matin.

Elle ouvrit la porte. La jeune femme, très maquillée, était encore plus grande que sur l'écran vidéo. Vida, transformée pour l'occasion en agent de sécurité aéroportuaire, enfila des gants de caoutchouc bleus avant de fouiller le sac à main de la prostituée. Les portables et autres appareils électroniques resteraient consignés dans le salon, bien évidemment. Conformément à une procédure dont elles avaient été mises au courant avant de venir, les filles acceptaient également qu'on leur bande les yeux de façon à garantir l'anonymat de Manuel. Un détail qui ne gênait nullement les intéressées, sachant à quel point discrétion et débauche font bon ménage à Los Angeles.

Vida se figea brusquement au milieu de sa palpation. Elle se redressa et s'excusa un instant auprès de la visiteuse.

— Euh… Manuel? Puis-je m'entretenir un instant avec vous? déclara-t-elle en pénétrant dans sa chambre après avoir frappé.

— Oui, Vida ? Mon invitée est là ? s'enquit Perrine, allongé sur son lit face à l'écran géant de son téléviseur à écran plat, une télécommande à la main et un cigare entre les lèvres.

— C'est justement à son sujet, monsieur, s'expliqua Vida, gênée. Je… je pense qu'il s'agit d'une usurpatrice.

— Une usurpatrice ? Qu'est-ce que tu me chantes ?

— On vous a envoyé un travesti, Manuel. En la palpant, ou plutôt en le palpant, j'ai bien senti qu'il s'agissait d'un homme.

Le trafiquant partit d'un grand éclat de rire en éteignant la télévision. Il se leva en secouant la tête et pinça affectueusement la joue de Vida.

— Merci, Vida, mon innocente petite fleur des champs, mais tout va bien, la rassura-t-il en lui donnant une tape amicale sur les fesses. Maintenant, sois gentille, va mettre un bandeau à notre jolie beauté et amène-la-moi avec du champagne.

74

Au lendemain du meurtre atroce de Lillian Mara du FBI, le groupe d'intervention a mis les bouchées doubles.

Nous avons interrogé tous les témoins présents à la piscine le matin de l'enlèvement, qu'il s'agisse des maîtres nageurs ou des parents des autres enfants. Le mari, détruit, nous avait expliqué qu'il s'entretenait avec sa femme au téléphone lorsqu'un bruit de moteur assourdissant avait retenti. L'image s'était brouillée aussitôt. Émilie était allée jusqu'à interroger Ian, le petit garçon de la malheureuse, dont le chagrin faisait peine à voir.

Cela n'avait rien donné. Le 4 x 4 n'avait même pas été retrouvé. Lillian Mara regardait plonger son gamin depuis son véhicule ; l'instant d'après, il ne restait plus qu'un tas de verre pilé à la place de celui-ci.

Deux douzaines d'agents nous ont été envoyés en renfort par le FBI dès le lendemain, tandis que John Downey, le responsable de l'antenne du Bureau à Los Angeles, prenait la direction du groupe d'intervention.

Il ne faisait aucun doute que la torture et l'assassinat de l'une des leurs avaient fortement agité le cocotier au plus haut niveau. Rien de plus normal. On murmurait dans les couloirs que le Bureau n'avait pas été confronté à un défi aussi grand depuis la vague d'attaques de banques qui avait frappé le pays à l'époque de la Grande Dépression.

En termes clairs, Perrine remettait en cause les capacités d'un système policier incapable de l'appréhender. Un affront d'autant plus intolérable qu'il se trouvait sur le sol des États-Unis.

Si j'avais encore pu avoir des doutes sur la mobilisation des fédéraux, ils ont été balayés définitivement lorsque le directeur du FBI en personne, Joseph J. Rohr, a participé à la réunion du groupe d'intervention le lendemain matin, via Skype. Au lieu de chercher à s'imposer, Rohr m'a surpris en écoutant attentivement ce qui se disait tout en posant des questions aussi avisées qu'intelligentes sur les moyens humains et logistiques dont nous disposions.

Il avait décidé de nous accorder tout ce que nous voulions. En outre, loin de se planquer derrière le paravent d'une quelconque hiérarchie protocolaire, cet ancien pilote de chasse des Marines nous a donné la vraie mesure de son intelligence en nous suppliant quasiment de nous exprimer sans retenue, son unique objectif étant la capture de Perrine.

Non sans à-coups, il a finalement été décidé que l'enquête se concentrerait prioritairement sur les gangs de Los Angeles les plus proches de Los Salvajes, l'organisation de Perrine. En clair, cela signifiait tomber à bras raccourcis sur le gang connu sous le nom de MS 13.

Deux jours après le meurtre de Mara, Émilie et moi faisions équipe avec John Diaz. Petit, trapu, mais incroyablement décidé, ce dernier travaillait au sein de la brigade des Stups et des Gangs du LAPD depuis dix ans en qualité d'inspecteur. La réunion du matin achevée, nous quittions le commissariat d'Olympic avec Diaz, direction le snack Langer's dans le quartier de MacArthur Park, à Westlake. Nous venions de prendre place dans un box quand mon attention a été attirée par un superbe bâtiment d'avant guerre dont la silhouette blanche s'échappait des palmiers dans cette zone urbaine peu engageante.

Je me suis tourné vers Diaz.

— Cette bâtisse me dit quelque chose.

— Il s'agit de l'hôtel Bryson, m'a répondu Diaz en hochant la tête. C'est le bâtiment devant lequel passe Fred MacMurray au début d'*Assurance sur la mort*, de Billy Wilder.

— C'est ça! Avec quelques balles dans le ventre.

— Exactement, a approuvé Diaz. À vrai dire, les blessures par balles sont légion à MacArthur Park depuis très longtemps. Sans parler de la drogue et des gangs. Quand le lac du parc a été vidé dans les années 1970, vous n'imaginez pas le nombre de flingues qu'on a retrouvés au fond. On raconte que c'est là que le gang MS 13 a été lancé dans les années 1980 par des immigrés venus du Salvador.

«À ce sujet, j'ai contacté un type susceptible de nous aider avec le MS 13. J'ai longtemps hésité à l'impliquer, parce que c'est un ami. Le plus sûr moyen d'insulter ces gens-là est encore de leur demander de balancer leurs frères, mais ce qui est arrivé à cette femme du Bureau a complètement changé la donne. Il ne devrait pas tarder à nous rejoindre.

Nous venions de commander des sandwichs au pastrami quand un camion UPS s'est garé le long du trottoir devant le snack. La portière côté conducteur s'est ouverte sur un Latino en uniforme marron. Le menton orné d'un bouc, abondamment tatoué, il a allumé une cigarette.

— C'est lui, nous a annoncé Diaz.

— C'est lui votre indic? Un employé d'UPS?

— Eh oui. Pepe et moi, on a grandi dans le même quartier. Mon oncle est cadre chez UPS, c'est grâce à moi qu'il a obtenu ce boulot à sa sortie de prison, il y a quelques années.

J'avais du mal à dissimuler mon étonnement.

— Il est membre du MS 13?

— Non, Pepe appartient au gang de la 18e Rue, un rival de MS 13. Mais ne vous laissez pas abuser par son uniforme. Pepe est mouillé dans ce milieu jusqu'à son cou tatoué. Il connaît tout le monde. Ne bougez pas, je reviens.

Diaz est sorti dans la rue et nous l'avons vu monter dans le camion, qui s'est aussitôt éloigné. On venait de nous apporter nos sandwichs quand le véhicule a retrouvé sa place devant le snack. Diaz nous a rejoints, un sourire aux lèvres. Il s'est assis en se frottant les mains.

J'étais pendu à ses lèvres.

— Je suis mort d'impatience. Que raconte ton copain en marron?

Diaz a étalé une serviette en papier sur ses genoux.

— Il faut aller trouver un certain Tomas Neves. Un ponte du MS 13 aux affaires florissantes. En plus de dealer de grosses quantités de dope, il est copropriétaire d'un garage de voitures customisées à Manhattan Beach, un quartier rupin. Pepe me dit que Neves est forcément au courant d'un truc aussi grave. Il paraît que Neves passe généralement dans son joli petit garage en fin d'après-midi.

— Super! Commençons par nous restaurer avant d'aller voir comment on peut transformer notre voiture de service en bagnole de maquereau.

Sur ce, j'ai planté les dents dans l'énorme sandwich qui m'attendait.

75

Le garage de Beach City se trouvait au sud de l'aéroport de Los Angeles, près de la Pacific Coast Highway, dans un secteur commerçant de Manhattan Beach, le Sepulveda Strip.

J'allais m'engager sur le parking réservé à la clientèle du garage lorsque Diaz m'a tapé sur l'épaule.

— Oui, John?

— Une seconde, Mike. Ça t'ennuie de faire le tour du pâté de maisons?

— Pas de souci.

Laissant le garage sur ma droite, j'ai tourné au coin de la rue suivante.

— Tu as envie de retrouver ce Perrine? m'a demandé Diaz. Je veux dire, vraiment envie?

J'ai lancé un coup d'œil à mon collègue du LAPD dans le rétroviseur.

— Je te signale qu'il est décidé à tuer toute ma famille. Je ferais n'importe quoi pour lui mettre la main dessus.

— Alors nous sommes d'accord, a réagi Diaz. Inutile de te mentir, ce Tomas Neves est un dur à cuire et je doute qu'il soit idiot. S'il est du côté de Perrine, tu te doutes bien qu'il n'acceptera jamais de nous suivre. Quand bien même on parviendrait à l'interroger, il ne nous dira rien.

— J'en déduis que tu as une idée derrière la tête, est intervenue Émilie.

Diaz a opiné.

— À la fin des années 1990, le LAPD a fait scandale à cause d'une unité d'intervention baptisée CRASH. Les flics du CRASH ont dépassé les bornes en tabassant sérieusement des membres de gangs, en les accusant de crimes dont ils étaient innocents après avoir accumulé de fausses preuves contre eux. Pour vous dire, les sergents du CRASH distribuaient des médailles à leurs hommes chaque fois que le membre d'un gang était abattu.

— Où veux-tu en venir?

— Les gangs n'ont jamais oublié l'époque du CRASH. Eux comme leurs avocats nous accusent régulièrement d'appliquer les mêmes méthodes aujourd'hui encore quand on procède à des arrestations. Je me dis qu'on devrait pouvoir se servir de la réputation sulfureuse des types du CRASH pour mettre la pression sur notre ami Tomas.

— Je ne comprends pas, a réagi Émilie. Tu veux qu'on fasse peser sur lui de fausses accusations?

— Jamais de la vie, s'est défendu Diaz. Mais on pourrait peut-être... je ne sais pas, moi... faire semblant.

— Je ne sais pas, s'est renfrognée Émilie.

J'ai souri.

— Souviens-toi des conseils de ton directeur, Émilie. Il nous a recommandé de nous montrer inventifs. En plus, on cherche uniquement à obtenir des informations. Il n'est pas question de monter un dossier à charge contre un sous-fifre comme ce Neves.

— Exactement, a approuvé Diaz. Il s'agit uniquement de bluffer, mais, à ce stade, nous n'avons rien d'autre à nous mettre sous la dent. On a besoin d'éléments concrets.

— Très bien, a concédé Émilie. Vous avez raison, on n'est plus à ça près. Je marche avec vous.

Je me suis retourné vers Diaz.

Ce dernier a pointé l'index en direction d'une pharmacie CVS au coin de la rue.

— Arrête-toi là. J'ai besoin de deux ou trois trucs.

76

De violents effluves de rock death metal s'échappaient de l'un des quatre ateliers du garage lorsque nous avons pénétré sur le parking de Beach City Custom.

À l'intérieur, un mécanicien en salopette, un genou à terre, ressoudait le hayon arrière d'un pick-up Toyota. Des étincelles bleutées jaillissaient de la tôle à l'unisson de la musique qui s'échappait de l'autoradio. De l'autre côté de la fenêtre de l'atelier de peinture situé derrière le mécano, un type coiffé d'un masque dessinait des flammes à l'aérographe sur le réservoir d'une énorme moto japonaise.

Parker et moi avons échangé un regard à la vue de l'engin. Les assassins des flics du comté d'Orange s'étaient échappés sur de grosses cylindrées japonaises.

Sans autre forme de procès, Diaz a passé la tête à l'intérieur de l'habitacle du Tacoma afin d'éteindre la radio.

Le soudeur s'est redressé en relevant son masque, découvrant un visage basané grassouillet sur lequel se lisait la surprise.

— Vous déconnez ou quoi?

Diaz a claqué la portière du pick-up en exhibant son badge. Et fait voler à l'autre coin de l'atelier le démonte-pneu qui gisait à ses pieds, à côté du véhicule.

— Ta question en mérite une autre: est-ce que j'ai l'air de déconner? Maintenant, va me chercher Tomas, et que ça saute.

Une seconde plus tard, un Latino large d'épaules et de corpulence moyenne surgissait d'une porte. Vêtu d'une chemise et d'une veste taillées sur mesure au-dessus d'un jean de grande marque, il avait les pommettes et les arcades sourcilières marbrées de cicatrices. De véritables encoches, comme celles que l'on trouve sur les totems, taillées à la hache.

— *Señor* Neves, je présume? s'est lancé Diaz.

— Ouais? C'est pour quoi? a répondu l'autre sans songer à cacher l'étonnement qui se lisait sur son visage de brute.

Il a haussé les épaules en découvrant nos badges.

— Et alors?

— *Señor* Neves, a repris Diaz en lui adressant une courbette. J'imagine que vous êtes très occupé, mais pouvez-vous nous accorder cinq minutes de votre temps? C'est au sujet d'une voiture volée. Si on tombe au mauvais moment, on peut toujours revenir avec un mandat et fermer votre garage.

Tomas a marqué un temps d'hésitation avant de répondre.

— Pourquoi ne venez-vous pas dans mon bureau?

— *Señor* Neves, a raillé Diaz, j'attendais impatiemment que vous nous le proposiez.

Nous l'avons suivi à l'étage jusqu'à une pièce meublée d'un bureau sur lequel ne traînait pas un objet, à l'exception d'un téléphone. En face de la fenêtre s'ouvrait une porte entrebâillée sur des toilettes.

— C'est bon, on est là. Vous êtes content? À quoi rime cette histoire de voiture volée? a aboyé Neves.

— Holà, mon gars! l'a calmé Diaz. Qu'est-ce qui vous prend? On ne vous a jamais appris la politesse? On est à Manhattan Beach. Vous devriez plutôt m'accueillir avec une phrase du style: «Je vous en prie, inspecteur. Asseyez-vous. Je peux vous offrir un soda, inspecteur?» Je ne sais pas, moi. Quand on aspire à réussir dans son business, on regarde les émissions de Martha Stewart pour en prendre de la graine.

— Alors asseyez-vous, je vous en prie, a répondu Neves.

— À la bonne heure! Pas le temps de m'asseoir, mais ça vous ennuie si j'utilise vos toilettes? a demandé Diaz, les mains levées, comme un magicien prêt à exécuter un tour.

— Comme vous voulez.

— Merci, a déclaré Diaz en se dirigeant vers les toilettes. La propreté est presque aussi importante que la sainteté.

Diaz n'avait pas fait deux pas dans les toilettes qu'un grattement de porcelaine retentissait et qu'il laissait échapper un cri.

— C'est quoi, ça? a éructé Diaz.

Émilie avait le plus grand mal à garder son sérieux, tout comme moi.

L'instant suivant, Diaz ressortait de la petite pièce en affichant une expression ébahie, un petit paquet dégoulinant d'eau à la main: le morceau de savon qu'il avait pris la précaution d'envelopper dans du papier cellophane rouge sur le parking de la pharmacie. Le paquet ressemblait à s'y méprendre à un kilo de cocaïne.

— C'est quoi, ça, Tomas? s'est enquis Diaz en secouant la tête d'un air effaré. Un petit conseil, *señor*. Quand vous cherchez à cacher un truc aux flics en le planquant dans le réservoir des toilettes, n'oubliez pas de remettre le couvercle correctement en place.

— Holà! a balbutié Tomas, les paupières écarquillées.

Ses yeux ont papilloté et il a secoué violemment la tête.

— C'est pas vrai, dites-moi que c'est une vanne. Vous me faites marcher, c'est ça?

— Ouais, a rétorqué Diaz en le collant contre le mur avant de le menotter. Vous voulez entendre la chute de ma vanne? Vous avez le droit de garder le silence.

— C'est vous qui avez planqué cette saloperie dans les chiottes! C'est vous qui l'avez planquée là!

— On ne peut rien te cacher, Tomas, lui a murmuré Diaz en guise de réponse. Tu veux que je te confie un petit secret? J'adore planquer ce genre de petites surprises chez les ordures de ton espèce. Tu sais quoi? Il n'y a jamais eu de voiture volée et on n'a plus besoin de prendre des gants avec vous autres. Figure-toi que ma hiérarchie vient de me donner son feu vert, alors je suis aux anges. Le bon vieux temps du CRASH est de retour!

— Tu déconnes, mec. De quoi tu parles?

— Ton pote Manuel a buté une collègue du FBI et tu t'imagines peut-être que ça va passer comme une lettre à la poste? Tu pensais quoi?

— Mais enfin! Je ne connais pas de Manuel! De quoi tu parles? J'exige de voir mon avocat! Ho! Les gars, allez chercher Terrence! s'est mis à hurler Neves.

Par la fenêtre, j'ai vu le soudeur s'éloigner au pas de course.

Je me suis tourné vers Diaz.

— John?

— T'inquiète, tout roule.

Diaz a saisi le voyou par le col et lui a écarté les jambes d'un coup de pied tout en le repoussant violemment contre le bureau.

— Maintenant, écoute-moi, et écoute-moi bien. Ton avocat ne pourra rien pour toi quand je te collerai au fond du lac de MacArthur Park avec ces putains de menottes, *maricón*. Je te conseille de l'ouvrir, et vite.

Tomas s'est mis à parler en espagnol et Diaz lui a répondu dans la même langue. Nous avons tous sursauté en entendant un poing s'abattre sur la porte de la pièce, derrière nous.

77

Émilie et moi avons prestement sorti nos armes.

— Hé là! Que se passe-t-il? Tomas, tu es là? Tout va bien? Ouvrez la porte!

J'ai ouvert le battant brutalement, l'arme au poing.

— Interrogatoire de police! Les mains en l'air!

À mon grand étonnement, j'ai découvert sur le seuil, non pas un voyou de type hispanique, mais un Asiatique tout fluet en tenue de golf, des lunettes Clark Kent sur le nez.

— De quel droit me menacez-vous d'une arme? Je suis Terrence Che, l'avocat de M. Neves. J'exige de savoir immédiatement de quoi il retourne!

— Ils ont essayé de me piéger, voilà de quoi il retourne! s'est écrié Neves. Ils veulent me piéger, Terrence!

Diaz a levé les yeux au ciel.

— Et merde, a-t-il maugréé en retirant les menottes de Tomas.

— Qui êtes-vous? De quel droit harcelez-vous mon client? a demandé Che.

J'ai rangé mon arme dans son étui.

— C'est une longue histoire, a répondu Diaz en tendant à l'avocat le petit paquet de cellophane détrempé renfermant un simple morceau de savon.

Il a quitté la pièce en écartant le petit homme d'un geste.

— Nous sommes en retard pour un rendez-vous, a glissé Émilie en imitant son exemple.

Je me suis coulé dans leur sillage.

— Hé là! Je n'en ai pas terminé avec vous. C'est illégal! s'est énervé l'avocat miniature en nous emboîtant le pas dans l'escalier. Vous n'avez pas le droit d'agresser les citoyens impunément. Donnez-moi vos numéros de matricule.

— Mon numéro de matricule? a répété Diaz en se retournant, le majeur levé. Matricule 001 du LAPD. Ça vous va? Allez, salut!

— Eh bien, on a réussi à s'en tirer, a remarqué Émilie alors que nous quittions le parking du garage sur les chapeaux de roues, dans l'espoir que l'avocat n'ait pas eu le temps de relever le numéro de la plaque.

— On s'en est même bien tirés, a approuvé Diaz en s'étalant sur la banquette arrière.

— Que veux-tu dire? Que t'a raconté Tomas?

— Il m'a supplié de le laisser tranquille, de peur que Manuel ne massacre toute sa famille.

— En clair, Tomas possède des informations sur lui, en a conclu Parker.

Diaz a acquiescé.

— Apparemment.

78

De retour au QG, nous nous sommes empressés de communiquer nos informations au reste de l'équipe. La réaction de notre hiérarchie ne s'est pas fait attendre.

Le directeur adjoint du FBI, Dressler, a téléphoné personnellement à l'un des principaux analystes de la NSA en lui demandant d'établir un relevé d'information complet sur Tomas Neves.

Le RIC est un superordinateur de l'Agence nationale de sécurité qui permet de trier et de décrypter l'ensemble des éléments relatifs à n'importe quel individu, glanés n'importe tout à travers la planète. Nul besoin de mandat, ni même de demande officielle aux banques et autres compagnies de téléphone. Les hackers de la NSA sont libres de consulter cette banque de données gigantesque au gré de leurs besoins.

L'ordinateur en question était censé avoir disparu au lendemain du scandale déclenché par l'ACLU, l'Union américaine pour les libertés civiles, mais il n'en était visiblement rien. Personnellement, je n'aurais pas songé à m'en plaindre. Dans ce cas précis, tout du moins. Peu m'importait d'enfreindre la loi tant qu'il s'agissait de mettre un terme aux atrocités commises par Perrine à l'encontre de mes concitoyens.

Le pragmatisme froid de Dressler n'était pas pour me déplaire, il avait poussé l'intelligence jusqu'à éviter de nous demander de quelle façon nous étions entrés en possession des informations relatives à Neves. Il cherchait uniquement à coincer Perrine. Ce dernier aurait mieux fait de réfléchir à deux fois avant d'ordonner l'exécution de Lillian Mara. Le FBI n'était pas près de laisser passer un tel affront.

J'étais tout aussi admiratif du comportement de Diaz. Ce sosie de Charles Bronson n'avait pas pris de gants face à Neves. Un flic de la vieille école, capable de comprendre que certains problèmes se règlent plus facilement par la force que par la douceur.

J'ai profité d'une pause-café dans la salle de repos du QG pour lui poser la question.

— Dis-moi, John. Le scandale lié à l'unité spéciale CRASH dont tu nous as parlé. Tu n'y aurais pas été mêlé d'une façon ou d'une autre, par le plus grand des hasards?

Diaz a plongé les yeux dans son café d'un air songeur.

— Maintenant que tu m'en parles, Mike, m'a-t-il répondu avec un clin d'œil, figure-toi que si. Par le plus grand des hasards.

79

Le Tailleur roulait depuis près de trois heures sur la 395, après avoir quitté San Francisco à midi, lorsqu'il aperçut la première pancarte indiquant la direction de Susanville.

Il passa à côté d'une vache étique, longea une grange abandonnée, aperçut des machines agricoles rouillées. Le paysage qu'il voyait dérouler de l'autre côté de la vitre était presque lunaire, mélange de sable délavé et d'herbes folles avec des chaînes de montagnes en arrière-plan. Le décor n'aurait pas paru déplacé en couverture d'un roman de science-fiction bon marché. Le vent sifflait à travers la vitre ouverte, le soleil faisait scintiller les branches dorées de ses lunettes noires d'aviateur. Le Tailleur roulait quelques kilomètres au-dessus de la limite autorisée, radio éteinte.

De taille moyenne, d'apparence anodine, la trentaine chauve, il portait un polo de couleur sombre sur un pantalon de toile grise soigneusement repassé. Le Tailleur avait travaillé un temps pour le FBI dans l'Est, après avoir appartenu aux Rangers. Ses activités présentes lui avaient permis de s'acheter une maison de ville à Frisco et un appartement donnant sur l'océan à San Diego ; il était surtout titulaire d'une bonne dizaine de comptes en banque dont la valeur cumulée, au dernier pointage, approchait les six millions de dollars.

Nul ne connaissait sa véritable identité. Ceux qui avaient recours à ses services se contentaient de l'appeler le Tailleur, à cause de ses goûts vestimentaires, et plus encore parce que son travail était systématiquement cousu main.

Il quitta la 395, passa devant un supermarché Walmart et entra dans la ville. Il remarqua quelques stations-service, de vieux pick-up garés dans des chemins de terre, des habitants tout aussi vieillissants arpentant les trottoirs. Susanville était censée abriter une prison, mais celle-ci restait invisible. Il parcourut ses notes et se gara dans Main Street, en face d'un bar. Il composa sur son portable le numéro du contact que lui avait fourni le cartel.

— Je souhaiterais parler à Joe, fit le Tailleur en entendant décrocher.

— C'est moi.

— Je suis garé de l'autre côté de la rue, la Chevy Cruze blanche.

Un jeune type barbu sortit du bar moins d'une minute plus tard. Large d'épaules, un jean coupé en guise de bermuda, il avait enfilé un T-shirt Nike dont la virgule était aussi délavée que la bourgade elle-même. Le Tailleur remarqua que Joe avait une haleine chargée de bière alors qu'il était tout juste 15 heures. L'indic s'installa sur le siège passager.

— Ça vous ennuierait d'attacher votre ceinture ? lui demanda aussitôt le Tailleur.

— Pardon ?

— Votre ceinture. Vous pouvez l'attacher ?

Le Tailleur attendit patiemment que son contact se soit exécuté avant de démarrer. La police californienne ne plaisantait pas avec les ceintures et il n'avait aucune intention de risquer un contrôle. Pas avec l'équipement qu'il transportait dans son coffre.

— On va où ? s'inquiéta Joe.

— Juste faire un petit tour, lui répondit le Tailleur. Vous connaissez bien la ville ?

— Tu parles. J'y vis depuis toujours, pour mon plus grand malheur. Je peux fumer ?

— Non, répliqua le Tailleur. Vous travaillez au collège local ?

— Plus ou moins. Je sers d'assistant à l'entraîneur de l'équipe de football américain. Inutile de me débiter vos vannes sur Sandusky[1], merci beaucoup.

Le Tailleur lui tendit le dossier contenant les photos.

— Vous reconnaissez ces gamins? Ils vivaient dans les environs depuis à peu près six mois.

— Non. Ça me dit rien du tout, répondit Joe après avoir feuilleté les portraits. Une gamine d'origine asiatique dans le coin, je m'en souviendrais.

Le Tailleur hocha machinalement la tête. Les enfants Bennett suivaient des cours à la maison, ainsi qu'il fallait s'y attendre, conformément aux recommandations du programme de protection des témoins.

— J'aimerais que vous regardiez à nouveau ces photos, Joe. Plus attentivement. Vous avez très bien pu les croiser au Walmart, dans la pizzeria locale, dans la rue, à l'église?

— Attendez, l'arrêta Joe en levant l'index. Il feuilleta le dossier dont il finit par retirer le portrait du vieux curé.

— Ce type-là serait pas irlandais, par hasard? Il n'aurait pas l'accent irlandais?

Le Tailleur, qui en était quasiment sûr, vérifia néanmoins ses notes d'un coup d'œil.

— Effectivement, confirma-t-il.

— Ma mère m'a raconté qu'un prêtre irlandais avait remplacé le curé il y a quelques semaines.

Un frisson parcourut l'échine du Tailleur, accompagné d'une boule de chaleur au niveau de l'estomac. Il s'était toujours figuré que les requins éprouvaient la même sensation en découvrant l'odeur du sang dans l'eau. Une odeur de chair fraîche. Un avant-goût de victoire.

Le contrat passé sur la tête du clan Bennett tenait plus de la baleine que du menu fretin. Trois millions de dollars, avec

---

1. Jerry Sandusky, célèbre assistant entraîneur à l'université d'État de Pennsylvanie et auteur de plusieurs ouvrages de référence, a été arrêté et inculpé en 2011 pour plusieurs dizaines d'attouchements sur mineurs.

lesquels le Tailleur savait déjà ce qu'il allait s'acheter: un appartement à Paris. Il adorait voyager.

— Vraiment? insista-t-il en mettant sagement son clignotant avant d'exécuter un demi-tour dans les règles de l'art.

Joe hocha la tête en tirant sur sa barbe.

— Toutes ces vieilles taupes en faisaient des gorges chaudes. Je vous laisse imaginer à quoi se limitent les nouvelles dans un trou comme Susanville.

— Où se trouve l'église catholique? s'enquit le Tailleur.

— Où se trouve mon fric?

— Dans la boîte à gants.

Joe s'empressa de récupérer la somme avec un large sourire. La crise avait dû frapper de plein fouet les péquenauds du cru. Le Tailleur n'avait jamais vu quiconque vendre à des marchands de mort une famille entière en échange de cinq cents dollars en billets de vingt.

— Tournez à gauche, dit Joe. L'église se trouve juste là, sur votre droite.

80

La chambre de Mary Catherine se trouvait au deuxième étage du grenier aménagé de la vieille ferme de style victorien. La pièce, à peine plus grande qu'un placard, disposait toutefois d'une lucarne avec une vue imprenable sur l'immensité des pâturages et la Sierra Nevada. La jeune femme n'aurait pas échangé son observatoire pour un empire.

Un large croissant de lune pendait au-dessus des sommets acérés lorsque Mary se réveilla en sursaut peu après 1 heure du matin. Elle retourna son oreiller et observa longuement le paysage à travers le carreau, l'oreille tendue, en se demandant ce qui avait bien pu la tirer de son sommeil.

Elle laissa s'écouler une minute avant de décider que ce n'était rien, sinon la conséquence des deux verres du vin que Leo avait apporté pour le dîner. Elle buvait rarement ces temps derniers, mais Leo s'inquiétait tant que sa bouteille ne fasse pas honneur aux poulets rôtis qu'elle avait fait une entorse à la règle. S'il suffisait de deux verres de pinot gris pour rassurer son hôte…

La jeune femme sourit en se souvenant que ce nouveau dîner avec Leo s'était mieux terminé que le précédent. Les garçons avaient fini par se dérider. Leo avait le don d'apaiser les gens. Il émanait de lui beaucoup de calme, d'ouverture, de… de gentillesse. Il était impossible de ne pas l'aimer.

Restait à savoir comment Mike s'entendrait avec Leo, à son retour. Mary décida qu'il serait toujours temps d'y réfléchir plus tard. Elle n'aurait jamais volontairement joué de la corde de la jalousie, ce qui ne l'empêchait pas d'être curieuse d'observer la réaction de Mike, le jour venu, en constatant qu'un autre homme s'intéressait à elle.

Elle observait distraitement le paysage plongé dans l'obscurité, les montagnes luminescentes sous le regard des étoiles, préoccupée par Leo et Mike, lorsqu'elle crut entendre un bruit au rez-de-chaussée. Un léger frottement, suivi par le craquement d'une latte de parquet.

Quoi encore ? pensa-t-elle, le front barré d'un pli, en posant un pied nu sur les planches mal rabotées, à la recherche de ses chaussons. Elle écarta doucement la porte de sa chambre, descendit au premier étage et se pencha au-dessus de la rambarde du palier. Une lueur bleutée suspecte s'échappait du salon.

Elle descendit les dernières marches à pas de loup et contourna silencieusement la cuisine. Elle ne s'était pas trompée. Des fantômes en chair et en os.

Eddie et Ricky, étalés sur le canapé, s'affrontaient à grands coups de joystick au jeu de basket PlayStation que leur avait offert Leo.

— Panier ! Trop bien ! Je suis le meilleur ! triompha Eddie en brandissant sa télécommande. Je vais te battre à plate couture avec mes dunks !

— Espèces de petits filous ! s'écria Mary.

Les deux gamins sursautèrent. Eddie lâcha sa télécommande et s'allongea devant l'écran en feignant de dormir tandis que Ricky faisait front bravement.

— Mary ! Euh… tu veux jouer ?

— Ne sois pas insolent, en plus. Il est quasiment 2 heures du matin, pour l'amour de Dieu. La tête sur l'oreiller, tout de suite ! L'un comme l'autre ! Sinon je vous dunke tous les deux dans votre chambre pendant une semaine ! J'hésite à demander à M. Cody de vous engager demain à l'aube pour traire ses vaches. Ça vous aidera peut-être à comprendre à quoi peut servir une bonne nuit de sommeil.

— Oh non! Pas les vaches! T'as pas le droit, c'est trop dur! s'écria Eddie en bondissant sur ses pieds afin de devancer son frère dans l'escalier.

Mary Catherine, la télévision éteinte, traversait la cuisine lorsqu'elle remarqua que la cafetière était pleine. Leo, de service à l'extérieur, avait dû s'en préparer. Elle se recoiffa devant la glace de la salle de bains, enfila un vieux blouson par-dessus son pyjama et remplit un mug.

Ce soir, je l'embrasse, décida-t-elle avec un sourire en traversant l'entrée avec son mug. Depuis le temps qu'elle attendait le bon moment!

— Hello, c'est moi, déclara-t-elle, un sourire aux lèvres, en poussant la porte moustiquaire.

Il lui fallut de longues secondes avant de comprendre à quoi correspondait le tas affalé à l'extrémité de la galerie. Le mug lui tomba des mains et se brisa en mille morceaux à ses pieds.

Leo gisait à même les planches de la galerie, sur le dos, à côté de sa chaise de camping renversée. Une étoile de la taille d'une grosse tache d'encre s'étalait sur le bardage extérieur de la maison, à hauteur de la rambarde. Mary se couvrit la bouche d'une main en s'attardant sur le visage du marshal. Un trou béant s'ouvrait au-dessus de son œil gauche grand ouvert, et une mare sombre se dessinait derrière sa tête.

Mary, le souffle coupé, fut parcourue d'un long frisson. Leo? Abattu? Leo était mort! Non, impossible! Comment? Par qui?

Elle tenta de se rassurer en se disant qu'il s'agissait d'un accident. Il avait très bien pu laisser tomber son arme, le coup serait parti tout seul.

Et puis elle entendit un bruit. Quelque part sur sa droite dans l'obscurité, du côté de la route permettant d'accéder à la maison. Un sifflement, un sifflement grave d'avertissement entre deux complices, suivi du grésillement caractéristique d'une radio.

Mary se figea dans la nuit, sans bouger ni respirer, ses chaussons tout tachés de café.

Ils nous ont retrouvés, pensa-t-elle à l'instant précis où elle sentait une présence derrière elle.

Elle n'eut pas le temps de se retourner. Deux bras puissants la prirent à bras-le-corps et la portèrent à l'intérieur de la maison tandis qu'une main calleuse s'abattait sur sa bouche avant qu'elle ait pu proférer un cri.

LIVRE 4

FACETIME

81

Les informations relatives à Tomas Neves et aux membres du gang MS 13 nous sont parvenues vers 23 heures ce soir-là.

La moisson était impressionnante. Elle comprenait tout d'abord l'ensemble des appels et des textos échangés par les intéressés. Venaient ensuite les e-mails, les recherches effectuées sur Google, les déclarations d'impôts, les plaques minéralogiques des véhicules enregistrés à leur nom.

— Je vois que Big Brother fait des heures sup', a plaisanté Diaz en s'humectant le pouce avant de feuilleter l'une des liasses.

Il avait raison, il y en avait presque trop. Faute de place sur nos bureaux, Émilie, Diaz et moi avons été contraints d'étaler les documents par terre afin de nous y retrouver.

À la suite de nos découvertes de la veille, trois personnes étaient arrivées en renfort : un géant de Brooklyn du nom d'Ed Kelly, frais émoulu de l'école du FBI, ainsi que deux agents confirmés des services des douanes et de l'immigration de Los Angeles, Joe Irizarry et Steve Talerico.

Ces derniers, Angelenos de naissance, nous ont beaucoup aidés d'un point de vue logistique. Réunis autour de plats chinois à emporter, nous avons longuement étudié les cartes Google de la propriété de Neves à Reseda, à la recherche des points de surveillance idéaux.

Les ultimes détails réglés, nous avons réuni des caméras et des jumelles à infrarouge avant de nous mettre en route vers

2 heures du matin. Nous venions de rejoindre le garage du commissariat d'Olympic quand le portable d'Émilie a sonné.

— OK, s'est-elle contentée de prononcer dans l'appareil en refermant la portière de la voiture qu'elle venait d'ouvrir.

Elle m'a montré du doigt l'ascenseur.

— C'était John Downey, du bureau de Los Angeles. On retourne au QG. Apparemment, il y a du neuf sur Perrine.

En déboulant au deuxième étage, je m'attendais à voir la masse des membres de la force d'intervention agglutinés autour du grand écran. Ce dernier était toujours allumé, les flics se trouvaient bien là, mais ce n'était pas l'écran qu'ils regardaient. C'était moi.

— Ici, Mike, m'a hélé John Downey depuis le seuil du seul bureau fermé de notre quartier général.

Trois techniciens étaient déjà sur place, et deux d'entre eux s'escrimaient sur le clavier de leur ordinateur.

— Que se passe-t-il?

— C'est Perrine. Ce cinglé vient de nous contacter par le biais du site Internet du LAPD. Il exige de te parler directement sur Skype.

J'ai ressenti un pincement au cœur.

— Me parler? Comment peut-il être au courant que je me trouve à Los Angeles? Je suis censé être terré dans une planque.

Downey a haussé les épaules.

— Aucune idée. Tout ce que je sais, c'est qu'il utilise une adresse encryptée. Nous avons demandé à la NSA de tenter de la localiser.

J'ai paniqué. Perrine disposait-il vraiment d'une taupe au sein de la force d'intervention?

Je me suis passé la main nerveusement dans les cheveux.

— Je ne sais pas. Je ne suis pas certain d'avoir envie de lui parler.

— Je m'en doute, Mike. Je ne t'aurais jamais demandé d'accepter s'il n'avait pas un otage. Il promet de l'exécuter si tu n'es pas sur Skype d'ici cinq minutes.

— J'aurais dû m'en douter.

Downey m'a fait signe de le rejoindre derrière son bureau et m'a installé devant un écran d'ordinateur. J'ai pris ma respiration en voyant s'afficher la petite fenêtre Skype. Toute cette histoire ne me disait rien de bon. J'avais un mauvais pressentiment.

L'un des techniciens a enfoncé une touche et Perrine est apparu à l'écran. Il était installé dans un fauteuil à billes, à côté d'un Mexicain au regard affolé dont la bouche, les chevilles et les poignets étaient entravés par du ruban adhésif.

On distinguait une paroi en tôle en arrière-plan. J'ai très vite compris qu'ils se trouvaient dans une camionnette. Perrine s'est emparé d'une balle de tennis qu'il faisait rebondir sur le plancher du véhicule.

L'otage a relevé la tête et j'ai vu qu'il arborait un col romain. Un prêtre! Perrine avait pris en otage un jeune prêtre!

— Inspecteur! m'a apostrophé Perrine d'une voix sonore en lançant un coup d'œil en direction de son écran. Enfin, je vous tiens. Je me demandais quand vous finiriez par réapparaître. Vous avez l'air fatigué. Vous souffrez d'insomnies, peut-être? Sérieusement, comment allez-vous? Et vos enfants?

Sans la présence de ce prêtre dont le visage terrorisé m'hypnotisait, j'aurais volontiers envoyé promener cette ordure arrogante. Le malheureux otage, plutôt fluet, avait tout juste la trentaine. J'étais de tout cœur avec lui, je devais impérativement tenter de le sauver.

— Je suis là, Manuel. Vous pouvez libérer ce pauvre homme. D'accord?

— Le libérer? Excellente idée, inspecteur, a répliqué Perrine en se levant avant de disparaître de l'écran.

La paroi derrière le prêtre a coulissé dans un chuintement et j'ai vu défiler en arrière-plan une glissière métallique, des arbres, l'accotement d'une route.

— Non!

Le cri a jailli tout seul lorsque j'ai vu Perrine lever la jambe et donner un grand coup de pied dans la poitrine du prêtre.

Le Mexicain a volé à travers l'ouverture de la porte coulissante avant de s'enfoncer dans l'obscurité. Sans un cri. Sans un bruit. Il avait disparu.

82

Mon Dieu, ai-je pensé, pris de vertige dans ce petit bureau où j'étouffais soudainement. Mon Dieu.

Perrine a refermé la portière coulissante, puis s'est époussseté les mains avant de se laisser retomber dans son fauteuil à billes. Le temps de récupérer sa balle de tennis, il a repris son petit jeu.

— Alors ? Où en étions-nous ? a-t-il déclaré en rattrapant la balle. Ah oui. Vos enfants. Comment se porte la version flic de la famille Duggar ?

— Espèce de salopard.

— Mike, Mike ! Arrête de pleurer la mort de ce curé. Il est heureux, il a retrouvé son Dieu. Tu sais, comme ton copain. Comment se prénommait-il, déjà ? Hughie ?

Il me narguait, dans l'espoir de me faire craquer. Il était à deux doigts d'y parvenir. J'aurais volontiers balancé mon poing dans l'écran, sauf que je ne pouvais pas. Je me suis forcé à calmer ma respiration, refusant de lui donner satisfaction. C'est d'une voix posée que je lui ai répondu :

— C'est vrai. Vous avez raison, Manuel. Hughie est allé retrouver Dieu.

Je me suis approché de la caméra de l'ordinateur.

— Comme votre femme, Manuel. Non, une petite seconde. Je me trompe. Comment pourrait-elle se trouver avec Dieu, puisque je l'ai expédiée tout droit en enfer ?

La balle a rebondi contre la tôle de la camionnette sans que Perrine tente de la rattraper cette fois. Il s'est levé et son visage s'est affiché en gros sur l'écran.

— J'ai une autre petite surprise pour vous, Bennett. Mes hommes vous l'envoient dans un instant. Je vous conseille de préparer du pop-corn et de vous installer confortablement dans un bon fauteuil. Les images devraient vous plaire, Mike. Vous plaire énormément. On en reparle tout de suite après, histoire d'échanger nos impressions. Cela dit, ne vous forcez pas si ça vous ennuie d'en discuter avec moi. Je comprendrais très bien. Je ne suis pas certain que vous soyez vraiment d'humeur bavarde après ça. *Au revoir*, a-t-il conclu en français.

L'image a viré au noir.

Je me suis tourné vers Downey.

— Attendez. De quoi parlait-il? De quelles images? Où sont-elles?

— Je reçois à l'instant un nouveau message, est intervenu l'un des techniciens en enfonçant une touche. Une demande d'accès à Skype.

La fenêtre s'est animée et j'ai tout de suite vu que la vidéo avait été réalisée à l'aide d'une caméra à infrarouge. On distinguait un champ désert. L'image, pleine de grain, évoquait celles des anciens téléviseurs noir et blanc, avec une teinte verte générale.

J'ai brusquement compris qu'il ne s'agissait pas d'un film, mais d'images tournées en direct, puisque nous étions sur Skype.

La caméra a pivoté vers la gauche en tremblant et une silhouette agenouillée sur le sol est apparue à l'écran. Un mercenaire quelconque vêtu d'une combinaison étanche, un masque à gaz sur le visage.

Le fentanyl! Perrine avait commandité une nouvelle attaque au fentanyl et voulait m'obliger à assister à la scène. Deux autres soldats en combinaison se sont approchés du premier et la caméra les a suivis en tremblotant à travers le champ.

Le petit groupe a franchi une clôture et s'est engagé sur un chemin de terre qui serpentait à travers une petite colline. Les soldats avançaient prudemment en se couvrant les uns les autres. Au détour d'un virage, une maison a émergé de la nuit.

J'ai sursauté violemment en reconnaissant le bâtiment, anesthésié par le choc. J'étais comme paralysé. Je n'étais plus là. Je n'existais plus. Comme si la terre entière s'était brusquement effritée sous mes pieds.

— La planque! a crié Émilie quelque part derrière moi au moment où les soldats, à l'image, prenaient pied sur la galerie.

— La maison de Susanville! Mon Dieu, ses enfants! a hurlé Émilie en faisant irruption dans le bureau. Vite! Contactez les marshals!! Où sont les marshals? Les hommes de Perrine sont en train d'attaquer la famille Bennett à Susanville!

83

Sur la fenêtre Skype s'affichait la silhouette d'un marshal allongé à même le plancher de la galerie. Il était mort. Incapable d'en voir davantage, je me suis levé. J'ai quitté le bureau de Downey et rejoint le box que je partageais avec Émilie dans un coin de la pièce. Je me suis assis, tétanisé, hypnotisé par un point invisible sur le mur qui me faisait face.

Émilie s'est précipitée.

— Ils ont coupé la transmission, Mike. On les a vus enfoncer la porte d'un coup de pied, et puis l'écran est passé au noir. On envoie du monde là-bas immédiatement. Beaucoup de monde.

Je suis resté muet, incapable de la regarder, les yeux fixés au mur. Je n'aurais jamais dû abandonner les miens. Emporté par des émotions contradictoires, je me sentais comme quelqu'un que l'on aurait attaché à une chaise et qui voit son gamin de deux ans enjamber le rebord de la fenêtre avant de basculer dans le vide. Je n'étais pas seulement perdu. J'étais détruit.

Je n'ai pas gardé grand souvenir des vingt minutes qui ont suivi. Je me rappelle très vaguement que l'on s'activait autour de moi. Émilie multipliait les coups de téléphone frénétiques, Downey passait régulièrement me dire que toutes les unités disponibles étaient en alerte.

Restait à savoir ce qu'elles découvriraient lorsqu'elles arriveraient à la ferme.

Ensuite, Émilie m'a aidé à me relever. Je l'ai suivie machinalement jusqu'à l'escalier. Mais au lieu de descendre, nous sommes montés dans les étages.

— Que se passe-t-il?

C'est à peine si je reconnaissais ma voix.

— Ils te conduisent à Susanville, Mike. Tu pars en hélicoptère pour la base de Southern Cal où t'attend un avion. Je ne te quitte pas d'une semelle, d'accord? m'a-t-elle demandé, sa main crispée sur mon coude.

Je me suis immobilisé sur le palier en me dégageant de son emprise.

— Quelles sont les nouvelles?

— On ne sait toujours rien.

— C'est long. Comment se fait-il que personne ne soit encore arrivé sur place?

Je me suis agrippé au poignet d'Émilie.

— Ils sont tous morts et personne n'ose me le dire. Dis-le-moi. Dis-moi la vérité.

— Je ne te mentirais jamais, Mike. Je suis incapable de te dire pourquoi personne n'a encore répondu. On sait seulement que la radio et le portable du marshal en poste sur place restent muets, tout comme la ligne fixe de la maison. Je te promets de tout te dire à l'instant où je saurai, Mike. En attendant, le mieux est de nous rendre sur place, d'accord? a conclu Émilie en me poussant vers le toit de l'immeuble.

Cinq minutes plus tard, un Black Hawk MH-60 émergeait de la nuit, un jeune militaire baraqué m'aidait à monter à bord et bouclait ma ceinture. En temps normal, ce décollage soudain au-dessus des lumières de Wilshire Boulevard, le vent qui s'engouffrait dans l'habitacle par les baies béantes de l'appareil, tout m'aurait paru magique. Dans l'état où je me trouvais, tout me semblait irréel. Je flottais hors de mon corps depuis que Perrine m'avait montré les images de cette planque qui n'en était plus une.

Un jet de l'Air Force, réservoir plein et prêt à décoller, nous attendait sur le tarmac de la base. Deux jeunes types d'une extrême gentillesse m'ont sanglé à l'intérieur de l'appareil et nous avons pris l'air. Pas une seule fois Émilie n'a cherché à me prodiguer des conseils idiots, du genre dormir, me calmer, ou quoi que ce soit. Nous volions depuis quelques minutes quand je me suis aperçu que je tenais sa main serrée dans la mienne.

Moins d'une heure plus tard, nous atterrissions sur l'aérodrome de Susanville. La porte du jet s'est ouverte et j'ai découvert plusieurs véhicules de police rangés le long de la piste, leurs gyrophares allumés. Nous avons pris place à bord d'une voiture de la police d'État qui a emprunté à toute allure la route d'où partait le chemin conduisant à la ferme. Une vingtaine de véhicules officiels nous attendaient à l'embranchement. Pourquoi diable ne se trouvaient-ils pas déjà sur place? Ma tête était au bord de l'implosion. Un grand brun du FBI est sorti en trombe d'un Chevy Tahoe noir en nous apercevant.

Je ne lui ai pas laissé le temps d'ouvrir la bouche.

— Qu'est-ce que vous foutez?

— Je sais que vous êtes très perturbé, inspecteur.

Plutôt beau gosse, mâchoire carrée, jean et veste en tweed au lieu du costume noir habituel des agents du Bureau. Le genre de prof de fac que ses étudiantes adorent.

Je l'ai agrippé par le revers de sa veste.

— C'est ma famille qui est là-bas!

Il a gentiment tenté de me repousser. Je l'ai secoué.

— Mes quatre fils, mes six filles, mon grand-père et la nounou. Qu'est-ce que vous fichez ici au lieu de les aider?

Il s'est dégagé en me donnant un coup sur la main. J'ai riposté en lui envoyant mon poing dans la figure. J'étais prêt à recommencer quand le flic de la police d'État qui m'avait récupéré à l'aérodrome m'a immobilisé en me prenant à bras-le-corps.

— Ils sont tous morts? C'est ça? J'exige de le savoir!

— Putain…, a répliqué le jeune agent fédéral en se caressant la lèvre. On n'en sait rien, d'accord? On ne peut pas approcher la maison à cause du fentanyl. On attend les gars de l'unité de décontamination.

Alors j'ai perdu la boule. Je me suis libéré du flic qui me tenait en lui envoyant un grand coup de coude avant de m'élancer sur le petit chemin. Il a fallu pas moins de deux flics et d'un autre agent du Bureau pour me plaquer au sol.

— Lâchez-moi immédiatement ou je vous abats tous les trois!

Je me débattais dans tous les sens dans la poussière. J'étais comme fou. Une cloison s'est écroulée quelque part au fond de moi et je me suis mis à hurler en sanglotant, le visage marbré de terre.

— Lâchez-moi! Lâchez-moi, bande de salauds!

— Vous ne pouvez pas y aller à cause du gaz, m'a expliqué l'un des flics d'État. Je sais bien que vous avez envie de retrouver les vôtres, mais vous mourriez sur-le-champ si vous pénétriez dans la maison sans équipement de protection.

— Je sais! Je veux être gazé! Laissez-moi y aller! Je veux rejoindre mes enfants!

84

J'ai fini par me calmer après avoir versé toutes les larmes de mon corps. Émilie m'a installé à l'arrière de l'un des 4x4 du Bureau. Ce n'était pas la première fois de ma vie que je craquais, mais jamais devant un tel parterre. Et je n'avais pas encore affronté l'inaffrontable.

Les types de l'unité d'élite du FBI sont arrivés dans une sorte de camion de pompiers. Ils avaient déjà enfilé leurs combinaisons étanches. Émilie est allée les trouver et ils ont accepté de me harnacher pour que je les accompagne, à condition de rester en arrière et de ne frapper personne.

J'ai remonté le petit chemin en compagnie d'Émilie, derrière le groupe de huit spécialistes. Il émanait de mon masque une odeur de pin qui me soulevait le cœur.

Les types de l'unité d'élite se sont brusquement immobilisés en apercevant du mouvement devant eux. L'un d'eux a épaulé son fusil.

Je l'ai arrêté en me servant du micro intégré à mon masque.

— Ne tirez pas!

J'avais reconnu l'un des chiens de berger de Cody. Il s'est planté au milieu du chemin en aboyant furieusement. Mon Dieu! M. Cody! Je l'avais complètement oublié. L'avaient-ils tué, lui aussi? Pour le punir de nous avoir aidés? Le chien s'est arrêté d'aboyer, a fait demi-tour et s'est éloigné en courant.

Le petit chemin dessinait une courbe au sortir de laquelle nous est apparue la maison. Pas une lumière ne filtrait des fenêtres. Pas un bruit ne troublait la nuit. On aurait pu croire que je voyais la ferme pour la première fois, dans son halo de lune. Les tuiles en écaille, le toit à pignons, les dentelles en bois dignes d'une maison de pain d'épice. La ferme, de style victorien, aurait été mieux à sa place dans le quartier de Pacific Heights à San Francisco que dans cette campagne désertique.

J'ai secoué la tête en apercevant la lucarne de la chambre de Mary Catherine.

Mary...

Mille images se sont imprimées dans ma tête.

Mary occupée à recoudre un abat-jour acheté sur eBay. Mary à genoux dans l'entrée, un seau d'enduit à côté d'elle, en train d'apprendre aux filles à reboucher des fissures. Mary qui savait tout réparer. Mary qui savait transformer une vieille maison en un lieu plein de vie. N'importe quelle vieille maison, même une planque.

Je me suis arrêté sur le chemin en comprenant brusquement qu'au fond de moi j'avais toujours su que nous vivrions ensemble un jour. Au lieu de quoi, j'allais devoir appeler les siens en Irlande pour leur annoncer qu'elle était morte. J'ai serré les poings en sentant mes mains se mettre à trembler.

— Ça va, Mike? s'est inquiétée Émilie. Tu préfères repartir?

J'ai répondu non de la tête. J'ai cru un instant que j'allais vomir, avant de me reprendre.

— Allons-y.

J'ai marché dans un truc mou en arrivant dans le jardin. Une balle de base-ball, ou plutôt ce qu'il en restait. Brian avait une telle force de frappe qu'il les explosait toutes. J'ai repensé au jour où mon aîné avait disputé son premier match de football américain à New York, le sourire lumineux qui avait éclairé son visage, ce jour froid et pluvieux, lorsque l'entraîneur l'avait appelé sur le terrain.

Les types de l'unité d'élite se sont approchés de la porte d'entrée et l'ont enfoncée brutalement.

— C'est bon! a crié une voix.

Accroupi devant la maison, j'ai attendu que les types achèvent de sécuriser la ferme, une pièce après l'autre, leurs recherches ponctuées de «C'est bon!».

L'un des hommes du FBI est ressorti par la porte principale. J'ai reconnu le beau gosse que j'avais frappé. Il nous a fait signe de le rejoindre.

— Tu sais, Mike, m'a averti Émilie. Tu n'es pas obligé d'y aller.

J'ai ramassé la balle en m'efforçant de me reprendre. J'ai fini par me relever.

— Si, il le faut.

Le jeune type du Bureau m'a arrêté d'un geste de la main.

— Je ne sais pas ce que ça signifie, mais la maison est vide.

J'ai coulé un regard par-dessus son épaule, en direction de l'entrée.

— Je ne comprends pas. Ils sont tous morts, c'est ça? Ils sont tous morts?

— Pas du tout, Mike. Nous n'avons pas trouvé de corps. Rien de rien. Votre famille n'est pas ici. La maison est entièrement vide. Il n'y a plus personne.

85

Comme le résultat du test permettant de détecter la présence de fentanyl en poudre était négatif, je me suis débarrassé en hâte de ce masque étouffant avant de fouiller la maison de fond en comble.

Les équipes du FBI ne s'étaient pas trompées. Il n'y avait plus personne. L'examen des chambres m'a montré que les lits étaient défaits. Pourtant, les vêtements n'avaient pas bougé de place. Jusqu'aux baskets qui continuaient de monter la garde. J'ai découvert le portable de Mary Catherine en train de charger sur l'étagère près de son lit. Il était difficile de déterminer s'il y avait eu lutte; une seule certitude, ils avaient quitté la maison précipitamment, en pleine nuit.

Fou d'angoisse, j'ai longtemps observé les montagnes de la fenêtre de la chambre de Mary Catherine. Perrine avait enlevé les miens. Il les retenait prisonniers quelque part.

Les autorités ont établi des barrages dans toute la région. Les flics de Susanville et les équipes de la police d'État sont arrivés avec des chiens. Ceux-ci ont tourné inlassablement en rond dans le jardin, signe que personne n'avait quitté les lieux à pied.

De retour dans la cuisine, j'ai retiré ma combinaison et je me suis installé devant la table en me passant machinalement la main dans les cheveux, le regard perdu dans les nœuds du parquet, à la recherche d'une explication. Quelle raison pouvait bien avoir Perrine d'enlever les miens au lieu de les assassiner? Les réponses qui me venaient les unes après les autres n'étaient guère engageantes.

C'était encore pire que de retrouver tout le monde mort. Je n'arrivais pas à y croire.

J'ai relevé la tête en voyant Émilie s'asseoir à côté de moi. Elle s'est mise à pleurer.

— C'est ma faute, s'est-elle accusée. Tu ne voulais même pas venir à Los Angeles et c'est moi qui t'ai fait du chantage pour réussir à te convaincre, en bon petit soldat. Tu ne voulais pas te joindre à l'enquête précisément pour éviter ce qui vient d'arriver. C'est de faute.

J'aurais aimé lui dire qu'elle se trompait, mais je n'étais pas en état de réconforter quiconque. La chape de plomb qui me pesait sur les épaules était bien trop lourde à porter. J'étais le premier surpris de trouver la force de respirer.

La porte donnant sur l'arrière était restée ouverte et le border collie de Cody nous a rejoints. Il s'est collé contre mes mollets et j'ai caressé machinalement sa tête toute triste.

Je me suis brusquement souvenu de ce que m'avait expliqué Cody au sujet des border collies. À propos de leur courage et de leur intelligence, de leur opiniâtreté.

J'ai sorti mon portable dont j'ai consulté le carnet d'adresses.

— Écoute-moi, Émilie, et arrête de pleurer. Tout n'est peut-être pas perdu.

— Comment ça? s'est-elle étonnée.

— Perrine a épargné mes gamins parce qu'il a l'intention de s'en servir comme monnaie d'échange. D'accord? Le tout est de mettre la main sur Perrine avant qu'il soit trop tard. Il nous reste encore une chance.

J'ai enfin retrouvé le numéro de John Diaz, du LAPD.

— Émilie, contacte l'aérodrome, demande-leur de préparer l'avion. Il nous faut impérativement aller au plus vite à Los Angeles où nous attend notre ami Tomas Neves. Je peux t'assurer qu'il nous dira où se terre Perrine, s'il veut rester en vie.

86

Le plan rapidement mis au point par téléphone grâce à Diaz était assez flou. Nous avons achevé de le peaufiner avec Émilie en regagnant l'aérodrome de Susanville où nous attendait le jet de l'Air Force.

Nous venions d'atterrir sur la base de Southern Cal quand m'est parvenu un texto de Diaz. Le sort était définitivement jeté. Quant à savoir si c'était pour le meilleur ou pour le pire, je n'avais ni le temps ni la force de m'interroger.

Conformément aux instructions du texto, à peine arrivés, nous sommes partis directement pour Wrightwood, une petite ville située à une trentaine de kilomètres de la base, au cœur d'une vallée boisée de pins des monts San Gabriel. Nous nous sommes engagés sur Lone Pine Country Lane, une route étroite qui déroulait ses lacets un kilomètre au nord d'une piste de ski fermée pour l'été. À l'extrémité de la route s'ouvrait un chemin en plein bois, menant à une propriété isolée.

Il était 10 heures lorsque nous nous sommes arrêtés devant un vieux chalet vert sapin. La Mustang de Diaz se trouvait déjà là, garée sous un auvent de tôle ondulée, à côté d'une Jeep bleue.

Le chant des grillons a envahi l'habitacle de la Crown Vic au moment où je baissais ma vitre. Pas une habitation ne venait troubler le rythme des collines environnantes. Pas un fil électrique n'enlaidissait l'horizon. La remontée dans le temps était impressionnante.

J'ai longuement examiné le chalet, sachant que rien de bon ne m'attendait à l'intérieur. De toute façon, j'avais dépassé le stade de m'en soucier.

Je me suis tourné vers Émilie au moment d'ouvrir ma portière.

— Attends-moi ici.

— Non. Je viens aussi, a-t-elle décidé. Nous sommes tous dans le même bateau. Je me fiche de ce qui arrivera. Cette histoire est ma faute.

J'ai tendu la main et refermé sa portière d'un geste impérieux.

— C'est faux. Tu sais très bien que je n'ai plus rien à perdre, Émilie. Tu me seras davantage utile en m'attendant ici.

— Mais enfin, Mike…

Je ne lui ai pas laissé le temps d'achever sa phrase.

Diaz m'avait averti qu'il se trouvait dans une pièce donnant sur l'arrière. J'ai contourné le chalet, ouvert une porte coulissante rouillée, puis j'ai pénétré dans une pièce lambrissée qui sentait le renfermé. Diaz, installé sur un siège de camping devant une cheminée en pierre, a relevé la tête en m'entendant arriver. Une cigarette aux lèvres, il était entièrement vêtu de noir. À côté de lui, posés contre les montants de la cheminée, j'ai reconnu les silhouettes de deux AR-15.

Je lui ai serré la main.

— Alors?

— Il est enfermé là-dedans, m'a répondu Diaz en me montrant avec sa cigarette une porte dans son dos. On l'a neutralisé avec un Taser au moment où il sortait de chez lui. Ce con n'a rien vu venir.

— Que sait-il exactement?

Diaz a soufflé un rond de fumée en direction des taches d'humidité maculant le plafond.

— On lui a raconté qu'on travaillait pour le cartel d'Ortega, le principal rival de Perrine, et je crois qu'il est tombé dans le panneau. Il est persuadé qu'on tient sa femme et ses gosses. On y est allés fort. Juste avant que tu arrives, j'ai improvisé en lui expliquant que s'il s'entêtait dans le silence, je collerais le sida à sa femme. Il s'est transformé en fontaine. Un géant aux pieds d'argile. Comme quoi, on ne connaît jamais vraiment les points faibles des gens.

Diaz écrasait sa cigarette contre la semelle de l'une de ses bottes quand la porte s'est ouverte derrière lui. Un géant cagoulé est apparu sur le seuil. Il a retiré son masque et je suis resté bouche bée en reconnaissant l'inspecteur Bassman.

Je me suis empressé de serrer son énorme main.

— Waouh! Vous faites partie de l'équipe, vous aussi? Je ne m'attendais pas à ce que vous risquiez votre avenir pour moi. Je ne pourrai jamais assez vous remercier de votre aide. Ni l'un ni l'autre.

— Pas de souci, vieux frère, a souri Bassman. Tout le plaisir est pour moi. En attendant, je crois que notre homme est mûr.

Diaz m'a tendu une cagoule.

— Allez, on y va!

87

Neves, en caleçon, gisait sur le dos au fond d'une baignoire à l'ancienne. Il avait un œil tuméfié et la bouche barrée d'une largeur de gros scotch. Chevilles et poignets menottés, il était affublé d'un gilet lesté qui l'immobilisait dans sa prison d'émail.

J'ai senti ma résolution faiblir en le découvrant dans un tel état d'humiliation et d'impuissance. Voyou ou non, c'était un être humain. Un être humain que nous avions kidnappé. Un être humain que nous allions obliger à livrer ses secrets, par la force si nécessaire. En le voyant ainsi, tout tremblant, je me suis senti mal.

Et puis je me suis souvenu qu'au même instant Perrine retenait toute ma famille prisonnière, et j'ai pris une longue respiration.

Diaz s'est emparé d'un autre gilet plombé dont il a attaché les lanières autour des mollets de Neves dans un frottement de Velcro.

Diaz a bouché la baignoire avant de s'asseoir sur le rebord. Bassman a déployé un couteau papillon dont il a glissé la lame entre la bouche de Neves et la bande de scotch. Il a tranché celle-ci d'un coup sec et un mince filet de sang s'est échappé de la lèvre de Neves.

— Oh merde! Je t'ai coupé, Tomas. Désolé, a fait Bassman en arrachant brutalement ce qui restait de scotch.

Neves a grimacé de douleur et des larmes ont jailli de ses yeux noisette.

— Je vous en prie, a-t-il balbutié entre deux sanglots. Je vous en prie. Pas ma femme, les gars. Elle est enceinte de deux mois. Ne lui faites pas de mal. Pas le sida, sinon le bébé l'attrapera aussi.

La souffrance et la peur qui s'exprimaient dans sa voix m'ont mis encore plus mal à l'aise. J'ai serré les poings, bien décidé à étouffer mes scrupules. Je n'avais pas le choix.

— Te bile pas tant, a répliqué Bassman en pinçant méchamment la joue à vif du voyou. J'ai entendu dire qu'on faisait des miracles dans le traitement du sida de nos jours. Les chercheurs n'arrêtent pas de réaliser de nouvelles découvertes.

Neves a fermé les yeux, sa lèvre ensanglantée agitée d'un tremblement.

— C'est bon, c'est bon, c'est bon ! s'est-il écrié. Vous avez gagné ! Qu'est-ce que vous voulez ? Donnez-moi un portable, je vous donnerai tout ce que j'ai. J'ai dix-huit kilos de dope dans une planque. Dix-huit kilos. Prenez tout.

Je me suis avancé.

— On ne veut pas de tes dix-huit kilos, Tomas. On veut Perrine. Où est-il ?

Neves s'est contorsionné de plus belle au fond de sa baignoire dans un concert de gémissements.

— Merde, et merde.

— Tu l'as dit, Tomas. T'es vraiment dans la merde, est intervenu Bassman en posant une main sur le crâne de son prisonnier.

L'instant d'après, il lui écrasait la tête contre le fond de la baignoire.

— T'as déjà entendu parler des sables mouvants, Tomas ? Eh bien, figure-toi que t'as foutu les pieds dans de la merde mouvante.

— Il est retourné au Mexique, d'accord ? Il était à Los Angeles, on lui a trouvé plusieurs planques, mais il est reparti. Je le jure devant Dieu. Perrine est retourné au Mexique tôt ce matin. L'un de mes gars l'a aidé à franchir la frontière.

Je voulais en avoir le cœur net.

— Où ça, au Mexique? Où est-il allé?

— J'en sais rien, moi. Vous croyez peut-être qu'il me tient au courant? J'en sais rien.

— Mauvaise réponse, a décrété Diaz en ouvrant en grand le robinet de la baignoire.

— Non! C'est vrai! Je le jure! a hurlé Neves dont le jet d'eau éclaboussait le visage.

Nous l'avons laissé crier tandis que montait inexorablement le niveau de l'eau. Allongé sur le dos, il en avait déjà jusqu'aux lobes des oreilles au bout de trente secondes. Une minute plus tard, le niveau atteignait ses joues. Il tentait désespérément de tendre le cou dans l'espoir de se redresser. Le torse et les jambes emprisonnés dans les gilets lestés, on aurait dit une tortue renversée cherchant à s'extirper de sa carapace.

— Il est retourné dans sa résidence d'été, a craché Neves dont la bouche commençait à se remplir d'eau. Je peux vous montrer sur un plan, mais fermez ce robinet! Fermez…

Diaz m'a retenu d'une main ferme en voyant que les cris de Neves se transformaient en bulles au fond de la baignoire.

— Encore une seconde, Mike. Il faut qu'il comprenne qu'on ne rigole pas.

— Exactement, a approuvé Bassman en sortant son smartphone. Laissons-le mariner en paix, le temps qu'il repose ses vieux os. Je ne sais pas si tu as remarqué, Mike, mais il a passé une mauvaise journée.

88

Bien qu'il n'y eût pas résidé depuis plus d'un an, son domaine de la Sierra de Pachuca, à une vingtaine de kilomètres de Real del Monte, dans le centre du Mexique, était le refuge de prédilection de Manuel Perrine.

Construite dans le voisinage immédiat d'une mine d'argent autrefois florissante, cette propriété de plus de six mille hectares était à l'origine l'une des haciendas offertes par la couronne espagnole à l'un des capitaines de Cortés. Le titre de propriété originel, dûment encadré, était accroché au-dessus de la cheminée, dans le bureau de Perrine. Lorsqu'il recevait, ce dernier mettait un point d'honneur à montrer à ses hôtes le paragraphe du parchemin jauni par le temps qui accordait au maître des lieux non seulement la terre et ses ressources naturelles, mais aussi la jouissance pleine et entière des populations qui y résidaient.

La beauté d'une hacienda telle que celle-là ne tenait pas uniquement aux jardins et à la villa autour de laquelle s'articulaient les terres, mais aussi à la capacité de ses occupants à vivre en autarcie. Les terres de Perrine servaient à l'élevage de bovins, d'ovins et de poules. Il y poussait du maïs et du soja grâce à l'abondance de ses sources, sans parler d'une rivière de montagne poissonneuse à souhait. Plus de quarante personnes vivaient là à l'année, pour l'essentiel des *vaqueros* en compagnie desquels Perrine prenait plaisir à faire de longues randonnées à cheval lors de chacun de ses séjours.

Depuis plusieurs étés, en échange des faveurs du gouverneur local qui s'appliquait à fermer les yeux sur les activités de Perrine, l'hacienda accueillait également des colonies de vacances organisées par certaines associations caritatives locales. En revanche, la seconde quinzaine d'août était exclusivement réservée aux dizaines d'enfants que comptait la nombreuse famille du maître des lieux. La dernière fois qu'il avait séjourné là, onze des enfants en question étaient les siens. Leurs huit mères différentes les accompagnaient.

Perrine se souvenait avec émotion des dîners organisés chaque soir au bord de la piscine, de ces moments de rêve passés à flirter avec elles tandis qu'une armée de serviteurs déposaient sur la table une succession ininterrompue de mets et de vins fins. Après le cinquième plat, il parvenait difficilement à mettre des noms sur les visages qui l'entouraient. Après le septième, il s'en fichait totalement.

Le souvenir de ces glorieux moments le fit sourire. Était-il jamais plus heureux que lors de cette quinzaine familiale, à s'amuser pendant la journée au milieu de ces grappes d'enfants excités et heureux, à jouer avec leurs mères à la nuit tombée ?

Lorsque son avion se posa sur la piste d'atterrissage privée en fin de matinée ce jour-là, il n'y avait pas d'invités à l'hacienda. Bien qu'il eût vendu la propriété à un homme de paille quelques années auparavant, les Américains étaient capables d'avoir percé son secret, ce qui le contraignait à limiter au minimum le nombre et la durée de ses séjours. Il se trouvait là uniquement parce qu'un informateur haut placé dans la *policía* locale lui avait assuré n'avoir reçu aucune instruction de surveillance particulière, n'avoir noté la présence d'aucun *gringo* suspect dans les hôtels des environs.

Quand bien même les gens auraient parlé, Perrine n'aurait jamais annulé l'opération prévue ce soir-là. En dépit de l'ampleur du projet qu'il mettait sur pied aux États-Unis, il ne comptait pas renoncer à un tel événement. Il ne vivait que pour la fête annuelle du cartel, un dîner officiel qui réunissait autour de lui ses cent principaux lieutenants. Une cérémonie au cours de laquelle se succédaient les discours et les toasts, avant le bouquet final qui voyait les domestiques apporter des mallettes remplies de cash sur des plateaux en argent.

Perrine poussa un soupir songeur parfaitement synchronisé avec le hurlement des réacteurs, tandis que son Global Express remontait la piste privée située derrière sa fastueuse villa de deux mille mètres carrés.

Quelle vie trépidante, pensa-t-il en retirant le bandeau qui lui avait permis de se reposer les yeux pendant le trajet. Il le tendit avec un clin d'œil à Marcia, l'hôtesse américaine blonde qu'il avait récemment recrutée. Perrine se sentait plus que jamais béni des dieux.

89

Le vieux Beto, le *vaquero* en chef de Perrine, attendait ce dernier au pied de l'échelle de coupée de son jet à quarante-cinq millions de dollars. Arthur, le majordome au visage interminable, était planté à ses côtés.

— Que se passe-t-il, Beto? Tu m'as l'air bien excité, s'écria Perrine en espagnol en tendant à son majordome sa veste de soie avant de retrousser ses manches. Ne me dis pas que la jument a pouliné?

Beto hocha vivement la tête, un sourire aux lèvres. Les rides qui soulignaient son regard malin dessinaient autant de fêlures sur le verre brun de son visage buriné.

— Montre-moi ça tout de suite.

Les deux hommes longèrent le perron en marbre de la villa avant de contourner la piscine en direction de l'écurie climatisée. Perrine avait beau posséder plusieurs pur-sang, il réservait son enthousiasme aux bêtes de concours. La valeur des chevaux qui se trouvaient là se chiffrait en millions de dollars. Il s'arrêta au passage pour flatter She Wolf et Blue. Il avait donné à ses animaux préférés les noms des tableaux de Jackson Pollock accrochés aux murs du hall d'entrée de l'hacienda.

Perrine s'immobilisa enfin devant la stalle de Troubled Queen afin d'admirer son petit. Une femelle, ainsi qu'il l'avait prédit. Une bête superbe au poil rouanné, comme sa mère. La pouliche posa sur lui un regard timide avant de se serrer contre la jument.

— Tu as vu, Beto? Elle a peur de moi! se plaignit Perrine. Tu le crois, ça? Avoir peur de moi?

Une expression inquiète s'afficha sur le visage de Beto.

— Qu'y a-t-il? s'étonna Perrine.

— Comment va-t-on l'appeler?

Perrine observa longuement la pouliche, un doigt posé sur sa lèvre retroussée. Il leva brusquement l'index dans un geste digne d'un chef d'orchestre.

— Nous l'appellerons La Rose, annonça-t-il.

— La Rose, répéta respectueusement Beto tandis que Perrine lui tapotait amicalement l'épaule avant de s'éloigner.

Le trafiquant avait oublié de préciser à son chef *vaquero* qu'il s'agissait du nom d'un tableau spectaculaire de Paul Delvaux, tout récemment acheté chez Sotheby's. Son prix, dix-huit millions de dollars, était sans doute un peu élevé pour une œuvre du surréaliste belge, mais l'argent était fait pour être dépensé.

Le majordome l'attendait à l'entrée de l'étable, prêt à l'aider à enfiler sa veste couleur crème.

— Arthur.

— Oui, monsieur Perrine.

— J'attends d'ici une vingtaine de minutes un avion transportant quelques... disons, quelques invités. Tu les logeras dans la maison du lac.

Arthur acquiesça sans ciller. La maison du lac était le refuge de prédilection des lieutenants de Perrine, lorsqu'ils décidaient de s'amuser un peu au lendemain du dîner annuel, leur prime en poche. La plupart du temps, il fallait nettoyer les lieux au jet après leur passage, mais chacun sait que les mâles ont leurs exigences.

— Tu as fait installer de nouvelles caméras, comme je te l'avais demandé?

— Les branchements ont été effectués hier, les images en circuit fermé sont accessibles de votre chambre sur votre ordinateur, ainsi que vous le souhaitiez, répondit pompeusement

Arthur. Dois-je demander à Hector et Junior d'attendre à l'entrée de la piste avec la camionnette?

— Absolument. Précise-leur bien, ainsi qu'à tout le personnel, que ce sont des hôtes de marque, à traiter avec tout le respect qui leur est dû.

Perrine sourit fièrement en continuant de parcourir la propriété en compagnie de son majordome, admirant l'immense piscine scintillante, l'harmonieux jardin en espalier, la villa spectaculaire.

— Jusqu'à ce que je décide de les tuer, bien évidemment, précisa-t-il.

90

Une demi-heure plus tard, nous avions obtenu tout ce que nous pouvions espérer de Tomas Neves.

Entre deux apnées prolongées, il nous avait avoué comment il avait conduit Perrine dans une maison de San Diego appartenant au cartel, équipée en sous-sol d'un souterrain qui passait sous la frontière. Le tunnel aboutissait dans un magasin de pneus mexicain devant lequel attendait une voiture, prête à conduire Perrine jusqu'à l'aéroport de Tijuana où stationnait son jet privé.

À en croire Tomas, Perrine avait décidé de se rendre à sa propriété de Real del Monte où l'attendait une fête organisée par ses soins. Le sous-fifre de Los Salvajes avec lequel Tomas avait organisé l'exfiltration de Perrine lui avait fièrement révélé que son frère était l'un des invités du dîner officiel de remise des primes.

Lors de la cérémonie, des valises remplies de billets étaient distribuées en grande pompe avant l'arrivée de dizaines de prostituées. D'après Neves, il était de notoriété publique, au sein du cartel, que Perrine n'aimait rien plus que boire et s'amuser avec les meilleurs et les plus brutaux de ses hommes de main.

J'ai tout d'abord pensé que les révélations de Tomas étaient de l'intox, avant d'y réfléchir à deux fois. Perrine était l'incarnation de la vanité et de l'arrogance. Quel moyen plus efficace d'afficher son culot que de réunir ses hommes au moment où il déclarait la guerre aux États-Unis?

J'étais resté en contact constant avec Émilie tout au long de l'interrogatoire de Neves. Pendue à son portable, elle communiquait les informations que nous étions en train de recueillir aux hommes du LAPD afin de les comparer aux éléments sur le cartel de Perrine dont ils disposaient. À leur tour, les équipes du QG recoupaient le tout avec les banques de données du FBI, de la CIA, de la NSA et des Stups.

C'est de sa bouche qu'est sortie la première lueur d'espoir lorsqu'elle m'a rappelé dans le sous-sol du chalet.

— Le SWAT de San Diego vient d'investir la maison dont Neves t'a donné l'adresse, Mike. Le tunnel dont il t'a parlé existe bel et bien. Quant aux autorités mexicaines, elles confirment qu'un jet privé a décollé de l'aéroport de Tijuana à 8 heures ce matin.

Vingt minutes plus tard, on se partageait une boîte de biscuits avec Diaz et Bassman, prêts à prolonger les exercices respiratoires aquatiques de Neves, quand on a frappé à la porte-fenêtre.

J'ai ouvert à une Émilie tout essoufflée.

— Un agent infiltré des Stups à Cancún vient de découvrir une hacienda à l'extérieur de Real del Monte. Il a récupéré l'info grâce à un numéro de portable des Salvajes qu'on surveillait. De plus, la CIA vient de découvrir que l'hacienda en question appartenait auparavant à Perrine! Apparemment, ce dernier renseignement leur fournit les raisons nécessaires pour passer à l'action. La machine est en route. Le JSOC, qui assure la coordination des forces spéciales, nous convoque pour une réunion générale à Southern Cal.

J'ai laissé Neves entre les mains de Diaz et Bassman afin de gagner la base au plus vite en compagnie d'Émilie. À peine avions-nous présenté nos badges pour franchir les contrôles que nous étions frappés par l'effervescence générale.

On aurait cru que quelqu'un avait mis en mouvement une sculpture cinétique en y introduisant une bille d'acier. Les dortoirs et les hangars de la base vomissaient des nuées de soldats en uniforme. Des dizaines de SEAL et de membres de la Delta Force, par petits groupes, vérifiaient leurs armes et leur paquetage tandis que des militaires armés de blocs à pince surveillaient les ultimes préparatifs des hélicoptères Black Hawk et Little Bird alignés sur le tarmac.

Une vidéoconférence avec l'un des généraux du JCOS à Washington était en cours lorsque nous sommes entrés dans la salle de réunion. Sous le visage du haut gradé, sur l'écran géant, s'affichait l'image satellite d'une immense villa agrémentée d'un jardin et d'une piscine.

Le colonel D'Ambrose, installé au fond de la salle, est venu à notre rencontre.

— Le drone envoyé sur place a pu vérifier la réalité des renseignements fournis par votre informateur, a-t-il chuchoté. La propriété s'est transformée en ruche depuis ce matin. La CIA est en train d'analyser plus en détail les images, mais leurs techniciens croient avoir repéré Perrine à cheval sur un sentier de montagne. Le ministre de la Défense discute actuellement avec le président. On vient d'apprendre que le président avait donné son feu vert pour l'élimination de Perrine. Nous investissons la place cette nuit en profitant de l'obscurité. On va mettre le paquet.

— On a gagné, Mike! s'est exclamée Émilie en se laissant tomber sur une chaise.

Elle s'est frotté les yeux avant d'ajouter:

— On a enfin trouvé Perrine.

— Je me fous bien de Perrine, Émilie. Tout ce qui compte, c'est ma famille.

91

Je me serais cru dans un décor de western-spaghetti, ou bien dans un dessin animé de Bip Bip et Coyote, en voyant le paysage qui se déroulait sous mes pieds à minuit ce soir-là. Une immensité désertique balayée par le vent, parsemée de mesas et d'éminences, le tout uniformément teinté de vert dans le viseur des jumelles à infrarouge qu'on m'avait fournies.

J'ai changé de position de façon à réveiller mon postérieur endolori par les vibrations de la carcasse métallique du Black Hawk. Il m'avait fallu recourir à plusieurs pistons, Émilie avait également mouillé sa chemise, mais nous avions finalement obtenu l'autorisation de participer au raid en prenant place à bord de l'un des hélicos, en compagnie de l'Unité de libération d'otages du FBI et de quelques agents de la CIA.

Émilie avait plaidé notre cause en expliquant que ma connaissance de Perrine me permettrait de l'identifier. J'avoue que j'étais impatient de lui dire ma façon de penser de manière très directe.

L'armada d'hélicoptères qui volait en rase-mottes au-dessus du Mexique était composée de Black Hawk, de Little Bird, de deux Cobra d'attaque, ainsi que d'un Chinook à double rotor à bord duquel avait pris place un contingent de Marines du 1er régiment de reconnaissance. Très loin au-dessus de nos têtes, tutoyant les étoiles, se trouvait un Spectre AC-130 lourdement armé, prêt à tirer des missiles Hellfire en cas de besoin.

Par souci de prudence, le Pentagone n'avait lésiné sur rien, ce dont j'étais particulièrement heureux. Perrine et les membres de son cartel n'étaient pas moins dangereux qu'une armée ennemie. Il était temps de les traiter comme tels.

Au morne paysage désertique a bientôt succédé un terrain plus accidenté. Les premières collines couronnées de végétation ont fait leur apparition, avant de se métamorphoser en escarpements majestueux et en massifs rocheux parsemés de vallées.

— Cinq minutes avant l'objectif, a grésillé une voix dans la radio.

Quelques instants plus tard, nous franchissions une crête derrière laquelle se dissimulait la villa de Perrine. Les images satellite n'avaient pas menti, son refuge n'avait rien d'une cabane en rondin. Le bâtiment de style Second Empire donnait l'impression d'avoir été démonté directement sur les Champs-Élysées avant d'être reconstruit pierre par pierre au cœur des montagnes mexicaines. Le bâtiment, brillant de tous ses feux, était précédé par des marches et une colonnade de marbre mieux éclairées qu'un opéra un soir de première.

On apercevait dans les environs immédiats de la villa plusieurs terrains de football, des écuries et ce qui ressemblait à un hippodrome. Derrière la maison, des jardins illuminés s'étageaient jusqu'à une somptueuse piscine baignant dans un éclairage feutré. Les reflets de l'eau flottaient jusqu'à l'amorce d'une piste d'atterrissage sur laquelle étaient rangés trois jets privés.

Je ne m'étonnais plus que le gouvernement américain n'ait pas souhaité avertir son homologue mexicain de l'imminence du raid. Comment une richesse aussi insolente aurait-elle pu s'étaler au milieu de nulle part sans la complicité des autorités locales?

C'était tout simplement impossible. À la vue de la propriété, j'ai compris que la rumeur ne mentait pas: Perrine était plus puissant que le président mexicain.

92

J'ai resserré la mentonnière de mon casque et vérifié que la sécurité de mon M4 était enclenchée en voyant approcher l'objectif. J'ai voulu dissimuler mon angoisse en adressant un clin d'œil à Émilie, assise en face de moi. Elle avait endossé un harnachement de combat que complétait un arsenal impressionnant et des rangers noires, à l'image des membres de l'Unité de libération d'otages. Elle m'a rendu mon clin d'œil, puis elle s'est signée avant d'entamer une prière.

J'allais l'imiter quand une sirène a retenti dans le cockpit de l'appareil. Un sifflement, suivi d'une alarme à incendie.

La radio s'est mise à crépiter et, avant que quiconque ait pu réagir, l'éclair blanc d'un missile sol-air a jailli d'une colline sur notre gauche. Pétrifié d'horreur, j'ai vu le sillage en tire-bouchon de l'engin s'arrêter sur le rotor avant du Chinook qui ouvrait la route à notre armada. Une explosion assourdissante a troué la nuit, suivie d'une lueur aveuglante, et le Chinook s'est abattu en tournoyant comme une feuille d'automne.

— Chalk 3 est touché ! a crié une voix dans mon oreillette. Atterrissage d'urgence ! Atterrissage d'urgence !

Un deuxième missile a frôlé le Black Hawk qui volait à côté de nous. En me penchant, j'ai aperçu plusieurs silhouettes sur le toit d'un petit bâtiment en parpaing perché sur une crête.

— Le toit à gauche ! Le toit à gauche ! a repris la voix.

L'un des deux Cobra d'attaque a quitté la formation en plongeant brutalement vers l'objectif.

J'ai failli me pisser dessus en entendant se déclencher sa mitrailleuse électrique avec un bruit terrifiant de broyeuse. Une pluie de balles traçantes grosses comme des bouteilles de Coca s'est abattue sur la masure.

Le déluge de feu n'avait pas pris fin que le second Cobra pivotait sur lui-même à la façon d'un 45 tours et que non pas une mais deux fusées s'échappaient du ventre de l'appareil dans un jaillissement d'étincelles. Une fraction de seconde plus tard, la maison en parpaing était emportée par une boule de feu haute de dix mètres. Le tonnerre de l'explosion nous est parvenu avec un décalage à peine perceptible, accompagné par un mur de chaleur qui m'a giflé la peau à l'intérieur du Black Hawk.

— Attention! Ils nous tirent dessus avec des armes à feu! s'est écrié quelqu'un.

La précision était inutile, des éclairs trouaient la nuit tout autour de la villa, comme un peu partout sur la propriété. Je me suis bouché les oreilles au moment où le mitrailleur posté dans l'ouverture de notre hélico ouvrait le feu avec son engin de 50. Les douilles vides s'écrasaient sur la paroi de l'appareil avec le staccato furieux d'un batteur de jazz s'acharnant sur ses cymbales.

J'ai tourné mon regard sur l'arrière de la villa en entendant un grondement sourd.

— C'est le AC-130, m'a expliqué l'un des hommes du FBI alors qu'une série d'explosions déchiquetait la piste d'atterrissage.

— Hourrah! a hurlé quelqu'un en voyant voler en éclats l'un des jets privés.

J'éprouvais un plaisir indicible à voir que les États-Unis dirigeaient enfin leur puissance de feu sur Perrine et son organisation de malheur. L'espace d'un instant, bercé par notre artillerie, j'ai bien failli tout oublier. Ma rage. La peur de ne jamais revoir les miens.

Ma joie s'est évanouie aussi vite qu'elle était venue en voyant notre Black Hawk descendre quasiment jusqu'au sol, derrière l'enceinte de la villa. J'ai serré les paupières et prié Dieu qu'il ne soit pas trop tard.

93

Le Black Hawk est resté en position stationnaire le temps que les hommes de l'Unité de libération d'otages se laissent glisser le long de cordes jusqu'à la cour de terre devant les écuries. Il avait été initialement prévu que les Marines du Chinook prendraient pied sur la propriété à cet endroit précis, mais nous nous étions visiblement rabattus sur le plan B.

Les commandos du FBI à terre, le pilote du Black Hawk a posé son appareil. Je venais de constater que le toit des écuries était en feu quand un vieil homme est sorti du bâtiment, une couverture sur les épaules.

J'ai tout juste trouvé le temps de hurler «Attention!» avant que la couverture explose. Un nuage de chevrotine s'est écrasé sur les flancs et le toit de l'hélico, tout près de moi. L'un des commandos est tombé en se tenant la cuisse. Un feu nourri de M4 a éclaté en retour, le vieux bonhomme s'est raidi avant de tomber d'un bloc, comme le hayon d'un pick-up.

Il touchait à peine le sol que des chevaux jaillissaient des écuries. Tout est allé si vite, j'ai bien cru que j'allais glisser de l'hélico. Deux des animaux étaient en feu! Un autre, de l'autre côté de la horde furieuse, avait une bosse sur le dos. J'ai collé un œil à la lunette de mon fusil.

Je n'en ai pas cru mes sens.

La bosse n'était autre qu'un Noir à la peau claire en pantalon de smoking et chemise blanche.

Perrine et sa monture ont disparu derrière les écuries avant que j'aie pu presser sur la détente. J'ai tapé sur l'épaule du pilote de l'hélico en mettant mon fusil en position automatique.

— Décolle! Décolle!

L'instant suivant, nous décollions à la vitesse d'un ascenseur supersonique. Perrine s'était dégagé de la meute des chevaux et talonnait furieusement sa monture en prenant la direction de la villa. Il longeait sa piscine olympique quand je me suis calé contre la paroi de l'hélico, l'œil rivé à la lunette. Le M4 m'a gentiment chatouillé l'épaule au moment où j'appuyais sur la détente.

Toujours à travers la lunette, j'ai vu le cheval lancé au galop s'écrouler sur le bord de la piscine et glisser sur le carrelage avant de s'abattre dans l'eau avec son cavalier dans une gerbe spectaculaire.

Cette fois, le pilote n'avait pas attendu que je l'aiguillonne pour survoler la piscine. Il se trouvait encore à plus de cinq mètres de la surface quand j'ai plongé.

En plein dans le mille. D'une telle hauteur, entraîné par mes quatre-vingt-quinze kilos et les vingt kilos supplémentaires de mon harnachement, je suis tombé sur le dos de Perrine comme une bombe. La semelle de ma ranger droite s'est abattue sur sa nuque tandis que la gauche s'enfonçait entre ses omoplates.

Perrine, qui était sur le point de s'extraire de la piscine, s'est trouvé projeté contre la rambarde métallique. J'ai su par la suite que non seulement je lui avais une seconde fois cassé le nez, mais que je lui avais ouvert l'arcade sourcilière, fracturé une pommette, et cassé la moitié des dents. Il n'en était pas quitte pour autant. Le Roi Soleil méritait bien un traitement de faveur.

94

Tout en m'enfonçant dans l'eau de la piscine, j'ai trouvé le moyen d'agripper Perrine par la ceinture.

Nous nous sommes retrouvés prisonniers de l'eau tiède. Je me souviens d'avoir voulu me débarrasser de mon gilet en Kevlar. Ce n'était pourtant pas une priorité. Nous coulions comme des pierres quand j'ai aperçu sur ma droite une vision tout droit sortie d'un tableau de Salvador Dalí. Tout au fond du bassin brillamment éclairé, le cheval se débattait furieusement. De grosses bulles lui sortaient des naseaux et des geysers s'échappaient des plaies provoquées par mes balles, tels des panaches de fumée rouge.

Perrine se débattait, lui aussi. Il essayait désespérément de me labourer le visage avec ses ongles, de me laminer de coups de pied, sans parvenir à ses fins puisqu'il me tournait le dos et que je l'entraînais vers les profondeurs, accroché à lui comme une ancre. J'ai profité de son impuissance pour renforcer mon emprise en crochant mon autre main à sa ceinture.

Mes rangers venaient de toucher le fond quand il est enfin parvenu à me donner un coup de pied. Le talon de sa chaussure m'a entaillé le visage au niveau de l'aile gauche du nez, et mon sang est venu rougir à son tour l'eau de la piscine. À force de se contorsionner, il a réussi à m'échapper. Il m'a aussitôt fait face et je me suis brusquement souvenu que Perrine avait fait partie des commandos de la marine française.

Loin de vouloir remonter à la surface, Perrine a pris ma tête entre ses énormes mains dans l'espoir de me briser les vertèbres cervicales. Heureusement pour moi, la tentative a échoué, ce qui ne l'a pas empêché de m'arracher à moitié les muscles du cou.

Constatant son échec, Perrine s'est entêté en m'enfonçant son pouce dans l'œil avant de tenter de m'étrangler. La moitié de son visage restée intacte a grimacé un sourire carnassier. D'un coup de talon sur le fond du bassin, j'ai voulu lui donner un coup de boule, mais il refusait de lâcher prise.

Dans l'impossibilité de me débarrasser de lui, j'ai brusquement pensé au poignard de survie attaché à mon mollet. Je l'ai dégagé de son étui et j'ai frappé Perrine de toutes mes forces.

Le poignard m'a échappé des mains sous le choc. Bingo! Les mains de Perrine se sont écartées, il est remonté précipitamment à la surface. En levant les yeux dans le flou de l'eau, j'ai constaté que le poignard était enfoncé jusqu'à la garde dans sa cuisse gauche, juste au-dessus du genou.

— Ne bougez pas! Ne bougez pas! Ne bougez pas!

Les cris fusaient de tous côtés quand j'ai refait surface à mon tour. J'ai reconnu les types de l'Unité de libération d'otages. La moitié d'entre eux cernaient la piscine, un genou à terre à trois mètres du bassin, en position défensive. Les autres se tenaient debout sur le rebord, les pointeurs laser de leurs MP7 posés sur la poitrine trempée de Perrine qui avait réussi à sortir de l'eau et gisait sur le dos à côté d'un plateau de hors-d'œuvre renversé.

J'ai pataugé jusqu'à l'échelle, les muscles du cou en compote. Les coups de feu qui nous parvenaient de la villa se faisaient sporadiques.

Je me suis retourné brusquement en entendant un grand bruit derrière moi. Le cheval avait réussi à remonter à l'air libre. Il a bondi hors de l'eau, ses sabots ont cliqueté sur le carrelage, et il s'est évanoui dans la nuit.

95

Le médecin des forces spéciales assigné à notre unité m'a soigné tant bien que mal en me scotchant sur le visage un pansement ridiculement grand avant de poser une minerve.

Le raid avait duré vingt minutes au total. Nous avions tué ou capturé quarante-trois membres du cartel, c'est-à-dire une grande partie des salopards de trafiquants venus honorer de leur présence le dîner officiel de Perrine. J'avais pu suivre la progression des forces spéciales à l'intérieur de la villa et dans le reste de la propriété grâce à ma radio. Je restais suspendu à la moindre nouvelle de ma famille. En vain.

Où diable Perrine avait-il caché les miens?

Quelques minutes plus tard, Émilie a appris par notre commandement que les *federales* mexicains avaient été invités à se joindre à la fête, histoire de les inciter à oublier que nous avions violé l'espace aérien de leur pays et que le raid avait eu lieu sans même un coup de téléphone à leur nouveau président.

J'enrageais de savoir que l'histoire officielle louerait le gouvernement mexicain pour son soutien sans faille. C'était oublier un peu vite que Perrine ne se cachait pas le moins du monde des autorités de son pays, que de très hauts personnages de l'État bénéficiaient de ses largesses. Le merdier politique habituel. Toujours les mêmes mensonges.

L'hacienda sous contrôle, l'Unité de libération d'otages a souhaité évacuer Perrine dans la villa. Il avait perdu connaissance peu après être sorti de la piscine. Il respirait encore, mais sa tension était anormalement basse et les médecins n'auraient pas été surpris qu'il soit en état de choc, du fait de ses blessures et du sang qu'il avait perdu.

J'ai insisté pour accompagner sa civière. J'avais impérativement besoin qu'il reprenne connaissance pour l'interroger sur le lieu où il détenait les membres de ma famille. Nous l'avons transporté à travers ses jardins de Babylone jusqu'à la villa et nous l'avons consigné dans un bureau du rez-de-chaussée.

Pendant que les secouristes s'efforçaient de le ranimer, j'ai passé la villa au peigne fin. L'intérieur était aussi fastueux que l'extérieur, si c'était possible : des plafonds à caissons à six mètres de hauteur, des moulures dans tous les coins, une cuisine grande comme une salle de bal, avec une pierre précieuse géante de couleur bleue en guise de plan de travail.

Les gars de la Delta Force, assis dessus, se passaient une bouteille de Dom Pérignon. Un inconnu au visage interminable était menotté à leurs pieds.

J'ai froncé les sourcils.

— Qui est-ce ?

— Le majordome, à ce qu'il prétend, m'a répondu l'un des commandos avec un fort accent sudiste. Il passe son temps à nous répéter qu'il ne *habla* pas l'*inglès*, mais tu l'as vu ? Regarde-moi ces dents de rapace. Ce type est british jusqu'au bout des ongles.

— Tiens, tiens. Un majordome.

J'ai sorti mon Glock. J'avais déjà chargé une balle dans le canon. J'ai retiré le cran de sûreté. Pour avoir déjà fréquenté mon lot de rupins à Manhattan, j'étais bien placé pour savoir que les majordomes, à l'image des portiers, savent tout.

— Holà, garçon ! Calme-toi ! a voulu me freiner le Sudiste en me voyant poser le Glock sous le menton du type.

J'ai regardé le majordome droit dans les yeux sans me soucier de ses anges gardiens.

— J'ai une question à te poser. C'est ta dernière chance de t'en tirer. Un avion a atterri ici ce matin peu après l'arrivée de Perrine. Un avion transportant des prisonniers. Où sont-ils?

— Dans la maison du lac, m'a répondu le type avec un pur accent d'Oxford. Au bout de la petite route qui longe la piste d'atterrissage sur l'arrière.

96

Le temps de récupérer l'un des quads que les gars de la Delta Force avaient eu la bonne idée d'apporter dans leurs bagages, je remontais à toute allure la petite route, suivi par plusieurs membres de l'unité d'élite.

Une rafale d'AK-47 nous a arrêtés net alors que nous approchions de la maison du lac.

J'ai sauté à terre et roulé à l'abri d'un muret.

— Il faut croire qu'on n'avait pas terminé le nettoyage!

Les hommes de la Delta Force s'en sont nettement moins laissé conter. Loin de battre en retraite comme moi, ils ont lancé leurs quads à pleins gaz en visant soigneusement la fenêtre d'où étaient partis les coups de feu. Un géant plus cinglé que les autres, dont j'ai su par la suite qu'il avait appartenu à l'équipe de football américain de l'université Georgia Tech, a foncé sur la porte et l'a enfoncée d'un coup de botte.

Une partie du chambranle a volé en éclats sous le choc. Au même moment, un de ses potes a commencé une manœuvre inconnue à mon répertoire. Au lieu d'expédier une grenade incapacitante, il en a lancé un chapelet entier dans la maison.

Les commandos ont attendu qu'elles aient rendu sourds et aveugles leurs adversaires avant de s'engouffrer dans le bâtiment. Je me suis rué dans leur sillage en courant d'une pièce à l'autre. J'ai écarquillé les yeux en découvrant un bar, des canapés rouges, des miroirs rococo. Non! Je refusais de croire qu'ils aient pu enfermer mes enfants dans ce bordel sordide! J'en étais malade.

— Bennett! Par ici! Par ici! a crié l'un des types de la Delta Force.

Je me suis précipité. Jamais je n'aurais pu imaginer une telle cruauté, un tel manque d'humanité, en découvrant tout un groupe d'enfants.

Une douzaine de gamines de douze ou treize ans, recroquevillées sur des matelas couverts de taches. Une bouffée de soulagement m'a submergé en m'apercevant qu'il ne s'agissait pas de mes enfants.

Le répit a été de courte durée, l'angoisse a rapidement repris ses droits. Puisqu'il ne s'agissait pas de mes gamins, où pouvaient-ils bien être?

97

Un convoi de cinq camions remplis de *federales* et de soldats mexicains avait rejoint la villa lorsque nous y sommes retournés. Une demi-douzaine de militaires gardaient la porte du bureau dans lequel était enfermé Perrine.

Je me suis précipité vers Émilie sans même voir qu'elle avait un portable collé à l'oreille.

— C'est quoi, ce bordel?

— Les Mexicains exigent d'interroger Perrine eux-mêmes. Washington nous a donné l'ordre de leur laisser les mains libres. On n'a pas eu le choix.

— Perrine a-t-il repris connaissance?

— À peu près, d'après ce que j'ai cru comprendre.

— Je dois absolument lui parler, Émilie. Mes enfants n'étaient pas dans la maison du lac. Ils ne se trouvaient donc pas dans le second jet privé. Il faut absolument que je sache où ils sont.

— Calme-toi, Mike, a voulu me tempérer Émilie dans un murmure. Tu auras tout le temps d'interroger Perrine tout à l'heure. Prends ton mal en patience et laisse les chefs se débrouiller entre eux. La situation est suffisamment délicate comme ça.

— C'est hors de question. On les a déjà bien assez laissés se débrouiller.

Je me suis dirigé d'un pas résolu vers les soldats mexicains qui montaient la garde.

Un Mexicain aux cheveux poivre et sel couverts d'un béret s'est planté devant la porte, les mains dans le dos, en me voyant approcher.

— En quoi puis-je vous aider? m'a-t-il demandé avec un sourire.

Je lui ai montré mon badge fédéral.

— J'appartiens aux forces de l'ordre des États-Unis. C'est moi qui ai arrêté cet homme, j'ai besoin de m'entretenir avec mon prisonnier.

Son sourire n'a pas dévié d'un millimètre, mais ses hommes se sont avancés, l'air menaçant.

— C'est malheureusement impossible. Vous êtes ici au Mexique, il s'agit d'une arrestation mexicaine. Je serai contraint de vous passer moi-même les menottes si vous insistez.

J'ai froncé les sourcils en me demandant quelle idée les Mexicains pouvaient bien avoir derrière la tête. Avaient-ils décidé d'emmener Perrine avec eux?

Je me suis retourné en entendant du bruit derrière moi. Mes nouveaux copains de la Delta Force venaient en renfort.

— Et toi, si t'insistes pour embêter mon pote, a déclaré le monstre qui avait explosé la porte de la maison du lac, on sera obligés de te mettre six pieds sous terre avec tes petits camarades. *¿Comprende?* Maintenant, ouvre-moi cette porte!

Au même moment, un *pop* sonore a résonné de l'autre côté du battant.

J'ai repoussé d'une bourrade le colonel mexicain en me ruant à l'intérieur de la pièce.

Perrine était toujours allongé sur sa civière, les mains menottées dans le dos. Il avait été tué d'une balle en pleine tête, sa cervelle maculait le manteau de marbre de la cheminée.

— Il ne m'a pas laissé le choix, il a tenté de s'échapper, m'a expliqué un autre colonel de l'armée mexicaine en remisant nonchalamment son pistolet dans son étui.

J'ai compris. J'étais en présence de l'équipe de nettoyage. Perrine en savait trop sur le gouvernement mexicain, sur la corruption au plus haut niveau de l'État. Tout ça ne me rendait pas ma famille. Ils avaient tué le seul être capable de me dire où se trouvaient les miens. Quand ce cauchemar prendrait-il fin?

Je me suis rué sur le salopard qui venait d'abattre Perrine, mais je n'avais pas fait un pas qu'on m'immobilisait par-derrière. Les coups ont volé, les insultes aussi, en anglais comme en espagnol, et puis j'ai fini par reprendre mon calme. Je me suis dégagé, tout tremblant, et j'ai gagné l'arrière de la villa où avaient été parqués les membres de Los Salvajes capturés un peu plus tôt. Qu'ils le veuillent ou non, ils allaient parler, me dire où se trouvaient mes enfants.

Au même moment, Émilie m'a rejoint en courant. Elle m'a tendu un téléphone en souriant de toutes ses dents. J'ai collé l'appareil à mon oreille.

— Mike? Mike? C'est vous? a demandé une voix de femme, avec un fort accent irlandais.

J'ai cru un instant que j'avais des hallucinations. Je me suis laissé glisser par terre avant de répondre.

— Mary? Mary Catherine?

— Mike! Dieu soit loué, j'arrive enfin à vous joindre! Vous ne répondez donc jamais quand on vous appelle?

— Mais que, comment… Vous allez bien? Et les enfants?

— Tout le monde se porte à merveille, Mike. Les enfants, Seamus, moi, M. Cody. Nous allons tous bien.

98

— Quoi? Comment? Où? répondit Mike, dont la voix s'échappait d'un vieil émetteur CB posé devant Mary Catherine.

Elle enfonça la touche rouge avec le pouce.

— Ne vous faites pas de bile, Mike. On est cachés pas très loin de chez M. Cody, déclara-t-elle avant de relâcher le bouton.

— Mais le cartel nous a envoyé une vidéo sur laquelle on les voyait enfoncer la porte de la ferme en pleine nuit, s'étonna la voix de Mike, déformée par le haut-parleur. Je ne comprends rien du tout, j'étais persuadé qu'on vous avait enlevés.

— On se cache depuis deux jours chez M. McMurphy, au milieu des collines, au nord de chez M. Cody, lui expliqua Mary Catherine. On aurait aimé vous appeler plus tôt, mais la maison n'a pas le téléphone. Je vous appelle avec l'émetteur CB dont se sert M. McMurphy quand il a besoin de joindre quelqu'un.

— Un émetteur CB?

— Oui. M. McMurphy contacte par radio un ami qui vit à quelques kilomètres d'ici, et cet ami transmet la communication sur son téléphone. Sauf que l'ami en question était absent depuis plusieurs jours, il vient tout juste de rentrer. Ce qui explique notre silence.

— Attendez une seconde, Mary. Qui est ce McMurphy?

— Un charmant monsieur de Susanville. Il m'a dit vous avoir croisé à l'église il y a quelques semaines, la fois où Seamus a dit la messe à la place du curé.

Le hippie armé d'un fusil, avec sa dégaine à la Nick Nolte.

— Ce type-là? Mais comment s'est-il retrouvé mêlé à cette histoire?

— C'est-à-dire que… il a une ferme d'un genre un peu spécial, Mike. Il n'aime pas vraiment qu'on parle de lui à cause de son métier. Il garde toujours les yeux et les oreilles ouverts. Il a appris par la bande que le cartel essayait de nous mettre la main dessus. Il venait nous avertir du danger quand il est tombé sur les tueurs du cartel.

«Ils avaient eu le temps d'abattre le marshal qui nous surveillait, mais il les a devancés en passant par la porte de derrière avant qu'ils pénètrent dans la maison. Nous avons réveillé tout le monde et il nous a emmenés à travers champs jusqu'à son camion. On se cache depuis dans sa ferme, au milieu des collines.

— Mais alors, je ne rêve pas? s'écria Mike. Vous êtes tous vivants?

— Ne croyez pas pouvoir vous débarrasser de nous aussi facilement, plaisanta Mary. Je vous passerais volontiers les enfants, mais ils sont épuisés par toutes ces émotions, j'aime autant les laisser dormir. À présent que le danger est écarté, M. McMurphy se propose de nous reconduire demain matin à Susanville. Qu'en dites-vous?

99

Un Land Rover Defender, au toit coiffé d'une longue antenne souple, roulait sur un ancien chemin minier des collines proches de Susanville lorsque son conducteur freina brusquement en sentant la main de Vida Gomez se poser sur la sienne.

La jeune femme s'efforça de régler le curseur du récepteur radio posé sur ses genoux en reconnaissant dans son oreillette, au milieu des grésillements électrostatiques, la voix de Bennett. Le flic discutait avec la nounou de ses enfants.

— Excellente idée. Je rentre demain, on se retrouve tous à la ferme, crépita la voix de Bennett.

— Putain! C'est lui! s'écria Vida. Bennett en personne! Dépêche-toi de repérer l'origine du signal!

Eduardo, installé sur la banquette arrière, tendit le cou et vérifia d'un coup d'œil la fréquence qui s'affichait sur le cadran de la radio de Vida, puis ses doigts volèrent sur le clavier de l'ordinateur portable relié à l'antenne. Sur l'écran apparut leur localisation exacte, à quelques centimètres d'une flèche indiquant la position approximative de l'émetteur dont se servait la nounou.

La flèche clignota tandis que la nounou souhaitait une bonne nuit à Bennett.

Eduardo compara les indications portées sur l'écran à la carte géologique étalée sur le siège à côté de lui. Il avait longtemps travaillé pour l'unité des transmissions de l'armée colombienne, à traquer des narcotrafiquants, avant de changer de camp quand il avait croisé la route de Perrine. Eduardo était le spécialiste incontesté de la géolocalisation au sein du cartel.

Il tendit le doigt en direction d'un petit bois, au sommet d'une colline couverte de genévriers.

— Ils se cachent à moins de deux kilomètres dans cette direction.

Vida donna quelques instructions sur sa radio. Moins d'une minute plus tard, un 4 x 4 FJ Cruiser rejoignait le Land Rover dans un nuage de poussière en venant de la direction opposée.

— Vous avez trouvé? s'enquit Estefan, installé au volant du FJ.

— On vient d'entendre Bennett parler avec la nounou, lui répondit Vida, au comble de l'excitation. L'ordinateur indique qu'elle se trouve à moins de deux kilomètres, derrière ce petit bois.

— Parfait, approuva Estefan. J'ai repéré un chemin qui s'enfonce dans cette direction, deux cents mètres plus haut.

Vida pouvait enfin sourire. Elle avait tout de suite compris que la seule solution, après avoir appris que le clan Bennett avait déserté sa planque, était de venir en personne diriger les recherches sur place. Leurs contacts en ville leur avaient parlé d'un vieux hippie à moitié cinglé vivant dans les parages. Un certain McMurphy qui avait donné du fil à retordre au cartel par le passé, et que des témoins avaient aperçu en train de discuter avec Bennett à l'église.

Vida avait tenté de joindre Perrine à plusieurs reprises afin de recueillir ses instructions, mais son téléphone ne répondait pas. Tout ça à cause de sa cérémonie annuelle. Elle l'imaginait en smoking, s'adressant à ses hôtes.

Elle ressentit une pointe de jalousie en se souvenant qu'elle n'avait pas été conviée au dîner de gala. Aucune importance. Dans le coffre de la Land Rover l'attendaient douze boîtiers en carton remplis de glace carbonique. Douze petites boîtes dans lesquelles elle comptait bien expédier à Real del Monte, dès le lendemain matin, les têtes des membres de la famille Bennett. Manuel n'aurait plus aucune raison de douter de son dévouement.

Vida portait autour du cou, accroché à une chaîne en or, la bague en émeraude que Perrine lui avait offerte lorsqu'elle était enfin parvenue à le séduire, la veille de son départ. Perrine ne s'était pas protégé, Vida était en pleine période d'ovulation. Sans avoir pratiqué de test, elle savait déjà qu'elle portait son enfant. Un garçon, qui serait aussi beau que son père.

Tout le monde vantait le charme de Perrine, mais Vida avait trouvé que le compliment ne lui rendait pas justice. Tout au long des heures qu'ils avaient passées ensemble, il s'était montré d'une douceur extrême, lui posant des questions sur ses filles, sur sa vie. Il s'était comporté comme un père avec elle. Tout du moins l'idée qu'elle se faisait d'un père, faute d'en avoir eu un.

Un frisson de plaisir la parcourut. Elle, Vida. Une fille de la campagne. Elle avait toujours su qu'elle était différente des autres, que la roue finirait par tourner. Elle savait désormais qu'elle tournerait au-delà de ses rêves les plus fous. Elle portait dans son ventre le fils du Roi Soleil.

— Vida ! la rappela à l'ordre Estefan.

— Oui ?

— Tu préfères qu'on aille un peu plus loin avec les 4 x 4, ou alors qu'on les laisse ici et qu'on poursuive à pied ?

Vida s'empara de son pistolet-mitrailleur et ouvrit sa portière.

— On continue à pied, mais pas question de traîner, décida-t-elle. Je veux avoir quitté ce trou à rats avant l'aube.

100

McMurphy posa une tasse de thé devant Mary Catherine au moment où elle reposait le micro de la CB.

— Vous avez pu entrer en contact avec Mike? s'enquit-il en se laissant tomber sur une chaise de camping.

Mary avala une gorgée brûlante.

— Oui, je viens de lui parler. Ne vous inquiétez pas, je ne lui ai pas précisé l'endroit exact où nous nous trouvions. Je ne voudrais pas que vous ayez des ennuis avec la police ou qui que ce soit d'autre après tout ce que vous avez fait pour nous. C'était d'autant plus facile que je ne sais même pas exactement où nous sommes.

McMurphy éclata de rire.

— Il m'arrive de me perdre, moi aussi, plaisanta-t-il. Mais je me suis dit que le plus loin serait le mieux, avec ces vacheries de cow-boys mexicains.

Le refuge de McMurphy, perdu en pleine montagne, était pour le moins surprenant. Loin de trouver une cabane à moitié en ruine au milieu de champs de marijuana, la jeune femme avait découvert un bunker souterrain extrêmement sophistiqué. Sa tanière, tapie dans le flanc de la colline, était constituée d'une vingtaine de vieux bus scolaires soudés les uns aux autres. L'ensemble formait un long couloir donnant, de part et d'autre, sur des pièces disposées perpendiculairement.

Le maître des lieux, persuadé qu'une guerre nucléaire était imminente, avait construit l'ensemble avec un groupe d'amis dans les années 1980. Ils avaient transporté les carcasses de bus une à une dans un camion à plateau, creusé la colline, soudé le tout, et rabattu la terre par-dessus.

En voyant que l'holocauste nucléaire n'était pas près de se produire, McMurphy avait peu à peu transféré sous terre ses plantations de marijuana, déjà florissantes, afin de dépister les agents fédéraux. La plupart des pièces servaient de salles de culture hydroponique, mais le bunker comptait également une cuisine, une armurerie, un atelier, ainsi que plusieurs chambres équipées de lits superposés, où dormaient les enfants.

L'antre de McMurphy était climatisé, bénéficiait d'une VMC, d'eau douce, et d'électricité fabriquée à l'aide d'un générateur à propane. Sans compter deux salles de bains aussi propres que confortables, et des toilettes en parfait état de marche.

Le lieu lui-même n'avait pas été l'unique source d'étonnement de Mary Catherine. McMurphy, en dépit de ses airs de vieux cinglé, s'était montré d'une gentillesse et d'une douceur extrêmes avec les enfants. Il avait notamment fermé à clé toutes ses salles de culture avant de veiller au confort de tous. Faute de jeux vidéo, il avait mis à la disposition des Bennett un Monopoly, un Scrabble, des cartes et un jeu de fléchettes.

Il avait montré aux enfants la collection de fossiles ramassés lors de ses expéditions à travers la montagne, leur détaillant les animaux marins pétrifiés des millions d'années auparavant, à l'époque où la Sierra Madre était recouverte par l'océan.

McMurphy avait baptisé du nom de bibliothèque le bus dans lequel Mary avait pris place. Une pièce très agréable dans laquelle trônait une tête de taureau, au-dessus d'un échiquier. Les rayonnages qui habillaient les murs débordaient de livres de poche aux pages jaunies par le temps, de traités de mécaniques et d'études géologiques reliées en cuir.

On y trouvait aussi des centaines de photos : McMurphy en tenue de catcheur, McMurphy dans son uniforme des Bérets verts entre deux copains qu'il tenait par l'épaule, de nombreux portraits de hippies datant des années 1960, une photo d'une blonde magnifique en chapeau haut de forme, jouant de la flûte sous un arbre, McMurphy très jeune en compagnie d'autres barbus et chevelus blonds en chemise de lin, autour d'un feu de camp, et même un cliché de gamins à cheveux longs en maillot de bain au bord d'un lac, occupés à jouer avec des poneys, des chèvres et des chiens.

Mary désigna le mur de photos.

— Quelle est votre histoire, monsieur McMurphy? Comment en êtes-vous arrivé là?

— Je vous l'ai dit. On a creusé la montagne avec un bulldozer, on a enterré les bus avant de les souder ensemble comme des Lego.

— Je sais, mais j'aimerais surtout comprendre pourquoi. Pourquoi vous être retiré dans un endroit pareil, si je ne suis pas indiscrète?

McMurphy soupira en croisant les jambes.

— Vous voulez que je vous raconte ma vie, c'est ça? Eh bien, j'ai grandi près de Frisco, dans une famille de cinq gamins. Mon père était plombier, ma mère infirmière de nuit dans un hosto psychiatrique. J'ai pratiqué le catch au lycée, ce qui m'a valu une bourse d'études à Berkeley. J'allais recevoir mon diplôme d'ingénieur quand j'ai été pris de remords, alors je me suis engagé.

«À mon retour aux États-Unis, je me suis retrouvé à traîner à Berkeley avec un groupe d'écrivains, de peintres et de toxicos qu'on appelait les Merry Pranksters, parce qu'on était de joyeux lurons. J'ai même vécu un temps chez Ken Kesey, l'auteur de *Vol au-dessus d'un nid de coucou*. J'admirais beaucoup son esprit d'indépendance, son amour de la liberté. Les fêtes chez lui n'étaient vraiment pas banales.

— J'imagine, remarqua Mary.

— J'en doute, répliqua McMurphy en lui adressant un clin d'œil. Quoi qu'il en soit, vers la fin de l'année 1968, alors qu'on s'amusait sans se poser de questions, on a vu débarquer des gens qui ont commencé à nous parler des masses laborieuses, de la lutte des classes, et qui ont voulu lancer un mouvement politique. Je me suis barré du jour au lendemain et j'ai atterri ici avec des copains. On s'est mis à vivre en autarcie, en cultivant la terre.

— Qui est la jolie fille qui joue de la flûte?

— C'était ma copine pendant un moment. On a eu trois gamins. Ils sont tous partis au début des années 1980 quand j'ai commencé à construire cet abri antiatomique. Tout le monde est parti. Il n'y a plus que moi. Le dernier des Mohicans. Bilbo McMurphy, le dernier Hobbit, à votre service.

Il balaya la pièce du regard, une grimace aux lèvres.

— Je sais ce que vous pensez. Vous me prenez pour un vieux hippie survivaliste, pas vrai? Vous pensez qu'il faut être complètement givré pour vivre comme une taupe au fond d'un trou.

— Vous nous avez sauvé la vie, monsieur McMurphy, réagit Mary. Je pense que vous vivez dans un endroit incroyable et que vous êtes un type bien.

McMurphy sourit, visiblement surpris.

— C'est vrai?

— Bien sûr, que c'est vrai.

— Dans ce cas, décida-t-il en tirant de sa poche une pipe et un Zippo, je vous proposerais volontiers de fumer de l'herbe avec moi.

Mary Catherine déclina l'invitation d'un mouvement de tête.

— Non, monsieur McMurphy. Souvenez-vous de ce que nous avons décidé au sujet des enfants. Pas question de fumer le moindre brin d'herbe tant qu'ils seront ici.

McMurphy remisa sa pipe avec un soupir.

— Tant pis. Chacun choisit sa vie, conclut-il en bâillant. Je vous souhaite une bonne nuit. On lève le camp demain matin à l'aube.

101

Mary posait la tête sur l'oreiller de l'un des lits superposés lorsqu'un bip insistant se fit entendre.

Elle gagna en toute hâte le couloir que McMurphy remontait au pas de course. Elle l'arrêta d'un geste.

— Que se passe-t-il?

— Le détecteur de mouvement! cria le vieux hippie.

Jamais Mary ne l'avait vu dans un tel état.

— Quelqu'un a pénétré à l'intérieur du périmètre de sécurité. J'en étais sûr! Ils se trouvent dans le secteur B. C'est à cause de la CB, ils auront repéré le signal! Ces salopards ont des scanners capables d'espionner les échanges radio!

Mary le suivit dans l'armurerie et le vit tourner la mollette de l'énorme coffre-fort vert. Ce dernier contenait un arsenal impressionnant: des fusils d'assaut, des fusils de chasse à lunette, plusieurs M16. McMurphy choisit une arme automatique dans laquelle il engagea un chargeur avec un claquement sec. Il en jeta une dizaine d'autres dans un sac qu'il passa en bandoulière.

— Qu'est-ce que vous faites? s'écria Mary.

— S'ils découvrent l'un des conduits de ventilation, nous sommes foutus. Ils auront tout le loisir de les boucher ou de nous enfumer. J'ai cru voir à la télé qu'ils se servaient d'un gaz toxique secret. Ils n'auront aucun mal à nous tuer. Je pars en reconnaissance, pas question de leur laisser le temps d'agir.

McMurphy s'enfonça dans les profondeurs de son antre.

— Vous ne sortez pas par la porte principale? s'étonna Mary.

— Vous êtes folle ou quoi? Ils la surveillent à coup sûr. Je vais devoir emprunter les souterrains.

— Quels souterrains?

— J'ai oublié de vous en parler, déclara-t-il en ouvrant la porte qui fermait le couloir central.

De l'autre côté du battant s'étendait un tunnel d'à peine plus d'un mètre de hauteur qu'éclairaient une série d'ampoules.

— Je creuse ce boyau depuis des années. Il permet de quitter le bunker en passant sous la colline. C'était déjà mon boulot au Viêtnam. Je creusais des souterrains. On nous traitait de rats, à l'époque. Les souterrains que j'ai creusés ici sont les mêmes que ceux de Cu Chi. En mieux. Refermez la porte derrière moi. Non! Attendez! Putain, j'allais oublier…

Il rebroussa chemin et regagna l'armurerie où il entreprit de fouiller fébrilement une boîte à chaussures contenant des CD. Il en tendit un à Mary.

— Accordez-moi cinq minutes et glissez-le dans le lecteur de CD en réglant le volume à fond.

— Que… comment? Pourquoi?

— J'ai fixé des haut-parleurs aux arbres sur toute la colline, avec des lumières stroboscopiques. On s'en servait autrefois quand on organisait des fêtes. On partait se promener dans les bois après avoir avalé des amphets. On s'est bien éclaté la tête, pendant quelques années. En attendant, ça nous servira aujourd'hui. Je peux vous garantir que ça va réveiller ces ordures! Ils n'ont qu'à bien se tenir! Et n'oubliez pas de verrouiller la porte du tunnel derrière moi, recommanda le joyeux luron à Mary avant de s'enfoncer dans le souterrain.

Mary referma soigneusement la porte arrière de l'ancien bus de ramassage scolaire et posa machinalement les yeux sur la pochette du CD.

Il s'agissait de l'album *Highway to Hell* du groupe AC/DC.

102

Il leur fallut vingt minutes pour trouver la clairière. Vida, postée sur une hauteur, observa longuement l'immense mobil-home curieusement posé au milieu des arbres. On aurait dit un temple. Ou une tombe.

L'idée de la tombe me plaît bien, sourit intérieurement la jeune femme en descendant le sentier caillouteux sur lequel la précédaient Eduardo, Estefan et Jorge. La tombe des Bennett.

Le petit groupe approchait de l'objectif lorsqu'une vibration traversa l'air. Vida crut un instant qu'elle se faisait des idées. Un phénomène lié au changement de pression atmosphérique du fait de l'altitude, peut-être?

L'instant suivant, elle tomba à genoux de saisissement, persuadée d'avoir été frappée de plein fouet par une fusée, ou bien un éclair. L'accord strident de guitare électrique se répéta, venant de partout à la fois, bientôt soutenu par un riff de batterie.

Living easy, living free, season ticket on a one-way ride, hurla joyeusement une voix écorchée.

Du rock? D'où peut bien venir cette musique? se demanda Vida en tentant de rassembler ses pensées. Elle observa furieusement les alentours. Où se trouvaient les haut-parleurs? Dans les branches? Dans la terre?

La voix entonnait le refrain de «Highway to Hell» lorsque les projecteurs s'allumèrent sur les arbres qui entouraient le mobil-home, baignant la colline tout entière dans une lumière crue qui révélait le petit groupe. Soudain, les projecteurs se mirent à danser en clignotant, transformant la colline déserte en piste de danse géante.

Vida venait de se débarrasser de ses lunettes de vision nocturne, devenues inutiles, lorsque les premières rafales crépitèrent. Estefan, accroupi à la tête de la colonne, bascula brusquement en avant et dévala jusqu'au bas de la pente, tête la première. Eduardo, qui tentait de reculer derrière lui, tomba à son tour.

— En arrière! En arrière! hurla Vida en poussant Jorge derrière elle.

Des projectiles de gros calibre s'enfoncèrent dans la terre à ses pieds, d'autres ricochèrent sur le rocher près duquel elle se tenait un instant plus tôt. Elle se retourna dans l'espoir d'apercevoir les éclairs des coups de feu afin de savoir dans quelle direction riposter, mais les lumières stroboscopiques l'aveuglèrent instantanément.

Elle plongea derrière un rocher en haut du sentier et se coucha sur le sol, le cœur battant. Le heavy metal cisaillait la nuit aussi sûrement qu'une tronçonneuse. Vida avait beau savoir qu'on cherchait à la déstabiliser, elle ne parvenait pas à retrouver son sang-froid. Elle comprit qu'elle se trouvait face à un adversaire coriace.

Elle se maudit en rampant jusqu'à la butte herbeuse derrière laquelle se terrait le seul de ses compagnons encore vivant. Deux de ses meilleurs hommes avaient payé le prix de sa négligence. Et voilà qu'elle restait seule avec Jorge, ce crétin de jeune *gringo* qui passait son temps à reluquer l'intérieur de son chemisier. Tu parles d'une aubaine.

Elle devait réfléchir, et vite. Le mobil-home posé bien en évidence au milieu de la clairière n'était qu'un piège. Elle devait s'attendre à ce qu'il y en ait d'autres.

Elle observa la crête qui dominait la clairière, à la recherche d'une bonne position de tir. Trente secondes plus tard, elle avait trouvé ce qu'elle cherchait. À une vingtaine de mètres à gauche du sentier, derrière des broussailles, se dessinait la silhouette d'un surplomb rocheux dominant la clairière.

Elle agrippa Jorge par le col et lui désigna le rocher plat.

— Rampe jusque là-bas et ouvre le feu sur le mobil-home. Continue de tirer jusqu'à ce que je te dise d'arrêter! lui hurla-t-elle pour être entendue au-dessus des rugissements d'AC/DC.

Vida observa la manœuvre, l'œil rivé à la mire de son pistolet-mitrailleur. Jorge, à court de balles, changeait le chargeur de son AK-47 lorsqu'elle comprit en voyant disparaître une touffe d'herbe à flanc de colline. À sa place se dressa lentement une silhouette qui prit silencieusement pied sur la roche, comme un diable sortant d'une boîte.

Un diable armé d'un fusil.

103

L'ombre et Vida tirèrent simultanément. Jorge bascula de son rocher et la silhouette s'effaça.

Vida, hors d'haleine, se précipita jusqu'à l'endroit exact où elle avait vu se dresser l'inconnu. Elle sursauta en découvrant un trou. Elle alluma sa torche et découvrit une ouverture que dissimulait une trappe amovible. Le long de la cheminée descendait une échelle au pied de laquelle gisait un homme à la crinière blanche qui l'observait de son regard vide, le crâne à moitié arraché.

Vida éclata de rire. Le vieux hippie! Elle l'avait eu! Ce connard avait perdu la partie!

La jeune femme poussa un soupir de soulagement en entendant s'éteindre les dernières notes de «Highway to Hell». Voilà où ils se cachaient! Le hippie dissimulait la famille Bennett dans un abri souterrain!

De toute façon, cela n'avait plus d'importance. Elle avait réussi à arracher la victoire des griffes de la défaite. Elle y avait laissé deux amis, c'est vrai, mais ça ne l'empêcherait pas de rentrer au Mexique avec ses douze petits paquets cadeaux.

Vida changea de chargeur et passa la lanière de son pistolet-mitrailleur à l'épaule en se glissant dans l'ouverture, cherchant du pied le premier barreau avant d'entamer la descente de la cheminée.

Elle s'enfonça dans le boyau avec d'infinies précautions, pliée en deux, guidée par les ampoules accrochées au plafond. Le tunnel ressemblait à s'y méprendre à celui qu'elle avait emprunté pour pénétrer aux États-Unis depuis le Mexique, à San Diego.

Au détour d'un coude à quatre-vingt-dix degrés, elle se trouva nez à nez avec une porte. C'était quoi, ce bazar? La porte, peinte en jaune, avait des angles arrondis, comme une portière de car de ramassage scolaire.

Avant qu'elle ait pu réagir, le battant métallique s'ouvrit et Vida sursauta violemment en découvrant une jeune femme sur le seuil. Ce teint laiteux, ces cheveux blonds! La nounou des Bennett! Et elle braquait sur elle un pistolet noir.

Vida leva le canon de son pistolet-mitrailleur. Son mouvement fut interrompu par une déflagration assourdissante qui lui arracha une partie de l'épaule gauche et la moitié du visage.

Elle se retrouva brusquement assise sur la terre du souterrain, les mains crispées autour de la crosse de son arme. Elle avait beau tenter de la soulever, elle en était incapable. Le poids du pistolet-mitrailleur l'en empêchait.

L'Irlandaise le lui arracha des doigts d'un coup de pied.

— Pourquoi? lui demanda-t-elle.

Vida posa sur son interlocutrice l'œil qui lui restait. Mary Catherine la dominait de toute sa blondeur. Une jolie Américaine type, digne des publicités Coca-Cola.

Le sang qui giclait du cou mutilé de Vida arrosait doucement la terre du tunnel. Elle sentait la vie lui échapper. La magie qui avait toujours fait battre son cœur se dissipait avec chaque nouvelle pulsation. Son âme lâchait prise inexorablement, elle s'effritait sous ses doigts comme l'aurait fait le bord friable d'une falaise.

— Tout ça pour de l'argent, dit Mary Catherine d'une voix triste.

Vida constata qu'elle pleurait.

— Ce ne sont que des enfants. Des petits. Vous n'avez jamais été petite? Il n'y a donc pas d'enfants, là où vous avez grandi?

Vida porta sa main valide à son cœur. Son bébé. Son prince. La douleur de ce qui aurait dû être, de ce qui ne serait jamais, la terrassa.

Elle sentit une larme solitaire s'échapper de son œil intact, et puis les lumières du tunnel s'éteignirent.

ÉPILOGUE

Il était presque midi lorsque nous sommes arrivés devant la ferme de Cody. Je suis descendu de la voiture de police qui me ramenait à Susanville. Tous les flics du cru ou presque s'étaient donné rendez-vous là pour m'accueillir. J'ai également noté la présence de plusieurs marshals et des équipes locales du FBI.

Il régnait autour de moi comme une atmosphère de fête. Cody préparait un barbecue pantagruélique derrière sa maison, un air de musique country s'échappait de la radio posée sur le rebord de la fenêtre. Une ode quelconque à la gloire de Dieu, de la bière et de la folie humaine.

J'aurais aisément pu témoigner sur ce dernier point.

Il m'a tendu une cannette de Coors après m'avoir serré la main, en dépit de l'heure précoce. J'ai trinqué avec lui avant d'en avaler une gorgée.

— Je suis désolé de tous les ennuis que vous avez eus à cause de moi, monsieur Cody. Vous avez bien failli y laisser votre peau.

Le vieux cow-boy m'a adressé un sourire en coin.

— Tous ceux qui ont essayé en ont été pour leurs frais, Mike. Mes deux frères, mon sergent instructeur, le Viet-Cong, et même ma première femme. Heureusement pour moi.

Il a tendu sa bière en direction du champ voisin de l'écurie.

— Il est temps de retrouver les vôtres. J'ai cru comprendre que vous leur aviez manqué.

Je me suis approché lentement, trop heureux de voir mes gamins jouer au frisbee avec les chiens de Cody. Plusieurs faucons tournoyaient au-dessus de leurs têtes dans le ciel d'un bleu limpide, comme s'ils avaient voulu se joindre à eux.

Mary et Seamus avaient pris place à une table de pique-nique à l'extrémité du champ. Seamus m'a vu le premier, mais je lui ai fait signe de ne rien dire en me plaçant derrière Mary Catherine. J'ai pris le temps de la regarder, d'admirer ses cheveux blonds, d'observer sa façon droite et posée de se tenir. Si j'avais nagé en plein rêve à cet instant précis, jamais je n'aurais voulu me réveiller.

Je me suis penché afin de lui boucher les yeux avec les mains.

— Qui est-ce? lui ai-je murmuré à l'oreille.

Elle s'est levée d'un bond en poussant un cri et m'a serré dans ses bras au point de m'étouffer. Je l'ai serrée tout aussi fort. À ce moment, j'ai senti s'envoler tous les malentendus qui nous éloignaient l'un de l'autre depuis plusieurs mois. Nous avions enterré la hache de guerre et remis les compteurs à zéro. Nous avions préservé le principal: elle était là pour moi, tout comme j'étais là pour elle.

La vie, l'amour, le temps.

Nous nous sommes embrassés sans l'ombre d'une hésitation, et lorsque nos bouches se sont quittées, nous pleurions l'un comme l'autre. De l'autre côté de la table, Seamus nous observait, bouche bée. Je me suis approché afin de déposer un baiser sonore sur le sommet de son crâne chauve.

— Tu as perdu la boule, Mike? a-t-il bougonné en s'essuyant le crâne. Tu ne te serais pas laissé contaminer par Hollywood quand tu étais à Los Angeles, par hasard?

Je n'ai pas trouvé le temps de lui répondre, assailli par des cris d'enfants. Sales des deux jours passés dans le bunker, ils portaient plus encore les stigmates du soda à la glace que

Cody venait de leur servir en guise de déjeuner. Mes petits gueux ressemblaient à des ramoneurs. En un mot, ils étaient adorables.

Les larmes sont revenues en force alors que je les serrais contre moi l'un après l'autre, aux anges de les retrouver si pleins de vie quand je les avais crus morts. Ces retrouvailles prenaient des allures de résurrection.

Je me suis essuyé les yeux en reposant Fiona.

— Regarde-toi, tu es toute dégoûtante.

— Sans vouloir être malpolie, papa, tu n'es pas terrible à voir non plus, a-t-elle rétorqué en montrant du doigt le pansement qui me mangeait le visage.

— Il faut croire que la journée a été longue. Deux jours et deux nuits, si j'ai bien compris.

— Arrête de te raconter des histoires, papa. Ça fait neuf mois que c'est long! est intervenu Brian en triturant son frisbee. Alors? Qu'est-ce que tu nous racontes?

J'ai feint la surprise.

— De quoi parles-tu?

— Il veut savoir si t'as attrapé ce fameux Perrine, a enchaîné Ricky.

— Ouais, a renchéri Trent. On va devoir déménager une fois de plus?

J'ai revu le corps de Perrine sur sa civière, le crâne explosé. Ma colère contre les Mexicains s'était évaporée. À bien y réfléchir, ils m'avaient rendu un fier service. Ils avaient rendu un fier service à la planète tout entière.

— Oui, Trent. Je suis au regret de te l'apprendre, mais nous allons à nouveau devoir déménager.

Un gémissement général m'a répondu.

— Où ça? m'a demandé Eddie, au bord des larmes.

— Je ne sais pas. Je ne me rappelle plus très bien le nom de cet endroit.

Je me suis gratté la tête.

— Noooon! C'est tellement paumé que papa s'en souvient même plus! s'est écriée Bridget.

— Attendez ! Je crois me souvenir. Un truc comme Man-quelque chose. Manhattan, je crois bien. C'est ça ! Manhattan. Il paraît que West End Avenue est plutôt cool à cette époque de l'année.

Les O que j'ai lus dans les yeux et sur les bouches qui m'entouraient auraient rempli une boîte de Cheerios. L'instant d'après, mes Cheerios chéris m'ovationnaient. Cody et les flics se sont retournés, alertés par le vacarme. Mes gamins sautaient dans tous les sens, les chiens aboyaient. Jusqu'à Seamus, qui s'est lancé dans une esquisse de gigue irlandaise avant de passer un bras autour de mon épaule.

— Dieu te bénisse, Michael Bennett, a-t-il murmuré.

(Suite de la page 4)

Des nouvelles de Mary, 2008.
Le Cinquième Ange de la mort, 2007.
Sur le pont du loup, 2007.
Quatre fers au feu, 2006.
Grand Méchant Loup, 2006.
Quatre souris vertes, 2005.
Terreur au troisième degré, 2005.
Deuxième Chance, 2004.
Noires sont les violettes, 2004.
Beach House, 2003.
Premier à mourir, 2003.
Rouges sont les roses, 2002.
Le Jeu du furet, 2001.
Souffle le vent, 2000.
Au chat et à la souris, 1999.
La Diabolique, 1998.
Jack et Jill, 1997.

AU FLEUVE NOIR

L'Été des machettes, 2004.
Vendredi noir, 2003.
Celui qui dansait sur les tombes, 2002.
Et tombent les filles, 1996.
Le Masque de l'araignée, 1993.

Cet ouvrage a été composé
par Atlant'Communication
au Bernard (Vendée)

Achevé d'imprimer sur Roto-Page
par l'Imprimerie Floch à Mayenne
en décembre 2014
pour le compte des Éditions de l'Archipel
département éditorial
de la S.A.S. Écriture-Communication

Imprimé en France
N° d'impression : 87831
Dépôt légal : janvier 2015